ANGLAIS
LA GRAMMAIRE

Michèle Malavieille
Agrégée de l'Université
Professeur h. au lycée Lakanal de Sceaux
Wilfrid Rotgé
Agrégé de l'Université
Professeur de linguistique anglaise
à l'université Paris-Ouest Nanterre La Défense

Hatier

@ Cet ouvrage de la collection Bescherelle
est associé à des **compléments numériques** :
un ensemble d'exercices interactifs
sur les principales difficultés de la grammaire anglaise.
Pour y accéder, connectez-vous au site
www.bescherelle.com.
Inscrivez-vous en sélectionnant le titre de l'ouvrage.
Il vous suffira ensuite d'indiquer un mot clé issu
de l'ouvrage pour afficher le sommaire des exercices.

Vous pourrez également utiliser librement
les ressources liées aux autres ouvrages de la collection
Bescherelle en anglais.

Coordination éditoriale : Claire Dupuis, assistée de Bénédicte Jacamon
Édition : Barthélemy de Lesseps
Correction : Michel Pencreac'h
Conception graphique : Marie-Astrid Bailly-Maître, Sterenn Heudiard, Sandrine Albanel & Nicolas Taffin
Mise en page : Studio Bosson

© HATIER – Paris – juin 2008 – ISSN 2101-1249 – ISBN 978-2-218-92619-8

AVANT-PROPOS

→ **Grammaire de référence** destinée à un large public – lycéens, étudiants, adultes –, *la Grammaire anglaise Bescherelle* présente le fonctionnement de la langue anglaise contemporaine dans son ensemble, à travers tous ses emplois.
Elle permet à l'utilisateur de découvrir la **logique de la langue anglaise** et de produire lui-même une langue correcte.
Grammaire de réflexion, elle ne vise pas simplement à faire apprendre des règles, mais à donner les moyens de comprendre le pourquoi et le comment de la grammaire anglaise.

→ Dans cette **nouvelle édition, entièrement revue** (et enrichie de nouvelles pistes de réflexion et de nouveaux exemples), chaque partie est associée à une couleur différente et les contenus sont structurés en **paragraphes numérotés**.
Cette organisation facilite une circulation rapide et efficace à l'intérieur des parties ; elle permet une lecture en continu aussi bien qu'une consultation ponctuelle, à partir d'un index détaillé et des renvois internes.

→ L'objectif final est bien de fournir à l'utilisateur tous les moyens d'une **réelle maîtrise de la grammaire anglaise**.

RUBRIQUES

comparaison anglais/français

réflexion linguistique

ATTENTION fautes à ne pas commettre

Sommaire

LA PHRASE

ANNEXES

INDEX

Les numéros renvoient aux paragraphes.

Glossaire

Base verbale : l'infinitif sans to et sans terminaison. La base verbale est symbolisée par la lettre **V**.

You can smoke. (smoke : base verbale)

La structure est can + base verbale ou can + V.

Be + -ing : be + verbe -ing

It is raining.

is : be conjugué ; raining : rain + -ing

Énoncé : tout segment, oral ou écrit, produit par un locuteur.

Locuteur : celui qui parle/écrit.

Have + participe passé : have + verbe au participe passé

The letter has arrived.

has : have conjugué ; arrived : arrive au participe passé

Present perfect : emploi de have + participe passé

The letter has arrived.

Past perfect : emploi de had + participe passé

The letter had arrived.

V : verbe, surtout employé en base verbale (infinitif sans to).

Ø (zéro) : absence de marqueur, là où on aurait pu trouver un déterminant (a/the), une terminaison (-s de la 3e personne du singulier), une conjonction (that), un pronom relatif (that/which/who).

Petite grammaire de l'oral

La grammaire de l'oral consiste en :
- **l'étude de l'intonation de la phrase** (sa « mélodie ») **:** est-ce qu'on monte en fin de phrase ou est-ce qu'on descend ?
- **la prononciation des mots grammaticaux :** beaucoup de mots grammaticaux ont une forme pleine et une forme faible.

1 L'intonation de la phrase anglaise

La phrase **française**, contrairement à la phrase **anglaise**, a surtout une intonation montante. Spontanément, quand on dit *Bonjour !* ou *Il fait beau aujourd'hui*, la voix monte sur *-jour* ou sur *-d'hui*. Essayez de prononcer ces deux phrases en descendant sur *-jour* et sur *-d'hui* : cela paraît sec, trop factuel. C'est de cette façon qu'il faut prononcer Hello ou Nice weather today, en descendant sur -lo et sur -day, quitte à paraître moins enjoué qu'en français !

L'intonation des phrases **affirmatives** et **négatives** est descendante. La voix descend en fin de phrase.
L'intonation de base est la suivante : on monte jusqu'à la syllabe la plus accentuée de l'énoncé, puis on redescend.

I'm seeing John this weekend.
Je vois John ce week-end.

John est l'élément le plus important de la phrase : la voix monte vers John puis descend.

L'intonation dans les questions

- Quand on peut répondre par Yes ou No, la question a une intonation montante.

Did you like the film?
Tu as aimé le film ?

Have you ever been to New York?
Vous êtes déjà allée à New York ?

ATTENTION Cela peut surprendre, mais les **questions en wh-** ont une intonation **descendante**.

Where did you go? *Où es-tu allé ?* What's your name? *Comment vous appelez-vous ?*

- L'intonation est **descendante** dans les cas suivants.
  - les phrases affirmatives : I love this area. *J'adore cet endroit.*
  - les phrases négatives : We don't need anything. *Nous n'avons besoin de rien.*
  - les phrases à l'impératif : Do it! *Faites-le !*
  - les phrases exclamatives :

    What a strange couple! *Quel drôle de couple !*
  - les tags, qui sont de fausses questions :

    It's nice, isn't? *C'est bien, non ?*
- L'intonation est **montante** dans les cas suivants.
  - les questions en Yes/No ;
  - quand on n'a pas fini sa phrase (par exemple quand on réfléchit) :

    The problem is that... *Le problème, c'est que...* um... *euh...* you know... *tu vois...*
  - quand on demande de répéter :

    "He went to Chicago." "Where?" *« Il est allé à Chicago. – Où ? »*

2 Quels mots accentuer dans une phrase ?

D'une façon générale, les mots **lexicaux** portent un **accent**, alors que les mots grammaticaux ne sont pas accentués. Quand vous rencontrez un mot nouveau ou que vous révisez du lexique, vous devez repérer en même temps que sa prononciation la place de l'accent indiquée par le signe ' (mis devant la syllabe accentuée).

- Le mot **le plus accentué** de la phrase est celui qui apporte l'information importante. Il se trouve le plus souvent en fin de phrase. Dans les exemples suivants, la syllabe la plus accentuée figure en gras.

  It's **rain**ing. *Il pleut.*

  I called my mother this **morn**ing. *J'ai appelé ma mère ce matin.*

  I can **drive**. *Je sais conduire.*

- Quand la phrase est plus longue, on trouve plusieurs groupes de sens et c'est la fin de chaque groupe de sens qui est accentuée.

  I never go **out** after eight **thir**ty.
  Je ne sors jamais après 20 heures 30.

  I can swim **fas**ter than your **bro**ther.
  Je nage plus vite que ton frère.

Par contraste, **les mots grammaticaux ne sont pas accentués**. Ils ont souvent une forme pleine et une forme faible, à l'oral. La **forme faible** est la forme **la plus courante**. Ces mots sont prononcés rapidement.

MOT GRAMMATICAL	FORME FAIBLE	FORME PLEINE
am	[(ə)m]	[æm]
and	[(ə)n(d)]	[ænd]
are	[ə(r)]	[ɑː(r)]
as	[əz]	[æz]
at	[ət]	[æt]
be	[bɪ]	[biː]
but	[bət]	[bʌt]
can	[k(ə)n]	[kæn]
could	[kəd]	[kʊd]
do	[d(ə)]	[duː]
does	[dəz]	[dʌz]
for	[fə(r)]	[fɔː(r)]
from	[frəm]	[frɒm]
had	[(h)əd]	[hæd]
has	[(h)əz]	[hæz]
have	[(h)əv]	[hæv]
is	[z]	[ɪz]
must	[m(ə)st]	[mʌst]
not	[nt]	[nɒt]
of	[əv]	[ɒv]
shall	[ʃ(ə)l	[ʃæl]
should	[ʃ(ə)d]	[ʃʊd]
some	[s(ə)m]	[sʌm]
than	[ð(ə)n]	[ðæn] [rare]
that	[ð(ə)t]	[ðæt]

MOT GRAMMATICAL	FORME FAIBLE	FORME PLEINE
the	[ðə] ou [ði]	[ði:]
there	[ðə(r)]	[ðeə(r)]
to	[tə]	[tu:]
was	[w(ə)z]	[wɒz]
were	[wə(r)]	[wɜ:(r)]
would	[(wə)d]	[wʊd]
will	[(wə)l]	[wɪl]

- On remarque que, à la forme faible, la voyelle est très souvent réduite à [ə], dont la prononciation est proche du *e* bref de *petit*.
- On emploie la forme pleine quand le mot est en fin d'énoncé ou quand il est accentué pour créer un contraste (emploi emphatique).

What are you looking for? *Qu'est-ce que vous cherchez ?*
[fɔ:] et non [fə] car en fin d'énoncé

I'll let you know when I can. *Je vous préviendrai quand ce sera possible.*
[kæn] et non [k(ə)n] car en fin d'énoncé

"You don't love me." "I *do* love you." *« Tu ne m'aimes pas. – Mais si, je t'aime. »*
forme pleine [du:] + accent fort sur do

3 Remarques sur les formes faibles et les formes pleines

On retiendra les cas particuliers suivants.

- Do you est parfois réduit à [dju].
- That
  - that **démonstratif** n'a pas de forme faible et se prononce toujours [ðæt] ;
  - that **relatif** et that **conjonction** sont presque systématiquement prononcés [ðət] (forme faible).
- The ne se prononce [ði:] que lorsqu'il est fortement accentué dans la phrase : It's *the* book of the year. *C'est LE livre de l'année.*

→ Différence entre [ðə] ou [ði] 188.

- La forme faible de there ne s'emploie que quand il traduit *il y a* (there is, there are, there was...) ; quand there signifie *là-bas*, on utilise la forme pleine.

- Les modaux may et might n'ont pas de forme faible.
- Seules cinq **prépositions** ont une forme faible : at, for, from, of et to. En règle générale, les prépositions ne sont pas accentuées, contrairement aux **particules**.

  Look at me! *Regarde-moi !*

  La préposition at s'entend à peine et peut être réduite à un [t].

  Go out or I'll call the police!
  Sortez ou j'appelle la police !

  La particule out est accentuée.

Some

Some ne se prononce [s(ə)m] (forme faible) que lorsqu'il exprime une quantité indéterminée (*du, de la, des*). Autrement, il se prononce [sʌm].

I want some money. [s(ə)m] *Je veux de l'argent.*

I've bought some apples to make a pie. [s(ə)m]
J'ai acheté des pommes pour faire une tarte.

Some woman was asking for you. [sʌm]
Une femme vous a demandé.

Pronoms personnels et déterminants possessifs

- Le [h] de he, him, his, her ne se prononce pas dans la forme faible de ces mots. Toutefois, en début de phrase, le [h] se prononce généralement.
- Autres formes

MOT GRAMMATICAL	FORME FAIBLE	FORME PLEINE
she	[ʃɪ]	[ʃiː]
us	[əs]	[ʌs]
our	[ɑː(r)]	[aʊə(r)]
we	[wɪ]	[wiː]
you	[jʊ]	[juː]
your	[jə(r)]	[jɔː(r)]
them	[ð(ə)m]	[ðem]

Phonétique de l'anglais

SYMBOLES PHONÉTIQUES UTILISÉS

VOYELLES BRÈVES

[ɪ]	big, which, England
[e]	bed, said
[æ]	hat, that
[ɒ]	sock
[ʊ]	good, would
[ʌ]	duck, something, does
[ə]	an, rhythm

VOYELLES LONGUES

[iː]	see, sea, believe
[ɑː]	car, father, dance
[ɔː]	port, walk, taught, thought, law
[uː]	two, too, whose, rule
[ɜː]	bird, work, heard

DIPHTONGUES

[eɪ]	mail, snake
[aɪ]	might, cry, while
[ɔɪ]	boy
[əʊ]	coat, hope, ago, don't, those
[aʊ]	now, about, down, hour
[ɪə]	here, hear
[eə]	rare, bear, there
[ʊə]	tour

CONSONNES

[θ]	thing
[ð]	this
[z]	dogs
[ʃ]	shop, sugar
[ʒ]	garage
[tʃ]	choose
[dʒ]	just
[ŋ]	king, rang
[j]	yes
[w]	whisky

PHONÉTIQUE

Voyelles brèves

[ɪ] de big [bɪg]
Son à mi-chemin entre le [i] de *mie* et le [e] de *blé*.

[e] de bed [bed]
Son à mi-chemin entre le [e] de *blé* et le [ɛ] de *laide*, mais plus proche du [ɛ].

[æ] de hat [hæt]
Assez proche du [a] de *patte*.

[ɒ] de sock [sɒk]
Pour réaliser ce son, il faut ouvrir la bouche comme pour le [ɑ] long de *pâte* mais prononcer un [o].

[ʊ] de good [gʊd]
Son plus bref que le [u] français de *route* ; les lèvres sont très peu arrondies et bougent à peine.

[ʌ] de duck [dʌk]
À mi-chemin entre le [a] de *patte* et le [ɑ] de *pâte*.

[ə] de an [ən]
Proche du [ə] de *petit*.

Voyelles longues

[iː] de sea [siː]
Ce son correspond à un [i] long.

[ɑː] de car [kɑː]
C'est le a de l'examen médical ! La bouche est largement ouverte et la langue abaissée.

[ɔː] de port [pɔːt]
Correspond à un [o] long.

[uː] de two [tuː]
Ce son ressemble au son [u] de *route*, mais il est plus long et les lèvres doivent être arrondies pour le prononcer.

[ɜː] de bird [bɜːd]
Ce son est proche du [ə] mais il est long.

Diphtongues

[eɪ] de mail [meɪl]

On part du son [e] et on va rapidement vers le son [ɪ] ; un peu comme *eil* dans *soleil*.

[aɪ] de night [naɪt]

On part du son [a] et on va rapidement vers le son [ɪ] ; un peu comme dans le mot français *ail*.

[ɔɪ] de boy [bɔɪ]

On part du son [ɔ] et on va rapidement vers le son [ɪ] ; un peu comme dans *oy* de *coyotte*.

[əʊ] de coat [kəʊt]

On part du son [ə] et on va rapidement vers le son [ʊ].

[aʊ] de now [naʊ]

On part du son [a] et on va rapidement vers le son [ʊ] ; un peu comme *aou* dans *Raoul* mais plus rapide.

[ɪə] de here [hɪə]

On part du son [ɪ] et on va rapidement vers le son [ə].

[eə] de rare [reə]

On part du son [e] et on va rapidement vers le son [ə].

Consonnes

[θ] de thing [θɪŋ]

Comme un [s] mais avec la langue bien visible entre les dents.

[ð] de this [ðɪs]

Comme un [z] mais avec la langue bien visible entre les dents.

[d] de dig [dɪg]

Proche du [d] français mais la langue bien en arrière (pas contre les dents comme en français).

[t] de tea [tiː]

Proche du [t] français mais la langue bien en arrière (pas contre les dents comme en français).

[h] de hot [hɒt]

H se prononce en anglais : de l'air doit sortir de la bouche !

[ʃ] de shop [ʃɒp]

Se prononce comme le *ch* de *chanter*.

[ʒ] de garage [gəˈrɑːʒ]
Se prononce par le *j* de *juste* ou le *g* de *gens*.

[ŋ] de king [kɪŋ]
Se prononce comme le *ng* de *parking*.

[j] de yes [jes]
Se prononce comme le *y* de *yaourt*.

[r] de red [red]
Très différent du *r* français : il ressemble un peu à un [w] mais avec la gorge plus serrée.

[w] de William [ˈwɪljəm]
Comme le *w* de *William* ou de *whisky*.

Les sons [b], [f], [m], [n], [s], [v] et [z] se prononcent comme en français. Les sons [k], [l] et [p] sont assez proches du français.

ATTENTION Dans un mot de plus d'une syllabe, une seule syllabe est fortement accentuée. En phonétique, elle est indiquée à l'aide d'un petit trait placé avant la syllabe. Ainsi, dans cotton [ˈkɒtən], c'est la première syllabe cott- [kɒt] qui est accentuée. Dans insist [ɪnˈsɪst], c'est la deuxième syllabe qui est accentuée.

Il est **essentiel**, lorsqu'on apprend un nouveau mot de plus d'une syllabe, de se demander **quelle est la syllabe accentuée** de ce mot.

Le groupe verbal

Bescherelle ANGLAIS

Les numéros renvoient aux paragraphes.

Notions de base

Le groupe verbal met en jeu :
- la relation entre un sujet et un verbe (« conjuguer ») ;
- la distinction entre « temps physique » (le temps qui passe) et « temps grammatical » ;
- le point de vue de celui qui parle.

4 Conjuguer

Étymologiquement, conjuguer signifie unir, mettre en relation.
En grammaire, c'est mettre en relation un sujet et un verbe (suivi ou non de compléments). Cette **mise en relation** s'effectue :
- soit par un marquage apparent sur le verbe, par exemple la désinence **-s** : he work**s** a lot (forme simple) ;
- soit par un auxiliaire : he **has** worked a lot (forme composée).

L'anglais est pauvre en **désinences** par comparaison avec le français.
Les principales désinences de l'anglais sont :
- -Ø/-s pour le présent : you work-**Ø**/he work**s** ;
- -ed pour le prétérit : you work**ed** ;
- -ing pour le participe présent : work**ing** ;
- -ed ou -n pour le participe passé : work**ed**/take**n**.

Le signe Ø symbolise l'absence de marqueur.
Par exemple, dans l'énoncé : They play tennis, il y a bien relation entre le sujet (they) et le verbe (play tennis), mais cette relation n'est pas matérialisée par un marqueur.

5 Temps physique et temps grammatical

Le temps physique (time), c'est le « temps qui passe ».

Le temps grammatical (tense), c'est le marquage grammatical sur le verbe, qui se fait à l'aide de :
- Ø : I know ;
- -s : she know**s** ;
- -ed : they arriv**ed**.

Pourquoi distinguer entre temps physique et temps grammatical ?
Il est important de comprendre qu'il n'y a pas de correspondance automatique entre les deux.

- Le temps grammatical présent ne renvoie pas nécessairement au temps physique présent.

  I leave tomorrow. *Je pars demain.*

  Le présent leave renvoie ici à l'avenir tomorrow.

- Le temps passé (le prétérit) ne renvoie pas nécessairement à du passé.

  I wish you **were** here. *J'aimerais que tu sois là.*

  Were est le prétérit de be mais ne renvoie pas à un moment passé. Il renvoie à l'irréel, c'est-à-dire à quelque chose qui n'est pas réalisé : you n'est pas là (→ 53).

6 Le point de vue du locuteur (l'« aspect »)

Ce point de vue peut déterminer, en plus du temps, l'emploi de telle ou telle forme verbale. Il existe deux points de vue de base : le point de vue **perfectif** et le point de vue **imperfectif**.

Le point de vue **perfectif** se construit à l'aide de l'auxiliaire **have** + **verbe au participe passé** : il crée un lien entre du passé et du présent (→ 63).

I've bought a new car.
J'ai acheté une nouvelle voiture.

Le fait d'acheter est terminé, mais un lien est créé avec le présent : je possède maintenant une nouvelle voiture.

Le point de vue **imperfectif** se construit à l'aide de be + V-ing. Il permet le plus souvent de décrire une action en cours, qui se déroule au moment où l'on parle (→ 43).

He **is working**. *Il est en train de travailler.*

Be conjugué + V-ing : l'action de travailler est décrite en déroulement du **point de vue du locuteur**.

Le **point de vue du locuteur**, qu'il soit perfectif ou imperfectif, entraîne toujours la présence d'une **forme composée** (auxiliaire + participe : have + participe passé ou be + -ing).

Inversement, les **formes simples** ne traduisent pas le point de vue du locuteur : avec les formes simples, on énonce des **faits bruts**.

En linguistique, on parle d'**aspect** perfectif et d'**aspect** imperfectif. Le mot **aspect** vient du verbe latin *aspicere*, qui signifie *regarder*. L'aspect concerne donc la façon de regarder un événement. Comme nous l'avons vu, il existe principalement deux regards, ou points de vue particuliers sur un événement : le locuteur relie un événement passé à son présent (aspect perfectif : emploi de have + verbe au participe passé), ou bien il montre que l'événement est en cours, ou se déroule, à un moment donné (aspect imperfectif : emploi de be + -ing).

7 Les verbes peu compatibles avec *be* + *-ing*

Certains verbes, en raison de leur sens, sont peu compatibles avec le point de vue imperfectif. Il s'agit des verbes suivants.

- Les verbes de **perception involontaire** :

hear : *entendre* ; see : *voir* ; smell : *sentir* ; sound : *sembler [à l'oreille]* ; taste : *avoir goût de...*

It tastes of garlic. [~~It's tasting...~~] *Ça a goût d'ail.*

→ Feel 44.

- Les verbes exprimant un état **mental** ou une **réaction** :

agree : *être d'accord* ; astonish : *étonner* ; believe : *croire* ; dislike : *ne pas aimer* ; doubt : *douter* ; feel : *au sens de penser* ; hate : *haïr* ; know : *savoir* ; like : *aimer* ; love : *aimer* ; prefer : *préférer* ; recognize : *reconnaître* ; remember : *se souvenir* ; suppose : *supposer* ; surprise : *surprendre, étonner* ; think : *penser* ; understand : *comprendre* ; want : *vouloir* ; wish : *désirer...*

I understand her and I agree with her. [~~I'm understanding...~~]
Je la comprends et je suis d'accord avec elle.

- Les verbes exprimant l'**appartenance** :

belong : *appartenir* ; consist of : *consister en* ; contain : *contenir* ; have : *avoir au sens de posséder* ; include : *inclure* ; own, possess : *posséder...*

This medicine contains aspirin. [~~This medicine is containing...~~]
Ce médicament contient de l'aspirine.

- Les verbes exprimant l'**apparence** :

look like : *ressembler à* ; resemble : *ressembler* ; seem : *sembler...*

You really look like your cousin. [~~You're really looking like...~~]
Tu ressembles vraiment à ton cousin.

- Les verbes **à sens statique** suivants :

depend : *dépendre* ; deserve : *mériter* ; exist : *exister* ; lack : *manquer de* ; matter : *importer, avoir de l'importance* ; mean : *signifier* ; measure : *mesurer* ; need : *avoir besoin* ; owe : *devoir, être débiteur* ; weigh : *peser*.

The baby weighs five kilos. [~~The baby is weighing 5 kilos.~~]
Le bébé pèse 5 kilos.

Attention de ne pas établir l'équation suivante : verbes à sens statique = absence de be + -ing. En effet, les verbes à sens statique qui ne sont pas mentionnés plus haut font, eux, facilement appel à be + -ing pour décrire un événement en cours.

I'm waiting for them. *Je les attends.*

Je ne peux pas dire I wait for them si je suis en train d'attendre.

Tous ces verbes sont peu compatibles avec be + -ing car leur sens est lié à l'**expression d'un résultat**. En disant : I know her (*Je la connais*), j'exprime le résultat d'une activité mentale ; or un résultat ne peut pas être perçu comme quelque chose en cours. On peut ainsi difficilement être en train de croire, en train de voir quelqu'un, en train de ressembler à une autre personne...

« Peu compatible » ne signifie pas impossible. Dans certains emplois particuliers, on les rencontre avec be + V-ing. (→ 45).

8 Importance du contexte d'emploi

Une même forme verbale a des sens différents selon le contexte.

What **are you drinking**?

Cette question peut signifier *Que désirez-vous boire...?* ou *Qu'est-ce que tu es (donc) en train de boire ?*

"What about meeting him at five?" "Well, **he's playing** tennis."
« Et si je le voyais à 5 heures ? – C'est que... il joue au tennis. »

En disant he's playing tennis, le locuteur ne reprend pas at five, et pourtant, son emploi de he'**s** playing est régi par at five, prononcé par l'autre personne. Le contexte est donc également une donnée essentielle.

Verbes prépositionnels et verbes à particules

POUR COMMENCER

9 Définition des verbes transitifs et intransitifs

- Les verbes transitifs admettent un complément.

  She's reading a book. *Elle est en train de lire un livre.*

Parmi les verbes transitifs, on distingue
- les verbes transitifs **directs** (pas de préposition entre le verbe et son complément).

  She's reading a book.
- les verbes transitifs **indirects** (préposition entre le verbe et son complément).

  He's looking for his keys. *Il cherche ses clés.*
  (for : prép. ; his keys : complément)

Les verbes transitifs indirects sont appelés **verbes prépositionnels**.

- Les verbes intransitifs **n'admettent pas de complément**.

  The ship disappeared. *Le bateau disparut.*

10 Distinction verbe + préposition, verbe + particule

- Cette distinction est essentielle.

Verbe + préposition
- la préposition n'existe que s'il y a un complément ;
- elle ne change pas le sens du verbe.

Verbe + particule
- la particule apparaît, qu'il y ait un complément ou non ;
- elle change le sens du verbe ;
- le verbe et sa particule forment une unité.

• **Verbe + préposition**

  The judge was talking to the defendant. *Le juge parlait à l'accusé.*
  (was talking : verbe ; to : prép.)

Verbe simple talk suivi de la préposition to, qui introduit le complément the defendant.

La préposition to ne change pas le sens du verbe talk.

- **Verbe + particule**

Drink **up** your glasses. *Finissez vos verres.*
verbe part.

Verbe composé drink up remplaçable par un verbe simple finish (your glasses). La particule up change le sens du verbe drink.

drink : *boire* ; drink up : *boire entièrement.*

En général, les prépositions ne sont pas accentuées, contrairement aux particules (→ 3).

LES VERBES PRÉPOSITIONNELS

11 Construction des verbes prépositionnels

La préposition introduit le complément du verbe (→ 456-490).

Look **at** this! *Regarde ça !*

La préposition at est obligatoire pour introduire le complément this.

S'il n'y a pas de complément, le verbe s'emploie sans préposition.

Look! *Regarde !*

Dans les phrases affirmatives et négatives, l'ordre des mots est toujours **verbe + préposition + complément**.

I rely **on my friends**. *Je compte sur mes amis.*

Dans les interrogatives (→ 375), la préposition reste en général **après** le verbe.

What are you thinking of? *À quoi penses-tu ?*

Dans des énoncés passifs, dans des propositions infinitives en to et dans des propositions relatives (→ 417), la préposition **reste à droite du verbe**. En français, elle précède toujours le complément qu'elle introduit.

He can be **relied** on. *On peut compter sur lui.*

She's easy to **work** with. *C'est facile de travailler avec elle.*

The guy I'm **training** with is from Australia.
Le type avec lequel je m'entraîne est australien.

Une préposition est habituellement suivie d'un **nom** ou d'un **pronom**.

I care about my school. *Je m'intéresse à mon école.*

I don't care about it. *Je ne m'y intéresse pas.*

Mais on peut employer un **verbe** après une préposition. Dans ce cas, le verbe doit apparaître à la forme en -ing (→ 427).

He doesn't care about fail**ing**. *Peu lui importe d'échouer.*

12 Comparaison avec le français

Certains verbes sont prépositionnels en **anglais** et en **français**. Mais la **préposition** peut être **différente**. C'est notamment le cas de :

care **about** sb/sth : *s'intéresser* ***à*** *qqn/qqch.*
congratulate sb **on** sth : *féliciter qqn* ***de*** *qqch.*
deal **with** sth : *traiter* ***de*** *qqch.*
depend **on** sb/sth : *dépendre* ***de*** *qqn/qqch.*
fill **with** sth : *remplir* ***de*** *qqch.*
get **off/on** [a train] : *descendre* ***de****/monter* ***dans*** *[un train]*
laugh **at** sb/sth : *rire* ***de*** *ou se moquer* ***de*** *qqn/qqch.*
look **after** sb/sth : *s'occuper* ***de*** *qqn/qqch.*
succeed **in** doing sth : *réussir* ***à*** *faire qqch.*
suffer **from** sth : *souffrir* ***de*** *qqch.*
take part **in** sth : *participer* ***à*** *qqch.*
translate **from** (French) **into** (English) : *traduire* ***du*** *(français)* ***en*** *(anglais)*

Certains verbes se construisent **en français** avec une **préposition** (ils sont transitifs indirects), mais **pas en anglais** (transitifs directs). C'est notamment le cas de :

answer sb/sth : *répondre à qqn/qqch.*
ask sb : *demander à qqn*
attend sth : *assister à qqch.*
deny sb sth : *refuser qqch. à qqn*
discuss sth : *discuter de qqch.*
doubt sth : *douter de qqch.*
enter sth : *entrer dans qqch.*
fit sb/sth : *convenir à qqn/qqch.*
forgive sb : *pardonner à qqn*
lack sth : *manquer de qqch.*
need sb/sth : *avoir besoin de qqn/qqch.*

obey sb : *obéir à qqn*
phone sb : *téléphoner à qqn*
play sth : *jouer de qqch.*
remember sb/sth : *se souvenir de qqn/qqch.*
remind sb of sth : *rappeler qqch. à qqn*
suit sb : *bien aller à qqn*
tackle a problem : *s'attaquer à un problème*
tell sb sth : *dire qqch. à qqn*
trust sb/sth : *faire confiance à qqn/qqch.*
use sb/sth : *se servir de qqn/qqch...*

Nobody answered that question.
Personne n'a répondu **à** cette question.

We discussed this problem at the meeting.
Nous avons discuté **de** ce problème à la réunion.

Certains verbes se construisent **en anglais** avec une **préposition** (ils sont transitifs indirects), mais **pas en français** (transitifs directs). C'est notamment le cas de :
account **for** sth : *expliquer qqch.*
aim **at** sth : *viser qqch.*
approve **of** sth : *approuver qqch.*
ask **for** sth : *demander qqch.*
care **for** sth : *aimer, apprécier qqch.*
comment **on** sth : *commenter qqch.*
hope **for** sth : *espérer qqch.*
listen **to** sb/sth : *écouter qqn/qqch.*
look **at** sb/sth : *regarder qqn/qqch.*
look **for** sb/sth : *chercher qqn/qqch.*
look **through** sth : *parcourir qqch. [des yeux]*
pay **for** sth : *payer qqch.*
remind sb **of** sb/sth : *rappeler qqn/qqch à qqn.*
search **after** ou **for** sth : *chercher qqch.*
stare **at** sb/sth : *regarder fixement qqn/qqch.*
wait **for** sb/sth : *attendre qqn/qqch...*

13 Les principaux verbes anglais suivis d'une préposition

Certains apparaissent déjà dans les listes précédentes.

- **Verbe + about + complément**

care : s'intéresser à ; complain : se plaindre de ; dream : rêver de ; hear : entendre parler de ; talk : parler de ; think : penser à ; warn : prévenir, avertir de

- **Verbe + after + complément**

look : s'occuper de ; take : ressembler à, tenir de

- **Verbe + at + complément**

aim : viser ; look : regarder ; stare : regarder fixement ; laugh : rire de, se moquer de ; point : pointer, diriger sur ; shout : crier après ; smile : sourire à ; throw : lancer à...

- **Verbe + for + complément**

account : rendre compte de ; apply : faire une demande de ; ask : demander ; beg : mendier ; blame (sb for sth) : reprocher qqch. à qqn ; charge (sb for sth) : faire payer (qqch. à qqn) ; forgive (sb for sth) : pardonner (qqch. à qqn) ; hope (for sth) : espérer (qqch.) ; look (for sth) : chercher (qqch.) ; thank (sb for sth) : remercier qqn pour qqch. ; pay (for sth) : payer (qqch.) ; wait (for sth/sb) : attendre (qqch./qqn)

- **Verbe + from + complément**

borrow : emprunter à ; buy : acheter à ; escape : s'échapper de ; hear (from sb) : recevoir des nouvelles (de qqn) ; hide : cacher à, se cacher de ; protect : protéger de ; prevent (sb from doing sth) : empêcher qqn de faire qqch. ; suffer : souffrir de...

- **Verbe + in + complément**

believe : croire à ; specialize : se spécialiser dans ; take part : participer à ; succeed : réussir dans...

- **Verbe + into + complément**

break (into sth) : entrer par effraction dans qqch. ; bump : se cogner contre ; divide : diviser par ; drive (into sth) : heurter qqch. avec sa voiture ; run (into sb) : rencontrer qqn par hasard ; translate (into English) : traduire (en anglais)

- **Verbe + of + complément**

accuse (sb of sth) : accuser qqn de qqch. ; approve : approuver, avoir une bonne opinion de ; complain : se plaindre de ; consist : consister en, se composer de ; die : mourir de ; dream : rêver de ; remind (sb of sth): rappeler qqch. à qqn ; smell [of burning] : sentir [le brûlé] ; think : penser à...

- **Verbe + off + complément**
  get off [a plane] : descendre [d'un avion]
- **Verbe + on + complément**
  blame (sth on sb) : accuser (qqn de qqch.) ; comment : commenter ; congratulate (sb on sth) : féliciter (qqn de qqch.) ; concentrate : se concentrer sur ; depend : dépendre de ; get on(to) [a train] : monter [dans un train] ; insist : insister sur ; live (on sth) : vivre (de qqch.) ; rely : compter sur ; spend (money on sth) : dépenser (de l'argent pour qqch.)...
- **Verbe + to + complément**
  announce : annoncer à ; apologize : s'excuser auprès de ; belong : appartenir à ; demonstrate : démontrer à ; describe (sth to sb) : décrire (qqch. à qqn) ; explain : expliquer à ; introduce (sb to sb) : présenter (qqn à qqn) ; listen : écouter ; mention (sth to sb) : signaler (qqch. à qqn) ; point out (sth to sb) : faire remarquer (qqch. à qqn) ; prefer : préférer à ; prove : prouver à ; speak : parler à ; suggest (sth to sb) : suggérer (qqch. à qqn) ; talk : parler à ; write : écrire à...
- **Verbe + with + complément**
  agree with sb : être d'accord avec qqn ; cover with sth : couvrir de qqch. ; fill with sth : remplir de qqch. ; provide sb with sth : fournir qqch. à qqn ; supply with sth : fournir en/de qqch. ; trust sb with sth : confier qqch. à qqn

Notez que, dans de rares cas, le sens du verbe peut être différent selon la préposition avec laquelle il se construit. Retenez :

- Care about sth : se soucier de qqch., s'intéresser à
  Money is all he cares about.
  La seule chose qui l'intéresse, c'est l'argent.

  Care for sb/sth : aimer qqn/qqch., s'occuper de qqn
  Would you care for a cup of tea? Aimeriez-vous une tasse de thé ?
- Look for sth/sb : chercher qqch./qqn
  What are you looking for? Que cherchez-vous ?

  Look after sth/sb : surveiller qqch./qqn
  He'll look after the baby. Il s'occupera du bébé.
- Think about sth : réfléchir/penser à qqch.
  What are you thinking about? À quoi penses-tu ?
  I'll think about it. J'y songerai.

  Think of sb/sth : penser à qqn/avoir une opinion sur qqch.
  I often think of you. Je pense souvent à toi.
  What did you think of the film? Qu'as-tu pensé du film ?

LES VERBES À PARTICULES

14 Fonction de verbe + particule

Une particule peut être ajoutée à un verbe, elle en change alors le sens. Elle fait partie intégrante du verbe.

Le sens peut changer beaucoup :
give (*donner*), give up (*abandonner*) ;
ou partiellement : break (*casser*), break down (*tomber en panne*).

Dans de rares cas, la particule ne change pas le sens du verbe : ring/ring up (*téléphoner*).

- Comparez :
  break : *casser* et break down : *tomber en panne*
  avec :
  break in : *entrer par effraction*
  break off (with sb) : *rompre (avec qqn)*
  break out : *[feu, guerre] éclater*
  break up : *disperser [une foule]*
- Comparez :
  take : *prendre* et take back : *reprendre*
  avec :
  take down : *décrocher [un objet], noter*
  take in : *recevoir [des amis], comprendre*
  take off : *[avion] décoller*
  take on : *prendre, embaucher*
  take over : *racheter, prendre à sa charge*
  take up : *se mettre à [une activité]*

15 Principales particules

Les principales particules sont :
about, across, along, around/round, away, back, down, in, off, on, out, over, round, through, up.

Chaque combinaison **verbe + particule** possède un sens propre (que l'on trouve dans le dictionnaire). Toutefois, chaque particule possède un sens général.

PARTICULE	SENS GÉNÉRAL PROPRE OU FIGURÉ	EXEMPLES
about	dans différentes directions	walk about : se promener sans but sit about : rester à ne rien faire
across	à travers (deux dimensions)	walk across : traverser
along	idée d'avancer le long de qqch.	move along : avancer take sth along : emporter avec soi
around/round	idée de circularité	look round : regarder autour de soi come round : faire un détour, passer (chez qqn), reprendre connaissance move around : se déplacer
away	idée d'éloignement	turn away : se détourner give sth away : faire cadeau de qqch.
back	en sens inverse, idée de retour	go back : retourner get sth back : récupérer qqch. write back : répondre à une lettre
down	mouvement vers le bas, diminution	go down : descendre, diminuer look down : baisser les yeux put sth down : poser qqch. cut down : réduire, diminuer
in	idée d'intérieur	come in : entrer
off	idée de séparation, coupure	take off : décoller/s'envoler take sth off : enlever qqch. cut off : couper [l'électricité]
on	mouvement vers une surface, expression d'une continuité	put sth on : mettre [un vêtement] keep on : continuer read on : continuer à lire
out	mouvement vers l'extérieur	take sth out : enlever, sortir qqch. sleep out : ne pas dormir chez soi eat out : ne pas dîner chez soi
over	mouvement au-dessus de qqch., idée de répétition	walk over : traverser (s'approcher) lean over : se pencher en avant do sth over : refaire qqch.
through	à travers (trois dimensions)	get through : parvenir à destination
up	vers le haut, idée d'achèvement	look up : lever les yeux stand up : se lever eat up : finir de manger

- De nombreux **verbes de mouvement** font partie de la catégorie des verbes à particules : come back (revenir), get up (se lever), turn up (apparaître), move in (emménager)…

16 Construction des verbes à particules

- La particule **ne peut jamais être omise**. C'est le cas notamment dans les énoncés à l'impératif.

  Come **back**! *Reviens !*

- Si le verbe est suivi d'un complément, celui-ci peut se placer **avant** ou **après** la particule.

  Could you please **fill** this form **in**?
  verbe + compl. + part.

  ou Could you please **fill in** this form?
  verbe + part. + compl.

  Pourriez-vous s'il vous plaît remplir ce formulaire ?

De même :

She **turned off** the light. ou She **turned** the light **off**.
Elle éteignit la lumière.

Si le complément est long, on a **verbe + particule + complément**.

Fill **in** the form that you were supposed to sign long ago.
Remplis le formulaire que tu étais censé signer il y a longtemps.

- À l'impératif, la particule en fin de phrase donne plus de force à l'ordre : Take your shoes **off**! (*Enlève tes chaussures !*) Dans Take off your shoes, c'est shoes qui serait important, plus que l'ordre d'enlever quelque chose.

- Quand la particule a un sens abstrait, on préfère la laisser près du verbe.

  Don't give up the fight! (*N'abandonne pas la lutte !*) est beaucoup plus fréquent que Don't give the fight up!

ATTENTION Si le complément est un **pronom** (me/them/that/it...), il se place toujours avant la particule.

He woke **me** up at seven this morning.
verbe + pron. + part.

Il m'a réveillée à 7 heures ce matin. ~~He woke up me.~~

Throw **it** away! ~~Throw away it!~~
Jetez-le !

VERBE + PARTICULE + PRÉPOSITION

17 Verbes à particules + préposition

Certains verbes à particules peuvent avoir un complément introduit par une préposition.

I can't put up **with** such ignorance.
verbe part. prép. complément

Je ne supporte pas une telle ignorance.

put up with sth : *supporter qqch.*

Do you feel up **to** continuing with the work today?
verbe part. prép. complément

Vous sentez-vous de taille à continuer le travail aujourd'hui ?

Feel up to sth : *se sentir capable de faire qqch.*

Remarquez l'emploi de V-ing (continuing) après la préposition **to**.

→ Verbes suivis de to + V-ing 427.

18 Principaux verbes à particules suivis d'une préposition

back out of sth : *se retirer de qqch.*
be up to sth : *manigancer qqch., être à la hauteur de qqch.*
cash in on sth : *tirer profit de qqch.*
catch up with sb : *rattraper qqn*
check up on sb : *se renseigner sur qqn*
cut down on sth : *réduire qqch.*
do away with sth : *abolir qqch.*
drop in on sb : *passer voir qqn*
fall back on sth : *avoir recours à qqch.*
feel up to sth : *se sentir à la hauteur pour qqch.*
get on with sb : *s'entendre avec qqn*
go on with sth : *continuer qqch.*
keep up with sb : *rester en contact avec qqn*
look down on sb/sth : *mépriser qqn/qqch.*
look forward to sth : *attendre qqch. avec impatience*
look out for sb/sth : *rechercher, se méfier de qqn/qqch.*
look up to sb : *admirer qqn*
make up for sth : *compenser qqch.*
miss out on sth : *louper qqch.*
put up with sb/sth : *tolérer qqn, qqch.*

run out of sth : *venir à manquer de qqch.*
speak up for sb/sth : *défendre qqn/qqch.*
stand up for sb : *défendre qqn*
stand up to sb/sth : *résister à qqn/qqch.*
watch out for sth : *faire attention à qqch.*

La traduction des énoncés comprenant **verbe + particule** ou **verbe + préposition** s'opère parfois en employant un procédé de traduction appelé **chassé-croisé**. Le français décrit souvent le résultat en premier, alors que l'anglais indique d'abord le moyen.

On rencontre ce phénomène avec les verbes de mouvement.

She walked back.

Elle est revenue à pied.

She kicked the door open.

Elle ouvrit la porte d'un coup de pied.

Les verbes be, have, do

POUR COMMENCER

Be, have et do peuvent être des **verbes lexicaux** ou des **auxiliaires**.

- Un verbe **lexical** est un verbe qui a un sens particulier.

Be verbe lexical signifie *exister*.

Have verbe lexical signifie *posséder*.

Do verbe lexical signifie *faire*.

- **Auxiliaire** signifie *qui aide*. Be, have et do sont auxiliaires lorsqu'ils aident à la construction de certaines tournures grammaticales.

Be, have et do sont les **trois auxiliaires de base** de l'anglais.

BE **VERBE LEXICAL ET** BE **AUXILIAIRE**

19 Formes de *be*

- **Formes affirmative, interrogative, négative**

	AFFIRMATION	INTERROGATION	NÉGATION
PRÉSENT	I **am** he/she/it **is** we/you/they **are**	**am** I? **is** he/she/it? **are** we/you/they?	I **am not** he/she/it **is** not we/you/they **are not**
PRÉTÉRIT	I/he/she/it **was** we/you/they **were**	**was** I/he/she/it? **were** we/you/they?	I/he/she/it **was not** we/you/they **were not**

- **Formes contractées très fréquentes**

– au présent :

are not → aren't is not → isn't

I'm (not), he's/she's/it's (not), we're (not), you're (not), they're (not)

La forme contractée ain't à toutes les personnes du présent est d'un niveau de langue très relâché.

– au prétérit : was not → wasn't were not → weren't

Forme interronégative

– au présent :

Am I not? (à l'oral aren't I?)

Isn't he/she/it...? Is he not...?

Aren't we/you/they...? Are we not...?

– au prétérit :

Wasn't I/he/she/it...? Was I not...?

Weren't we/you/they...? Were we not...?

Le participe passé been

Been, le participe passé de be, forme le *present perfect* et le *past perfect* avec l'auxiliaire have conjugué.

Present perfect : I have been/he has been...

Past perfect : had been...

Formation de l'impératif : be + adjectif

Be quiet! *Tais-toi !/Taisez-vous !*

On trouve aussi :

Do be quiet! *Mais enfin, taisez-vous !*

Do exprime une **insistance** (→ 33).

À l'impératif négatif, don't (do not) est obligatoire (→ 146).

Come on, don't be jealous! *Allons, ne sois pas jaloux !*

Prononciation : was [wəz] ou [wɒz]

were [wə(r)] ou [wɜː(r)]

20 Valeurs de *be* verbe lexical

Be s'emploie très souvent comme le verbe être.

Be lexical a le sens d'être ou d'exister.

She'**s** at work. *Elle est au travail.*

I think, therefore **I am**. *Je pense, donc je suis.*

Be permet d'attribuer une **caractéristique** au sujet.

You **are** clever. *Vous êtes intelligent.*

She **is** a doctor. *Elle est médecin.*

Comme il y a attribution d'une caractéristique au sujet, on dit que clever est ici un adjectif **attribut** et que a doctor est **attribut** du sujet she.

Le français a parfois recours à avoir + nom là où l'anglais utilise be + adjectif.

He **is** right. *Il **a** raison.*

She'**s** witty. *Elle **a** de l'esprit.*

He **is** fifty (years old). *Il **a** cinquante ans.*

be + adjectif traduit par ***avoir* + nom** :

be hungry/thirsty : *avoir faim/soif*

be cold/warm/hot : *avoir froid/chaud/très chaud*

be afraid : *avoir peur*

be sleepy : *avoir sommeil*

be right/wrong : *avoir raison/tort*

be lucky : *avoir de la chance*

be [3 metres] high/wide/long... : *avoir [3 m] de hauteur/large/long*

be 30 (years old) : *avoir 30 ans*

On a aussi recours à be pour parler du poids, de la taille ou de la santé. On ne traduit pas par être.

I'm seventy five kilos. *Je pèse 75 kilos.*

I'm one metre eighty. *Je mesure 1,80 mètre.*

"How are you?" "I'm fine." *« Comment ça va ? – Je vais bien. »*

Utilisé avec there, be permet de poser l'**existence** de qqch. ou de qqn.

There **is** a strange man at the door.
Il y a un homme bizarre devant la porte.

ATTENTION L'accord, dans cette tournure, se fait avec ce qui est **à droite** de there + be conjugué.

There **are people** who don't think like you.
Il y a des gens qui ne pensent pas comme toi.

Certains locuteurs emploient there's avec un nom pluriel (There's people who...), mais cet emploi est considéré comme fautif par de nombreux grammairiens.

Traduction de *il y a, il y avait, il y aura...* à l'aide de be

Pour poser l'existence de qqch. ou de qqn : there + be

***Il y aura** des embouteillages...* **There will be** traffic jams...

Il y a des gens qui... peut aussi se traduire par some en début de phrase.

Il y a des gens qui n'aiment pas la chaleur.
Some people don't like the heat ou There are people who...

Il y a quelqu'un qui vient d'appeler. Someone has just called.

- Pour indiquer la distance : How far + be

Il y a combien (de km) jusqu'à York ? How far is it to York?

Il y a 5 km d'ici à York. It's 5 km from here to York.

- Pour parler du temps qu'il fait : It is + adjectif

Il y a du soleil/du brouillard/du vent/des nuages...
It is sunny/foggy/windy/cloudy...

21 Emplois de *be* auxiliaire

Be auxiliaire s'emploie dans les cas suivants.

– be + **verbe** + -ing (le « continu ») :

Look! It'**s** rain**ing**. *Regarde, il pleut.*

→ Analyse détaillée de cette forme 41-47.

– be + **participe passé** (le passif) :

The president **was** re-elected in 2008.
Le président a été réélu en 2008.

→ Forme passive 78-83.

– be **conjugué** + to (le renvoi à l'avenir) → 87.

The president is to take the oath of office on January 20th.
Le président doit/va prêter serment le 20 janvier.

HAVE **AUXILIAIRE ET** HAVE **VERBE LEXICAL**

Tout comme be, have peut être auxiliaire ou verbe lexical.

Pour **conjuguer** have, il est indispensable de distinguer have **auxiliaire** et have **verbe lexical**.

22 Formes de *have* auxiliaire

Have auxiliaire sert à construire le *present perfect* et le *past perfect*.

Dans les deux cas, la construction est have + verbe au participe passé.

I **have come** to say goodbye.
Je suis venu dire au revoir.
[have : auxiliaire au présent ; come : participe passé]

He **had left** her two months before.
Il l'avait quittée deux mois plus tôt.
[had : auxiliaire au prétérit ; left : participe passé]

Aux formes négative et interrogative, do n'apparaît pas.

→ Tableaux de conjugaison du *present perfect* et du *past perfect* 62, 72.

L'auxiliaire *être* est employé en français pour former les temps composés de certains verbes. En anglais, have est l'auxiliaire du *present perfect* de **tous** les verbes.

He **has** gone back to bed.
*Il **est** allé se recoucher.*

23 Formes de *have* verbe lexical

Lorsque have est **verbe lexical** (*avoir, posséder*), il se conjugue avec do comme tous les autres verbes lexicaux.

	AFFIRMATION	INTERROGATION	NÉGATION
PRÉSENT	I/we/you/they **have** he/she/it **has**	**do** I/we/you/they **have**...? **does** he/she/it **have**... ?	I/we/you/they **do not have** he/she/it **does not have**
PRÉTÉRIT	**had** à toutes les personnes I **had** you **had**	**did** I **have**...? **did** you **have**...?	I **did not have** you **did not have**

Formes contractées très fréquentes

do not → don't   does not → doesn't   did not → didn't

Forme interronégative

Don't I have? ou Do I not have?
Doesn't he have? ou Does he not have?

Participe passé : had

- *Present perfect :* she has **had**
- *Past perfect :* they had **had**

24 *Have* et *have got* expression de la possession

Lorsque have exprime la possession, il se conjugue comme il est indiqué plus haut.

She has a big yellow car. *Elle a une grosse voiture jaune.*
How many brothers and sisters do you have?
Combien avez-vous de frères et sœurs ?

Pour exprimer la possession, on peut aussi employer la structure **sujet** + have got.

She **has got** a big yellow car.

Formes affirmative, négative, interrogative de have got

AFFIRMATION	INTERROGATION	NÉGATION
I/we/you/they **have got**	**have** I/we/you/they **got**?	I/we/you/they **have not got**
he/she/it **has got**	**has** he/she/it **got**?	he/she/it **has not got**

ATTENTION On n'emploie pas do avec have got [~~Do you have got...?~~].

Formes contractées très fréquentes

have not got → haven't got   has not got → hasn't got
I'**ve** (not) got/you'**ve** (not) got/we'**ve** (not) got/they'**ve** (not) got
he'**s** (not) got/she'**s** (not) got/it'**s** (not) got

- À l'oral, en anglais familier, on laisse parfois tomber 've dans 've got : I got problems.
- Lorsque have exprime la possession, on n'emploie pas la forme contractée : ~~I've a car. He's a car. He'd a car.~~

On peut donc dire :
- affirmation : I **have** a car ou I **have got** a car ;
- négation : I **don't have** a car ou I **haven't got** a car ;
- interrogation : **Do you have** a car? ou **Have you got** a car?

Aux formes négative et interrogative, l'anglais américain préfère nettement la structure avec do. Elle se répand de plus en plus en Grande-Bretagne.

I don't have a car./Do you have a car? (GB et US)
I haven't got a car./Have you got a car? (GB)

La structure have got ne s'emploie que très rarement au prétérit : Had she got a car?

Did she have a car? est nettement préféré.

Elle est **exclue** dans tous les autres cas (I have never had a car et non ~~I have never had got a car~~).

- Have got n'est pas compatible avec l'expression de l'**habitude**.

  I don't often have red wine in the fridge.
  Je n'ai pas souvent de vin rouge au réfrigérateur.

  (et non ~~I haven't often got red wine in the fridge.~~)

- En anglais américain, on distingue have **got** *(avoir)* et have **gotten** *(avoir obtenu).*

  We've got one million euros for laboratory equipment.
  Nous avons un million d'euros pour le matériel du laboratoire.

  We've gotten one million euros for laboratory equipment.
  Nous avons obtenu un million d'euros...

  En anglais américain, le participe passé du verbe get est en effet gotten. En anglais britannique, gotten ne s'emploie pas. On dira We've **received** one million euros...

- L'emploi de have lexical **sans** do est maintenant archaïque. On apprenait encore il y a une vingtaine d'années à dire Have you brothers and sisters? En anglais contemporain, on dit Have you got brothers and sisters? ou Do you have brothers and sisters?

  Seules subsistent quelques expressions figées : I haven't a clue. *Je n'en ai pas la moindre idée.*

25 *Have* aux sens de « prendre », « consommer », « obtenir »

have dinner/coffee/tea/a drink... :
dîner/boire du café/du thé/prendre un verre...

Voici les principales expressions en have :

have a bath, a shower : *prendre un bain, une douche*
have a swim : *se baigner*
have a walk : *se promener*
have a chat : *bavarder*
have a holiday : *prendre des vacances*
have a good journey/trip : *faire un bon voyage*
have a good time : *se payer du bon temps*
have a break : *faire une pause*
have a try/a go : *essayer*

have a look : *jeter un coup d'œil*
have a (nervous) breakdown : *faire une dépression (nerveuse)*
have an operation : *se faire opérer*
have a dream : *faire un rêve*
have a rest : *se reposer*
have breakfast, lunch, dinner : *prendre le petit déjeuner, déjeuner, dîner*
have a sandwich : *manger un sandwich*
have a beer, a cup of tea : *prendre une bière, boire une tasse de thé*
have a shave : *se raser*

ATTENTION Have got est **impossible** avec ces expressions.

I **have** breakfast at seven. [~~I've got breakfast at seven.~~]
Je prends mon petit déjeuner à sept heures.

- Aux formes interrogative et négative du présent ou du prétérit, have est toujours conjugué avec do (does) ou did.

Did you **have** a good time? *Vous vous êtes bien amusés ?*

- Have peut s'employer à la forme en -ing.

I hope you**'re having** a good time! *J'espère que tu t'amuses bien !*

26 *Have to* : expression de l'obligation

Avec have to, l'obligation est souvent due aux circonstances extérieures.

My grandfather has to wear a pacemaker.
Mon grand-père doit porter un stimulateur cardiaque.

→ Have to et l'obligation 135-137.

27 *Have* et l'expression de la cause (« faire faire »)

Deux structures sont possibles :
– **sujet + have + (pro)nom + base verbale** ;
– **sujet + have + (pro)nom + participe passé**.

- Ces constructions sont employées dans les propositions causatives (→ 398-400).

I **had** him **wash** my car. *Je lui ai fait laver ma voiture.*
I **had** my car **washed**. *J'ai fait laver ma voiture.*

- Aux formes négative et interrogative, on utilise do.

I didn't have him wash my car.
Je ne lui ai pas fait laver ma voiture.
I didn't have my car washed. *Je n'ai pas fait laver ma voiture.*

DO VERBE LEXICAL ET DO AUXILIAIRE

On distingue trois emplois de do :
- do **verbe lexical** (*agir/faire*) ;
- do **de reprise** (mis à la place d'un autre verbe) ;
- do **auxiliaire**.

28 *Do* verbe lexical (« agir/faire »)

Formes de do

Do verbe lexical se conjugue comme tous les verbes lexicaux. C'est un verbe irrégulier : son prétérit est did et son participe passé done.

PRÉSENT	PRÉTÉRIT	*PRESENT PERFECT*
I/we/you/they **do**	I/he/we/you/	I **have done**
he/she/it **does**	they **did**	he **has done**
do I/... **do**?	**did** I/... **do**?	**have** I **done**?
does he/... **do**?	**did** he/... **do**?	**has** he **done**?
I/... **do** not **do**	I/... **did** not **do**	I/... **have** not **done**
he/... **does** not **do**	he/... **did** not **do**	he/... **has** not **done**

- **Formes contractées très fréquentes**

  do not do → don't do   does not do → doesn't do   did not do → didn't do

- **Forme interronégative**

  Don't I do (it)? ou Do I not do (it)?

  Doesn't he do (it)? ou Does he not do(it)?

  Didn't I do (it)? ou Did I not do (it)?

Prononciation de do

do [d(ə)] ou [du:]   does [dəz] ou [dʌz]   don't [dəʊnt]

29 Emplois de *do* verbe lexical

Comme tous les verbes lexicaux, do peut être précédé de do auxiliaire ; il peut être employé avec -ing et au passif :

I **did** do it. *Mais si, je l'ai fait.*

What**'s he doing** tomorrow? *Qu'est-ce qu'il fait demain ?*

It will **be done** as soon as possible. *Ça sera fait le plus tôt possible.*

Do lexical a le plus souvent le sens de *faire*.

What shall we **do** now? *Et maintenant que fait-on ?*

- Il peut prendre d'autres sens que *agir/faire* selon le contexte.

  This won't **do**. *Ça ne peut pas continuer comme ça.*

  They are **doing** the dishes. *Ils sont en train de laver la vaisselle.*

- Notez le sens de do suivi de la préposition with ou without.

  I could **do with** a cup of tea. *Je prendrais bien une tasse de thé.*

  I could **do without** that! *Je pourrais m'en passer !*

30 *Do* ou *make* ?

- Do lexical a un sens général lié à une activité.

  I don't want to **do** anything today. *Je ne veux rien faire aujourd'hui.*

- Make exprime une idée de fabrication, de transformation.

  I have **made** a cake. *J'ai fait un gâteau.*

- Exemples d'expressions formées avec do et make :

do...	***faire...***
business	*des affaires*
the shopping	*les courses*
sport	*du sport*
an exercise	*un exercice*
the cooking	*la cuisine*
one's best	*de son mieux*
60 kilometres an hour	*60 kilomètres à l'heure*
good/harm	*du bien/du mal*
some sightseeing	*du tourisme*

make...	***faire...***
a bed	*un lit*
an effort	*un effort*
a mistake	*une faute*
a noise	*du bruit*
some tea	*du thé*
money	*de l'argent*
a fuss	*des histoires*
progress	*des progrès*
love/war/peace	*l'amour/la guerre/la paix*
a profit	*un bénéfice*

31 *Do (does/did)* de reprise

Do de reprise (mis à la place d'un autre verbe) permet d'éviter la répétition du verbe ou du groupe verbal qui précède.

They said he would leave and so **he did**. (he did : he left)
Ils ont dit qu'il partirait et c'est ce qu'il a fait.

Do de reprise peut être suivi de so/this/that pour reprendre un verbe qui décrit une action volontaire.

I remember him opening the letter and trembling as **he did so**.
Je me souviens de l'avoir vu trembler en ouvrant la lettre.

Le verbe *faire* en français peut également jouer ce rôle de substitut.
« Tu leur as écrit ? – Je le ***ferai*** *plus tard. »*
"Did you write to them ?" "I'll **do** it later."

On trouve ce do (does/did) de reprise dans les cas suivants.

Dans les réponses brèves → 151

"Did you see him?" "No, I **didn't**." *« Tu l'as vu ? – Non. »*

On notera l'emploi de Yes, do en réponse à une question commençant par shall ou may (correspondant à une offre polie ou à une demande d'autorisation).

"Shall I write to him?" "Yes, **do**."
« Désirez-vous que je lui écrive ? – Oui, ce serait bien. »

Dans les tournures comparatives → 307

She runs faster than I **do**. *Elle court plus vite que moi.*

He must work more than she **did** at his age.
Il doit travailler davantage qu'elle (ne le faisait) à son âge.

Dans les énoncés de reprise commençant par so (aussi) **ou** neither (non plus) → 154

He works a lot, **so do I**. *Il travaille beaucoup. Moi aussi.*

She did not go, **neither did he**. *Elle n'y est pas allée, lui non plus.*

Dans les énoncés de contraste commençant par but → 154

He doesn't like coffee **but I do**. *Il n'aime pas le café mais moi oui.*

Dans les *question tags* → 155

He lives here, **doesn't he**? *Il vit bien ici ?*

32 *Do (does/did)* auxiliaire

Do auxiliaire sert à construire :
- la négation ;
- l'interrogation ;
- l'emphase.

Do exclut tout autre auxiliaire, à savoir be, have et les modaux. S'il y a be, have auxiliaire ou un **modal** dans une phrase, on n'emploie pas do pour former la négation ou l'interrogation.

Do dans les phrases négatives

Do (does) apparaît à la **forme négative** du **présent simple**. Did est utilisé à la **forme négative** du **prétérit** simple.

I/we/you/they **do not** want
he/she/it **does not** want
I/... **did not** want

- **Formes contractées très fréquentes**

  do not → don't
  does not → doesn't
  did not → didn't

  Do not know se prononce parfois ['dʌnəʊ], transcrit à l'écrit par dunno. En anglais familier, I don't know se dit assez souvent I dunno.

- Do not (don't) sert également à former l'**impératif négatif** à la deuxième personne (→ 146).

  Do not (don't) listen! *N'écoutez pas !*

Traduction de do aux formes négative et interronégative

Avec les verbes think, suppose, believe suivis d'une proposition subordonnée, la **négation** apparaît très souvent dans la proposition principale. En français, la négation se trouve dans la subordonnée.

I don't think you should apply.
Je pense que tu ne devrais pas poser ta candidature.

Don't (doesn't)/didn't apparaissent à la **forme interronégative** des verbes lexicaux. Cette forme est beaucoup plus fréquente en anglais qu'en français. Observez les traductions. Elle s'emploie :

- Lorsque le locuteur attend une **confirmation** de ce qu'il avance.

  Don't you think we should go now?
  On devrait partir maintenant, tu ne crois pas ?

- Pour marquer la **surprise** :

  Didn't you hear the bell? *Tu n'as vraiment pas entendu la sonnerie ?*

- Avec une valeur **exclamative**. Do not est toujours contracté dans ce cas (→ 387).

  Didn't he look funny! *Ce qu'il avait l'air drôle !*

Do dans les phrases interrogatives

Do (does) apparaît à la forme interrogative du **présent** simple, did à la forme interrogative du **prétérit** simple. Il est impossible de l'employer s'il y a déjà be, have ou un modal dans la phrase.

Do I/we/you/they want something?
Does he/she/it want something?
Did I/... want something?

- Do **en tête de phrase** permet de maintenir l'ordre sujet/verbe.

  Do you take sugar?
  do sujet verbe

  Nous avons le même phénomène en français avec *est-ce que*.
  Est-ce que *tu prends du sucre ?* est plus facile à construire que *Prends-tu du sucre ?*

- La question peut également commencer par un **mot interrogatif**.

  Where **did** you go? *Où êtes-vous allés ?*

ATTENTION Quand who/what/which **sont sujets**, on n'emploie **pas** do/did (→ 375).

Who wants something to eat? *Qui veut manger quelque chose ?*
What happened? *Que s'est-il passé ?*

Dans les **phrases interrogatives**, la question porte sur do (sous-entendu : ai-je raison de mettre le sujet et le verbe en relation ?) ou wh- (sous-entendu : à quoi correspond where/who/when... ?).

À quoi sert do dans Where did you go? Do signale que le sujet you a réalisé go. Where did you go? peut se comprendre comme : You did go but where?

Pourquoi do n'apparaît-il pas lorsque who/what/which sont sujets ?
Dans Who wants to go? je ne peux pas affirmer que le sujet a réalisé want to go, précisément parce que je ne connais pas le sujet.

Does dans Who **does** want to go? est **emphatique** (→ 33) et signifie *Qui veut **vraiment** y aller ?*

33 Emploi emphatique de *do*

Dans cet emploi, do (does)/did apparaissent à la **forme affirmative** du présent et du prétérit. Ils ne peuvent pas être employés s'il y a déjà be, have ou un modal dans la phrase.

On le rencontre dans les cas suivants.

- **Pour insister** sur le fait que quelque chose est (était) vrai.

  It **does** make a lot of difference.
  Cela fait vraiment une grande différence.

  I don't know what you mean by that but **I do** know that I want a decision.
  Je ne sais pas ce que vous voulez dire par là, mais ce que je sais bien, c'est qu'il me faut une décision.

- À l'**impératif** de la deuxième personne, pour **insister** (→ 149).

  Do tell him I'll be glad to meet him.
  Dites-lui bien que je serai heureux de le rencontrer.

- Pour exprimer un **contraste**, un **désaccord** avec ce qui précède.

  "You should have told me." "I **did** tell you."
  « Tu aurais dû me le dire. – Mais c'est bien ce que j'ai fait. »

  They told me I would not succeed but I **did** (succeed).
  Ils m'avaient dit que je n'y arriverais pas, mais j'y suis bien arrivé.

  Dans ce dernier exemple, on peut omettre le verbe succeed.

- Do (does/did) est toujours accentué à l'oral dans son emploi emphatique.

- ATTENTION Les auxiliaires be, have et les **modaux** peuvent également exprimer une **emphase**. Ils sont alors accentués à l'oral et soulignés à l'écrit. Il ne faut surtout pas utiliser do ici.

  "It's a pity you can't do it." "But I <u>can</u> do it and I <u>have</u> done it before."
  « C'est dommage que tu ne puisses pas le faire. – Mais si, je peux le faire et d'ailleurs je l'ai déjà fait. »

  "Why aren't you working again?" "But I <u>am</u> working."
  « Pourquoi, encore une fois, tu ne travailles pas? – Mais si, je travaille ! »

Le présent

POUR COMMENCER

La langue anglaise dissocie nettement dans sa forme ce qui se passe régulièrement et ce qui se passe au moment où l'on parle. Elle possède pour cela **deux présents** :

– le présent simple ;

– le présent en be + -ing.

Souvent, le présent simple permet d'énoncer des **vérités générales**, des habitudes, un fait plus ou moins permanent.

Le plus souvent, le présent en be + -ing décrit une **activité en cours** au moment où l'on parle. Cette activité est ancrée dans la situation où l'on se trouve.

Mais on rencontre des emplois un peu particuliers de ces deux formes.

LE PRÉSENT SIMPLE

34 Formes du présent simple

Formes affirmative, interrogative, négative

AFFIRMATION	INTERROGATION	NÉGATION
I/we/you/they play	**do** I/we/you/they play?	I/we/you/they **do not** play
he/she/it plays	**does** he/she/it play?	he/she/it **does not** play

Formes négatives contractées très fréquentes

do not → don't   does not → doesn't

I **don't** play, He **doesn't** play

Forme interronégative

Don't I play well? ou Do I not play well?

Doesn't he play well? ou Does he not play well?

35 Prononciation du *-s* de la 3e personne du singulier

On prononce :

– [s] après les consonnes sourdes [f], [k], [p], [t] : laughs, thinks, hopes, sits ;

– [z] après toutes les autres consonnes et les voyelles : comes, receives, plays ;
– [ɪz] après [s], [ʃ], [z], [ʒ] : kisses, catches, recognizes, manages.

ATTENTION

- Le choix entre [s], [z] et [ɪz] dépend du son et non de la lettre qui précède -s. Ainsi dans hopes [həʊps], le son qui précède [s] est un [p], une consonne sourde ; -s se prononce donc [s].
- Does se prononce [dʌz] et non [~~duːz~~], et says [sez] et non [~~seɪz~~].

36 Orthographe du présent simple

Lorsqu'un verbe se termine par -s, -sh, -ch, -x, -z (-ze) ou -o, la désinence de la 3e personne du singulier est -es.

pass → it pass**es** rush → he rush**es** catch → she catch**es**
fax → he fax**es** freeze → it freez**es** do → he do**es** go → he go**es**

Les verbes se terminant par une **consonne** + -y ont pour désinence -ies à la 3e personne du singulier.

hurry → she hurr**ies** carry → it carr**ies** cry → he cr**ies**
Mais notez : pay → she pa**ys** (le verbe pay se termine par une voyelle + -y).

37 Les valeurs de base du présent simple

En employant le présent simple, le locuteur énonce des **faits bruts**. Il ne dit rien sur sa façon de percevoir l'événement. Il sous-entend : *Voici les faits.*

Le présent simple s'emploie principalement dans les cas suivants.

Énoncer des vérités générales

Water boils at 100 °Celsius.
L'eau bout à 100 °C.

Women live longer than men.
Les femmes vivent plus longtemps que les hommes.

Énoncer un fait plus ou moins permanent, une caractéristique

You work too hard, relax! *Tu travailles trop, détends-toi !*

Helen comes from New York and teaches maths.
Helen est de New York et elle enseigne les mathématiques.

The film lasts ninety-five minutes. *Le film dure 95 minutes.*

Décrire un fait habituel, qui se répète, sans aucun commentaire.

He reads the paper every Sunday. *Il lit le journal tous les dimanches.*

ATTENTION Au présent, certains verbes apparaissent le plus souvent à la forme simple et non avec be + -ing (→ 7).

She understands you. [~~She's understanding you.~~] *Elle te comprend.*

I love cheese. *J'adore le fromage.*

You think I'm stupid? *Tu penses que je suis stupide ?*

38 Emplois particuliers du présent simple

Les exemples qui suivent montrent différents contextes d'emploi du présent simple. Leur point commun est que le locuteur s'y intéresse aux **faits**, aux **événements purs**.

On relate des **actions successives**, sans commentaire.

Footsteps. The door opens. Our hearts overturn.
Il y a des bruits de pas. La porte s'ouvre. Notre cœur bascule.

Indications scéniques ou **résumés**

Biff gets out of bed, comes downstage a bit, goes to the kitchen.
Biff sort du lit, fait quelques pas vers l'avant-scène, va dans la cuisine.

The scene takes place in a small town. It's the story of a boy who wanders in a town until he bumps into...
La scène se passe dans une petite ville. C'est l'histoire d'un garçon qui se promène dans une ville jusqu'au moment où il tombe sur...

Dans les indications scéniques, le présent en be + -ing est également possible, mais moins fréquent que le présent simple. Dans Biff **is coming** downstage, l'auteur mettrait l'accent sur l'activité de Biff.

Reportages en direct, à la télévision ou à la radio

Radcliffe passes the ball to Fernandez. He goes forward. Fernandez shoots and scores.
Radcliffe passe la balle à Fernandez. Il avance. Fernandez tire et marque.

Le sujet est **I** et décrit factuellement une **série d'actions successives** qu'il est en train d'accomplir.
Dans cet exemple, un cuisinier décrit ce qu'il fait :

I break two eggs... I mix them with the dough... I then put the whole lot into the oven.
Je casse deux œufs... Je les mélange à la pâte... Puis j'enfourne le tout.

Ici, un prestidigitateur décrit l'action en même temps qu'il l'accomplit :

I take my hat, put it on the table, pull the handkerchief out and what do I get? A rabbit!
Je prends mon chapeau, je le mets sur la table, je retire le mouchoir et qu'en sort-il ? Un lapin !

- Tournures un peu **officielles** : **I + présent simple**

I declare the session open. *Je déclare la séance ouverte.*

I promise I'll do it. *Je promets que je le ferai.*

Notez aussi :

I quit! (*Je démissionne !/J'abandonne !*)

- On peut dire que ces emplois sont particuliers dans la mesure où le locuteur relate des actions en cours au moment où il parle. On s'attendrait donc au présent en be + -ing. Mais le présent simple est permis car la logique est celle d'une série d'actions successives brèves, et c'est cette succession, plus que le lien à la situation présente, qui importe.
- Notez les structures un peu figées Here comes the bus/our boss (*Voici le bus/notre patron*) et There they go (*Ça y est, ils partent*). Avec une structure différente, on dirait The bus is coming [~~The bus comes~~] et They're going [~~They go~~].

39 L'emploi du présent simple dans les narrations

On trouve parfois le présent simple **dans les narrations**. De nouveau c'est aux faits en eux-mêmes qu'on s'intéresse.

Après avoir relaté la mort de son frère, la narratrice d'un roman de Margaret Atwood conclut : This is how my brother enters the past. (*C'est ainsi que mon frère entre dans le passé.*) Grâce au présent, la narratrice fait comme si la mort avait lieu « en direct ».

- L'emploi du présent simple dans les narrations est un phénomène moins fréquent qu'en français. On l'utilise plus à l'oral qu'à l'écrit (pour rendre un récit plus vivant), notamment pour raconter des **histoires drôles**.

It's the story of a man who **goes** into a pub and **orders** a glass of water, when he **turns** round and **sees**...
C'est l'histoire d'un homme qui entre dans un pub et qui commande un verre d'eau, quand il se retourne et voit...

- Il est également fréquent dans les **titres de journaux**.

Manchester United enters quarter final.
Manchester United va en quart de finale.

Prime Minister leaves hospital. *Le Premier ministre quitte l'hôpital.*

40 L'emploi du présent simple pour renvoyer à l'avenir

On peut également employer le présent simple pour renvoyer à un fait à venir. Le présent en be + -ing dans ce cas est plus fréquent.

We leave tomorrow at five p.m. *Nous partons demain à 17 heures.*

→ Présent et renvoi à l'avenir 86.

ATTENTION Dans les propositions subordonnées en if et when, on emploie le présent et non will (→ 434).

We'll talk about it when he **arrives**.
Nous en parlerons lorsqu'il arrivera.

LE PRÉSENT CONTINU OU PRÉSENT EN BE + -ING

Présent continu signifie littéralement présent décrivant un événement qui continue au moment présent. On parle souvent de présent progressif, c'est-à-dire de présent qui décrit une **action en cours**.

On parle aussi d'**aspect** pour décrire la forme be + -ing (→ 6).

41 Formes du présent continu

- **Formes affirmative, interrogative, négative**

AFFIRMATION	INTERROGATION	NÉGATION
I **am** working	**am** I working?	I **am** not working
he/she/it **is** working	**is** he/she/it working?	he/she/it **is** not working
we/you/they **are** working	**are** we/you/they working?	we/you/they **are** not working

- **Formes contractées très fréquentes (affirmation et négation)**

I'm (not), we're (not), you're (not), they're (not), he's/she's/it's (not)
are not → aren't   is not → isn't

- **Forme interronégative**

Am I not working? (à l'oral : Aren't I working?)
Is he not working? ou Isn't he working?
Are you not working? ou Aren't you working?

42 Orthographe de verbe + *-ing*

Terminaisons

Lorsque le verbe se termine par e, le e disparaît : love → lov**ing**. Cela ne se produit pas pour les verbes se terminant par ee : see → seeing.

Lorsque le verbe se termine par c, on ajoute un k : picni**c** → picni**ck**ing.

Les verbes se terminant par y ne changent pas : carry → carr**ying**.

Doublement de la consonne

Quand un verbe se termine par une voyelle + une consonne

- on redouble la consonne si la syllabe est accentuée :
  pre**fer** (accentué sur fer) → prefe**rr**ing
  cette règle s'applique à tous les verbes d'une seule syllabe :
  stop → sto**pping** nod → no**dding**
- on ne redouble pas la consonne si la syllabe n'est pas accentuée :
  answer (accentué sur an) → answe**r**ing

En anglais britannique, les verbes qui se terminent par un **l** doublent ce **l** si une seule voyelle précède (même si la dernière syllabe n'est pas accentuée) : **tra**vel → trave**ll**ing (accent sur la première syllabe et pourtant redoublement de la consonne). En anglais américain, on ne double le **l** que si la dernière syllabe est accentuée : traveling, mais rebelling...
Les trois verbes handicap, kidnap, worship (*adorer*) doublent le p : worship → worshi**pp**ing. Mais on trouve aussi worshi**p**ing (US).

On écrit forma**tt**ing, mais comba**tt**ing ou comba**t**ing, focu**ss**ing ou focu**s**ing.

43 Valeur de base du présent continu : action en cours

Be + -ing s'emploie souvent pour décrire une action en cours, qui se déroule au moment où l'on parle. Be est conjugué au présent : il renvoie au moment **présent**.

What are you smiling at? *Qu'est-ce qui te fait sourire ?*

L'action est saisie **en train de** se dérouler, en cours de réalisation.

L'emploi de be + -ing **s'impose** quand l'énoncé décrit une action en train de se produire. Si j'observe qu'il pleut au moment où je parle, je ne peux pas décrire cet événement à l'aide de It rains. Je dois dire : it's raining.

Certains verbes sont peu compatibles avec be + -ing : depend, know, seem, understand... (→ 7). On ne peut pas dire ~~Now, I'm understanding~~

~~you~~, même si le fait de comprendre concerne strictement le moment présent. Il faut dire Now I understand you. *Maintenant, je te comprends.*

Quelques-uns de ces verbes se rencontrent avec be + -ing, mais leur sens est alors différent :

It tastes bitter. *Ça a un goût amer.*	She'**s** tast**ing** the wine. *Elle est en train de goûter le vin.*
I think. *Je pense.*	I'**m** think**ing**. *Je réfléchis.*
He looks tired. *Il a l'air fatigué.*	He'**s** look**ing** at me. *Il me regarde.*
I see. *Je vois.*	I'**m** see**ing** John tonight. *J'ai rendez-vous avec John ce soir.*
I consider him a good-for-nothing. *Je le considère comme un bon à rien.*	I'**m** consider**ing** that possibility. *J'envisage cette possibilité.*
The baby weighs six kilos. *Le bébé pèse 6 kilos.*	The nurse **is** weigh**ing** the baby. *L'infirmière pèse le bébé.*

44 Présent simple ou présent en *be + -ing*

Certaines catégories de verbes s'emploient tantôt avec le présent simple, tantôt avec le présent en be + -ing.

Verbes décrivant des activités de longue durée (live, teach, work...)

He **is** liv**ing** with friends at the moment. ***En ce moment****, il vit chez des amis.*	He **lives** in New York. *Il vit à New York.* [en général]
She'**s** com**ing** from New York. *Elle arrive de New York.*	She **comes** from New York. *Elle vient de/Elle est de New York.*

She'**s** work**ing** here. She'**s** teach**ing** English.
Elle travaille ici. Elle enseigne l'anglais.
[en ce moment ; c'est temporaire]

She **works** here. She **teaches** English.
Elle travaille ici. Elle enseigne l'anglais.
[de manière plus ou moins permanente]

Notez que le verbe learn s'emploie presque toujours avec be + -ing.

Verbes de sensation

Les verbes ache, feel, hurt s'emploient avec ou sans be + -ing.

My head aches/is aching. *J'ai mal à la tête.*

Verbes de position

Les verbes sit (*être assis*), stand (*être debout*) et lie (*être allongé*) s'emploient généralement avec be + ing au présent.

"Where is she?" "She's **sitting** by the fireplace."
« Où est-elle ? – Elle est assise au coin du feu. »
On envisage que she's sitting peut s'interrompre.

Quand le sujet est inanimé, on emploie la forme simple.

The house stands on solid foundations.
La maison repose sur de solides fondations.

L'événement n'est pas perçu en cours ; stands exprime un fait permanent.

45 Emplois particuliers de *be + -ing*

On peut trouver be + -ing avec certains verbes peu compatibles avec be + -ing. Dans ce cas, le locuteur insiste sur le lien avec la situation présente et sur le changement intervenu.

I **am** lov**ing** it here more and more.
J'aime vraiment de plus en plus cet endroit.

The food **is** tast**ing** better tonight, don't you think?
La nourriture est meilleure ce soir, tu ne trouves pas ?

She **is** look**ing** more and more like her mother.
Eh bien, elle ressemble vraiment de plus en plus à sa mère.

Combiné avec be + -ing, le verbe be prend le sens de *se comporter, se conduire.*

He is stupid. *Il est idiot.*
He's being stupid. *Il fait l'idiot.*

Be + -ing **et l'habitude**

Une des caractéristiques du présent simple est d'exprimer l'habitude (→ 37). Cependant, be + -ing peut aussi être employé pour exprimer une habitude mais **temporaire**.

Because of the operation she **is** not driv**ing** to work this semester.
À cause de son opération, elle ne prend pas sa voiture pour aller travailler ce semestre.

Dans les exemples du type : Whenever I go to London, it'**s** rain**ing**! (*À chaque fois que je vais à Londres, il pleut !*), be + -ing signale qu'il est en train de pleuvoir non pas au moment où je parle, mais à chaque fois que se réalise I go to London.

On pourrait également dire : Whenever I go to London, it rains. (*À chaque fois que je vais à Londres, il se met à pleuvoir.*) Mais, dans ce cas, il se met à pleuvoir une fois que je suis arrivé à Londres, alors que dans it'**s** rain**ing**, il pleut **déjà**.

- Be + -ing peut être utilisé pour exprimer un **souhait** de façon moins directe, plus distancée qu'au présent simple.

  I'**m hoping** you can help me out.
  (Moins catégorique que I **hope** you...)
  J'espère que tu peux me dépanner.

  I'**m looking** forward to meeting you.
  (Plus informel que I **look** forward to...)
  J'ai hâte de vous rencontrer.

46 L'emploi du présent en *be* + *-ing* avec les adverbes de fréquence

- Accompagné d'un **adverbe de fréquence** (always, continually, forever...), le présent en be + -ing implique souvent un **point de vue dépréciatif**. L'adverbe de fréquence utilisé avec be + -ing est accentué.

  You'**re always** mak**ing** the same mistake.
  Tu t'obstines à faire toujours la même erreur.

  Cet énoncé traduit une irritation de la part du locuteur.

  You always make the same mistake est plus factuel.

- Cette combinaison peut aussi signaler que l'événement décrit est imprévu, surprenant.

  I'm always meeting Mrs Sullivan on the train.
  Je croise toujours Mme Sullivan dans le train.

  Pas de point de vue dépréciatif ici.

47 L'emploi du présent en *be* + *-ing* pour renvoyer à l'avenir

→ Analyse détaillée de cet emploi 86.

Le présent en be + -ing permet d'annoncer la réalisation d'une action **déjà organisée**. L'action prévue est le fruit de préparatifs personnels.

What **are** you do**ing** tonight?
Qu'as-tu prévu de faire ce soir ?

Le prétérit

POUR COMMENCER

Le mot **prétérit** vient du latin *praeteritus* qui signifie *passé*. Comme pour le présent, on distingue un prétérit simple et un prétérit composé (auxiliaire be + V-ing), parfois appelé prétérit continu.

Le prétérit est la marque d'une **rupture** par rapport au présent.

LE PRÉTÉRIT SIMPLE

48 Formes du prétérit simple

Formes affirmative, interrogative, négative

	AFFIRMATION	INTERROGATION	NÉGATION
VERBES RÉGULIERS	sujet + V + -ed he work**ed**	did + sujet + V? **did** you work?	sujet + did not + V he **did not** work
VERBES IRRÉGULIERS	he went	did he go?	they did not go

Forme contractée très fréquente

did not → didn't

Forme interronégative

Didn't I work? ou Did I not work?

49 Prononciation de V + *-ed*

[t] après les consonnes sourdes [f], [k], [s], [ʃ], [p], [θ] : laughed, kicked, kissed, cashed, stopped, frothed ;

[ɪd] après [t] ou [d] : waited, succeeded ;

[d] dans les autres cas (consonnes sonores et voyelles) : called, stayed.

ATTENTION Prononciation de said : [sed] et non [~~seɪd~~].

Les prétérits de lay et pay sont réguliers à l'oral, mais s'écrivent laid [leɪd] et paid [peɪd] et non ~~layed~~ et ~~payed~~.

50 Orthographe du prétérit simple

- Lorsqu'un verbe se termine par -e, on ajoute seulement -d :

  love → lov**ed**, agree → agr**eed**.

- Les verbes qui se terminent par -c font leur prétérit en -ck :

  panic → pani**cked**.

- Le -y suivant une consonne devient -i :

  carry → carr**ied** mais obey → obe**yed**.

- Quand un verbe se termine par une voyelle + une consonne

  – on redouble la consonne si la syllabe est accentuée :

  pre**fer** (accentué sur fer) → prefe**rr**ed

  Cette règle s'applique à tous les verbes d'une seule syllabe :

  stop → sto**pped**, nod → no**dded**

  – on ne redouble pas la consonne si la syllabe n'est pas accentuée :

  answer (accentué sur an) → answer**ed**

- Verbes se terminant en -l ou -p (→ 42)

51 Valeur de base du prétérit simple

Le prétérit exprime une **rupture par rapport au présent**.

– rupture par rapport au moment présent (renvoi au passé) :

I **saw** her **yesterday**. *Je l'ai vue hier.*

– rupture par rapport au réel (« prétérit du non-réel ») :

Oh, if you **were** here! *Si seulement tu étais là !* (You n'est pas là.)

52 Rupture avec le moment présent : renvoi au passé

La forme la plus fréquente pour renvoyer au passé en anglais est le prétérit simple. Il s'emploie pour renvoyer à un événement complètement terminé, **sans rapport avec le présent**.

- On parle d'un **état qui appartient au passé**.

  Her suitcase **was** open on the bed. *Sa valise était ouverte sur le lit.*

- On parle d'une **action qui appartient au passé**.

  When he was eight, he emigrated to the USA.
  À huit ans, il a émigré (il émigra) aux États-Unis.

On parle d'une **habitude** qui appartient au passé.

In those days, **he took** the train to London every morning.
En ce temps-là, il prenait le train pour aller à Londres tous les matins.

Le prétérit simple est la forme par excellence du **récit** (lorsqu'on relate une succession d'événements vrais ou imaginaires).

I **got** up, and he **asked** me my name, and then he **looked** down at the list and **made** a tick with a pencil.
Je me suis levé (Je me levai) et il m'a demandé (il me demanda) mon nom, puis il a parcouru (il parcourut) la liste et y a porté (y porta) une croix au crayon.

En effet, les faits relatés appartiennent à un moment coupé du présent. Ils apparaissent dans leur ordre chronologique.

Notez l'emploi du passé composé ou du passé simple en français, selon le niveau de langue.

ATTENTION Le prétérit signalant une rupture avec le moment présent, il est logique de l'employer avec les indications temporelles qui expriment cette rupture :

yesterday, last week, in 2008, on April 28th, three months ago, during the war, formerly (autrefois)...

I **saw** them yesterday/three months ago/in 2008...
Je les ai vus hier/il y a trois mois/en 2008...

Avec de telles indications temporelles, l'emploi du *present perfect* (I have seen them) serait **totalement agrammatical**, car le *present perfect* exprime un **lien** avec le présent.
Mais le prétérit peut aussi s'employer sans indication temporelle, puisqu'il situe par lui-même l'événement dans un passé coupé du présent.

Tout comme avec le présent simple, avec le prétérit simple le locuteur se veut avant tout factuel : il énonce des faits bruts considérés en eux-mêmes.
Avec le prétérit **simple**, ce sont les événements qui sont mis en avant.
Avec be + -ing, c'est l'observation de l'événement par le locuteur qui est mise en avant.
Avec have + participe passé, c'est le lien avec le présent.

53 Rupture avec la réalité présente : le prétérit du non-réel

Le **prétérit du non-réel** ne sert pas à renvoyer au révolu, mais à l'**hypothétique**. Ce prétérit est aussi appelé **prétérit modal**.

I'd give it to you if you **were** here. *Je te le donnerais si tu étais là.*

Were ne renvoie pas au passé mais à une situation imaginaire.

Au prétérit du non-réel, le verbe be se conjugue were à toutes les personnes.

If I **were** you... *Si j'étais à ta place...*

I wish he **were** here. *J'aimerais qu'il soit ici.*

Cependant, la tendance actuelle est de plus en plus d'utiliser was au singulier.

I wish he was here.

L'expression as it were (*pour ainsi dire*) comporte un prétérit du non-réel.

54 Les emplois du prétérit du non-réel

Après certaines conjonctions : if (*si*)/as if, as though (*comme si*), even if, even though (*même si*)...

She behaves as though she **owned** the whole place.
Elle se conduit comme si tout lui appartenait.

As if it **mattered**! *Comme si cela avait de l'importance !*

Lorsque le non-réel concerne un **moment passé**, on emploie **had** + **participe passé** (→ 74).

If she **had arrived** sooner, we could have gone out for a drink.
Si elle était arrivée plus tôt, nous aurions pu aller prendre un verre.

Après if, le prétérit signale que l'événement est :
- soit **nié au moment présent** : if you **were** here (*si tu étais là*). Sous-entendu : *tu n'es pas là* ;
- soit **peu envisageable dans l'avenir** : if it stop**ped** raining, we could go to the beach (*s'il s'arrêtait de pleuvoir, nous pourrions aller à la plage*). On sous-entend que c'est peu probable.

Avec un présent, le locuteur est plus neutre : if it **stops** raining (*s'il s'arrête de pleuvoir*). Sous-entendu : il peut s'arrêter de pleuvoir comme il peut ne pas s'arrêter de pleuvoir.

Après certains verbes : imagine, suppose, wish...

I wish I **could** come. *J'aimerais pouvoir venir.*

Comparez ces trois énoncés :

I wish I **had** more money.
J'aimerais avoir plus d'argent. ou *Je regrette de ne pas avoir plus d'argent.*

wish + **prétérit** : ce n'est pas le cas maintenant.

I wish I **had had** more money.
J'aurais aimé avoir plus d'argent. ou *Je regrette de ne pas avoir eu plus d'argent.*

wish + ***past perfect*** : ce n'était pas le cas à un moment du passé.

I wish she **would** quit smoking. *J'aimerais qu'elle arrête de fumer.*

wish + **would** : on désire qu'un autre que soi fasse quelque chose (→ wish + would 114).

Après certaines expressions verbales : would rather ou 'd rather (*préférerais*), it's time (*il est temps de...*), it's about time, it's high time (*il est grand temps*)...

I'd rather you **came** next week.
Je préférerais que tu viennes la semaine prochaine.

It's time you **found** a job. *Il est temps que tu trouves du travail.*

On rencontre parfois le présent après ces expressions (It's time you find a job), mais cet emploi est considéré comme fautif par certains grammairiens.

Pour renvoyer au passé avec would rather, on utilise had + **participe passé** dans la proposition subordonnée (→ 74).

I'd rather you **hadn't said** anything.
J'aurais préféré que tu ne dises rien.

En français, la marque du renvoi au passé apparaît dans la proposition principale (*J'aurais préféré*). On aurait aussi pu dire en anglais : I would have preferred you not to say anything.

Ces expressions verbales peuvent également être suivies d'un **infinitif**, comme leurs équivalents français.

would rather + base verbale :

They would rather **stay** at home than go out for a drink.
Ils préféreraient rester à la maison plutôt que d'aller prendre un verre en ville.

time suivi de to + verbe :

It's (about/high) time **to go**. *Il est (grand) temps de partir.*

À la différence du français, le sujet peut être introduit à l'aide de for :

It's time for you to go. *Il est temps que vous partiez.*

- **Dans les requêtes**, surtout à la première personne (prétérit dit de politesse).

I **wanted** to see you about our next meeting.
Je voulais vous voir au sujet de notre prochaine réunion.

I **wondered** whether you could help me.
Je me suis demandé si vous pouviez m'aider.

55 Le prétérit de discours indirect

- Le prétérit est employé dans la mise au **discours indirect**.

Le prétérit de discours indirect est une marque de dépendance par rapport à un autre verbe au prétérit.

discours direct : He said: "I **want** to go on holiday."
discours indirect : He said he **wanted** to go on holiday.
Il a dit : « Je veux partir en vacances. »
Il a dit qu'il voulait partir en vacances.

→ Le prétérit au discours indirect 451.

ATTENTION Au discours indirect, après if et when, on emploie le prétérit et non le would dit « conditionnel » (→ 434).

Anthony said we would talk about it when Lucy **arrived**.
Anthony a dit que nous en parlerions lorsque Lucy ***arriverait****.*

56 Traduction du prétérit simple en français

Quand on traduit un prétérit en français, on a le choix entre le passé simple, le passé composé et l'imparfait.

- **Le passé simple** (temps du récit à l'écrit)

At this point the watchman **came out** of his hut.
C'est alors que le garde ***sortit*** *de sa cahute.*

- **Le passé composé** (temps du récit, de style moins soutenu)

At this point the watchman **came out** of his hut.
Alors, le garde ***est sorti*** *de sa cahute.*

L'imparfait

– pour les verbes **à sens statique** :

At the time, he **was** eight. À l'époque, il **avait** huit ans.

– pour une action **qui se répète** :

I **went** ice skating every day.
*Je **faisais** du patin à glace tous les jours.*

– pour renvoyer au **non-réel** :

If you really **knew** her... Si tu la **connaissais** vraiment...

– pour le **discours indirect** :

He said he **wanted** to go on holiday.
*Il a dit qu'il **voulait** partir en vacances.*

LE PRÉTÉRIT CONTINU (OU EN BE + -ING)

57 Formes du prétérit continu

Formes affirmative, interrogative, négative

AFFIRMATION	INTERROGATION	NÉGATION
I/he/she/it **was** working	**was** I/he/she/it working?	I/he/she/it **was** not working
we/you/they **were** working	**were** we/you/they working?	we/you/they **were** not working

Formes contractées très fréquentes

was not → wasn't   were not → weren't

Forme interronégative

Wasn't I working? ou Was I not working?
Weren't we working? ou Were we not working?

Orthographe de verbe + -ing → 42

58 Valeur de base du prétérit continu

Le prétérit en be + -ing signale une action en cours à un moment du passé.

"What were you doing this time yesterday?" "I was reading a recipe book because I had guests coming."
« Que faisiez-vous à cette heure-ci hier ? – Je lisais un livre de recettes car j'avais des invités qui devaient venir. »

Le fait de lire un livre est montré en déroulement à un moment passé correspondant à this time yesterday.

➜ Présent en be + -ing 43.

59 Particularités d'emploi du prétérit continu

Prétérit en be + -ing avec always

Cette association signale que l'événement décrit est soit irritant, soit imprévu, surprenant.

> My mother was full of schemes. She **was always reading** the back pages of magazines...
> *Ma mère avait des tas de projets. Elle passait son temps à lire les dernières pages des magazines...*

➜ Présent en be + -ing avec always 46.

Succession des deux prétérits dans une même phrase

Le prétérit en be + -ing est fréquemment utilisé **en contraste** avec un prétérit simple. Dans ce cas, l'action décrite à l'aide de be + -ing constitue un **cadre** à l'intérieur duquel a eu lieu l'action au prétérit simple.

> While he **was** hid**ing** the corpse, the bell rang.
> *Pendant qu'il cachait le cadavre, la cloche a sonné.*

he was hiding the corpse est le cadre de l'événement ; the bell rang est l'événement passé inclus dans ce cadre ; he was hiding est vrai avant et peut-être après la sonnerie.

> Suddenly she noticed that one of the boys **was** not listen**ing**.
> *Elle remarqua tout à coup qu'un des garçons n'écoutait pas.*

Le fait de ne pas écouter est vrai avant et après she noticed.

60 Prétérit simple ou prétérit continu ?

Le prétérit simple propose la **vision globale** d'un événement, alors que le prétérit en be + -ing montre l'événement rattaché à un **moment particulier** du passé.

Quelques oppositions

> We **were driving** to Paris when the engine broke down, so that we spent our holidays in London instead of Paris.
> *Nous étions en route pour la France, lorsque le moteur est tombé en panne, aussi avons-nous passé nos vacances à Londres au lieu de les passer à Paris.*

We were driving to Paris : le fait d'aller à Paris était en cours à un moment donné du passé (l'événement est resté inachevé, puisqu'ils ne sont pas arrivés en France).

> We were driving to Paris, looking forward to our stay there. But when we arrived, we noticed that our hotel had been turned into a McDonald's restaurant.
> *Nous roulions vers Paris, enchantés à l'idée de ce séjour. Mais, à notre arrivée, nous avons découvert que notre hôtel avait été transformé en McDonald's.*

We were driving to Paris : à un moment du passé, le fait d'aller à Paris était en cours. La suite du texte montre que l'événement est finalement arrivé à son terme : But when we arrived...

> **We drove** to Paris, spent a week there, then moved on to the Riviera before ending up in Italy.
> *Nous sommes allés en voiture à Paris, nous y avons passé une semaine, puis nous avons repris la route jusqu'à la Côte d'Azur pour nous retrouver finalement en Italie.*

Le fait d'aller à Paris est vu de façon globale (comme un point sur la ligne du temps) ; nous savons d'emblée, en écoutant l'énoncé we drove to Paris, que l'événement est arrivé à son terme.

- **Avec les verbes de position**, on trouve le prétérit simple ou en be + -ing.

> She **sat** by the fireplace. *Elle était assise au coin du feu.*

La vision est globale, comme un point sur la ligne du temps.

> She **was sitting** by the fireplace.

Ici la scène est vue à un moment donné du passé.

- Le prétérit en be + -ing s'emploie parfois pour exprimer une **requête** polie ou une **suggestion** prudente.

> I **was wondering** if you could come round for tea this afternoon?
> *Est-ce que par hasard tu pourrais venir prendre le thé chez nous cet après-midi ?*
>
> I **was hoping** of visiting them tomorrow.
> *J'espérais pouvoir leur rendre visite demain.*

Malgré l'emploi du prétérit, ces énoncés concernent la situation présente. I was wondering ou I was hoping est moins abrupt, plus hésitant que I wonder/I hope.

→ Présent en be + -ing dans les requêtes 45.

ATTENTION Certains verbes sont peu compatibles avec be + -ing (understand, seem, know, depend...) → 7. On ne les rencontre donc pas au prétérit en be + -ing.

We all knew that the situation was hopeless. [~~We were knowing...~~]
Nous savions tous que la situation était désespérée.

61 L'imparfait français et le prétérit en *be + -ing*

Le prétérit en be + -ing se traduit presque toujours par l'imparfait, qui implique alors une action envisagée dans son déroulement. Mais l'imparfait ne se traduit pas toujours par be au prétérit + V-ing.
On peut dégager **quatre valeurs principales** de l'imparfait en français.

- **Valeur « en cours »**

*L'homme s'avanç**ait** doucement dans la nuit.*

Proche de *L'homme était en train de s'avancer...*
D'où le prétérit en be + -ing : The man **was walking** slowly into the night.

- **Habitude passée**

*Nous sort**ions** tous les soirs/une fois par semaine lorsque nous étions étudiants.*

D'où le prétérit simple : We **went** out every night/once a week when we were students.
ou We used to go out... ou We would go out...

- **État ou fait révolu**

*En 2006, j'habit**ais** Madrid, j'av**ais** quinze ans et je parl**ais** parfaitement l'espagnol.*

Prétérit simple : In 2006 I **lived** in Madrid, I **was** fifteen years old and I **spoke** perfect Spanish.

- **Expression du non-réel** après la conjonction si

***Si** elle le voul**ait**, elle pourrait réussir.*

Prétérit simple : She could make it if she **wanted** to.

On remarque donc que l'imparfait ne se traduit par le prétérit en be + -ing que lorsqu'il a la valeur « en cours ». Dans les autres cas, il se traduit par le prétérit simple.

→ Traduction de l'imparfait avec depuis 74, 77.

Dans certains emplois dits stylistiques, l'imparfait permet un ralenti dans une succession narrative.

*L'homme se redressa et se remit à courir. Mais, au même moment, une balle l'**atteignait** à la jambe et l'homme s'écroula.*

L'imparfait pourrait facilement être remplacé par un passé simple ici : *Mais, au même moment, une balle* ***l'atteignit*** *à la jambe...* Dans un tel contexte, il convient de traduire l'imparfait par le prétérit simple : But at the same moment, a bullet hit his leg [~~was hitting~~ impossible ici].

ATTENTION Be + -ing n'a rien à voir avec la **durée**. Celle-ci dépend du sens du verbe et du contexte.

Queen Victoria **reigned** from 1837 to 1901.
La reine Victoria a régné de 1837 à 1901.

Cet énoncé exprime une durée, comme le signale le complément circonstanciel from 1837 to 1901. Et pourtant was reigning est impossible ici, car from 1837 to 1901 est incompatible avec une vision en cours, inachevée, d'un événement : ce complément circonstanciel implique quelque chose de clos, d'achevé. Il convient de ne pas confondre durée et vision en déroulement.

Le present perfect

POUR COMMENCER

On parle de *present perfect* en anglais :
- present car cette forme inclut un présent ;
- perfect (ou *parfait* en français), car le parfait est un point de vue, ou « aspect », qui exprime un **lien** entre le **passé** et le **présent**.

On distingue :
- le *present perfect* **simple** — I **have written** three letters.
- le *present perfect* en be + -ing (ou continu) — I **have been writing** letters.

→ Notion d'aspect 6.

LE PRESENT PERFECT **SIMPLE**

Le *present perfect* simple se construit toujours avec have au présent + verbe au participe passé.

62 Formes du *present perfect* simple

Formes affirmative, interrogative, négative

AFFIRMATION	INTERROGATION	NÉGATION
I/we/you/they **have worked**	**have** I/we/you/ they **worked**?	I/we/you/they **have not worked**
he/she/it **has worked**	**has** he/she/it **worked**?	he/she/it **has not worked**

Formes contractées très fréquentes

have not → haven't   has not → hasn't
I'**ve** (not)/you'**ve** (not)/we'**ve** (not)/they'**ve** (not) worked
he'**s** (not)/she'**s** (not)/it'**s** (not) worked

Forme interronégative

haven't I worked enough? ou **have** I **not** worked enough?
hasn't he worked enough? ou **has** he **not** worked enough?

Orthographe et prononciation de V + -ed → 49-50

63 Valeur de base du *present perfect* simple

Le *present perfect* signale un **lien** entre **passé** et **présent**.

Ce lien s'interprète de deux façons :

- comme le **résultat présent** d'une **action passée** ;
- comme une **continuité temporelle** : l'action continue jusqu'au présent.

Cela est logique, puisque le *present perfect* inclut à la fois du **présent** (l'auxiliaire have est au présent) et du **passé** (le participe passé du verbe lexical).

Résultat présent d'un événement passé

> Oh, no! I've lost my wallet!
> *Oh non, j'ai perdu mon portefeuille !*

On a un résultat présent (le portefeuille n'est plus là) d'une action passée : perdre le portefeuille.

> Mum, John's finished his homework. Can we go out now?
> *Maman, John a fini ses devoirs. On peut sortir, maintenant ?*

Résultat présent : les devoirs sont terminés.

ATTENTION Après It's the first/second time on utilise le *present perfect*.

> It's the second time he **has lost** his keys.
> *C'est la deuxième fois qu'il **perd** ses clefs.*

En français, on utilise le présent après *c'est la première fois, la deuxième fois que...*

De façon plus abstraite, le *present perfect* permet parfois de **faire le bilan** d'un événement passé par rapport au présent. Le locuteur signale que ses propos sont intéressants pour la discussion présente. On peut parler dans ce cas d'**intérêt présent**.

> I must admit **I have made** mistakes, for example **I have prescribed** wrong doses of medecine.
> *Je dois avouer qu'il m'est arrivé de me tromper. Ainsi, j'ai prescrit de mauvaises doses de médicament.*

Dans cet extrait d'interview portant sur la surcharge de travail des médecins en Grande-Bretagne, le propos du médecin qui s'exprime ici n'est pas de renvoyer à un moment dans le passé où l'action a eu lieu (make mistakes), mais d'établir un lien entre cet événement du passé et la discussion **présente**.

Continuité entre passé et présent

L'action, commencée dans le passé, continue dans le présent. Dans ce cas, le *present perfect* se rencontre surtout avec for et since (depuis) et How long (Depuis combien de temps).

She'**s been** sick for nearly a month.
Ça fait presque un mois qu'elle est malade. (C'est toujours vrai.)

I **have known** her since 2006.
Je la connais depuis 2006. (I know her est toujours vrai.)

How long **have** you **been** here, Kate?
Depuis combien de temps es-tu là, Kate ? (Kate est encore là.)

→ Différence entre for et since, traduits par depuis 66.

Le *present perfect* associé à for/since/how long se traduit par un présent. À la forme négative, on peut le traduire par un passé composé et for peut être remplacé par in.

They have**n't** written for/in a month.
Ça fait un mois qu'ils **n'ont pas écrit**.

64 Particularités d'emploi du *present perfect*

Rapporter un événement récent

On utilise fréquemment le *present perfect* pour rapporter un événement récent qu'on ne détache pas encore du présent. Il s'emploie notamment dans les **bulletins d'information**, où les faits rapportés ont toujours une importance **actuelle**.

The Queen **has visited** St Bartholomew Hospital in London.
La reine a visité l'hôpital St Bartholomew à Londres.

The President **has said** that he wouldn't increase taxes.
Le président a déclaré qu'il n'augmenterait pas les impôts.

On parle parfois de "hot news present perfect" dans ce cas (hot news : nouvelles toutes fraîches).

Avec l'adverbe just

Le *present perfect* s'emploie avec l'adverbe just pour traduire venir de + verbe.

I'**ve** just call**ed** your boss. Je viens d'appeler ton patron.

L'action n'est pas complètement détachée du moment présent, puisqu'elle vient de se produire. En anglais américain, on emploie plutôt le **prétérit** avec just (I just called your boss). Cet usage tend à se répandre en Grande-Bretagne.

Expressions adverbiales

Les expressions adverbiales telles que already (*déjà*), always (*toujours*), before (*avant*), ever (*jamais/déjà* au sens de *à n'importe quel moment*), never (*ne... jamais*), recently/lately (*récemment*), so far (*jusqu'à présent*) et not yet (*pas encore*) s'emploient également avec le *present perfect*, car elles impliquent un lien avec l'**actuel**.

Have you **ever** driven a Jaguar? *As-tu déjà conduit une Jaguar ?*

I've **already** told you several times. *Je te l'ai déjà dit plusieurs fois.*

So far, I haven't received any reply.
Jusqu'à présent, je n'ai pas reçu de réponse.

I have**n't** read that book **yet**. *Je n'ai pas encore lu ce livre.*

En anglais américain, on emploie souvent le prétérit avec already, always, ever et never, usage qui se répand en anglais britannique.

I already told you several times.

ATTENTION

- Si l'énoncé inclut une indication temporelle en rupture avec le moment présent (yesterday/on November 28/in 2007/ten years ago...), le prétérit s'impose.

I **saw** that film when it was released ten years **ago**. [~~I have seen...~~]
*J'**ai vu** ce film à sa sortie, **il y a** dix ans.*

- Cependant, on peut rencontrer le *present perfect* avec this morning (ou this afternoon, today...) si la matinée en question n'est pas terminée.

I **have** not **seen** her this morning, have you?
Je ne l'ai pas vue ce matin, et toi ?

- On peut aussi dire I didn't see her this morning. Le prétérit est obligatoire si la matinée est terminée, par exemple s'il est 20 heures.

Il est parfois dit, que lorsqu'un personnage est mort, on utilise le prétérit pour en parler. C'est vrai, mais lorsqu'un lien est créé avec le moment présent, on utilise le *present perfect*.

Beethoven **has written** nine symphonies.
Beethoven a écrit neuf symphonies.

(Nous avons neuf symphonies de Beethoven à notre disposition.)

65 Passé composé français et *present perfect*/prétérit

Le **passé composé** français se construit de la même façon que le *present perfect* anglais : **auxiliaire** avoir (parfois être) + verbe au **participe passé**. Mais le passé composé et le *present perfect* **ne sont pas équivalents**. Le passé composé a deux valeurs principales.

Rupture temporelle avec le moment **présent** : on raconte quelque chose.

> J'ai dû me lever de bonne heure ce matin. J'ai pris une douche rapide. Je n'ai même pas pris de petit déjeuner. J'ai immédiatement enfourché ma bicyclette et je suis arrivé avec dix minutes d'avance !

Le passé composé se traduit alors par le **prétérit** :

> I had to get up early this morning. I took a quick shower. I didn't even have breakfast. I immediately got on my bike and arrived ten minutes early!

Résultat présent

> Maman, j'ai fini mon travail. Je peux sortir ?

Le passé composé se traduit alors logiquement par le *present perfect*, qui signale un lien entre un moment passé et le présent.

> Mummy, I have finished my homework. Can I go out?

66 *For* ou *since* ?

Traduire depuis

Associés avec le *present perfect*, for et since traduisent tous deux **présent + depuis**.

for + durée souvent chiffrée	**since** + point de départ
for three hours (depuis trois heures)	since 3 o'clock p. m. (depuis 15 heures)
for ten years (depuis dix ans)	since 20 June (depuis le 20 juin)
for months (depuis des mois)	since the war (depuis la guerre)

Avec une négation et après un superlatif, in peut remplacer **for**.

> I haven't see him in months. Je ne l'ai pas vu depuis des mois.

Depuis est ambigu en français : depuis trois heures peut signifier durant les trois dernières heures (depuis + durée) ou depuis qu'il est 3 heures (depuis + point de départ). L'anglais ne connaît pas une telle ambiguïté.

> I have lived here **for three months/for ten years/for ages**.
> J'habite ici depuis trois mois/depuis dix ans/depuis une éternité.

I have lived here **since October 10th/since 2006/since the war/ since they left.**
J'habite ici depuis le 10 octobre/depuis 2006/depuis la guerre/ depuis qu'ils sont partis.

Depuis combien de temps + présent se traduit par **How long + *present perfect***.

Depuis combien de temps es-tu ici ? How long **have you been** here?

Since when (Depuis quand) existe, mais est moins fréquent que How long : Since when have you been here?

L'emploi du *present perfect* est logique car cette forme signale un lien entre passé et présent. Dans How long have you been here? le fait d'être là a commencé dans le passé et se poursuit actuellement.

Quelle forme verbale avant for ou since ?

Pour répondre à cette question, il est utile de comparer l'emploi des temps en français et en anglais.

- Le **présent français** se traduit par le ***present perfect*** avec ou sans be + -ing.

  J'**habite** ici depuis dix ans.
  I **have lived** here for ten years. ou I **have been living** here for ten years.

- Le **passé composé** français se traduit par le **prétérit simple**.

  J'**ai habité** Londres pendant dix ans.
  I **lived** in London for ten years.

- L'**imparfait** français se traduit par le ***past perfect*** (souvent accompagné de be + -ing).

  Il **neigeait** déjà depuis dix jours quand nous avons décidé de partir.
  It **had already been snowing** for ten days when we decided to leave.

ATTENTION L'emploi des temps suit le même modèle après How long (Depuis combien de temps...).

How long have you lived here?/How long have you been living here?
Depuis combien de temps habites-tu ici ?

How long had it been snowing?
Depuis combien de temps neigeait-il ?

How long + prétérit se traduit par Combien de temps...

How long did you live in London?
Combien de temps as-tu vécu à Londres ? ou Pendant combien de temps... ?

Dans de très rares cas, on peut trouver **un présent avant** since, en particulier quand le verbe de la principale est un verbe d'état et qu'il signale un changement important. En toute rigueur, cela devait être mentionné. Cependant, un francophone ne doit pas utiliser un présent avec since, des phrases comme ~~I know her since...~~ étant impossibles.

William is looking much better since his operation.
William a l'air d'aller beaucoup mieux depuis son opération.

Il faut également signaler qu'en anglais familier l'emploi du présent avec since when (*depuis quand*) est de plus en plus fréquent.

Since when do you smoke? *Depuis quand tu fumes ?*

Quelle forme verbale après since ?

Quand l'événement décrit après since continue au présent, on utilise le ***present perfect***, et le **prétérit** s'il n'est plus vrai actuellement.
Comparons :

It is three years since I **have lived** here. (J'habite toujours ici.)
Cela fait trois ans que j'habite ici. ou *J'habite ici depuis trois ans.*

It is three years since I last **visited** London.
(Je ne suis pas en train de visiter Londres.)
Cela fait trois années que je n'ai pas visité Londres. ou *Je n'ai pas visité Londres depuis trois ans.*

Et : I've seen the garage mechanic ten times since I'**ve had** the car. (J'ai toujours la voiture.)
J'ai vu le garagiste dix fois depuis que j'ai la voiture.

I've seen the garage mechanic ten times since I **bought** the car.
(L'achat appartient au passé.)
J'ai vu le garagiste dix fois depuis que j'ai acheté la voiture.

Traduire *Ça fait* + durée + *que*/*Il y a* + durée + *que*...

- Ces deux structures se traduisent également par for, car elles signifient *depuis*.

__Ça fait__ trois ans __que__ ou __Il y a__ trois ans __que__ j'habite ici. (J'habite ici depuis trois ans.)
I have lived here **for three years**.

- On trouve aussi, mais moins fréquemment, it is + **durée** + since.

It is three years **since** I have lived here.

It's a long time **since** the wedding.
Ça fait longtemps depuis le mariage.

LE GROUPE VERBAL

En anglais américain, on préfère la structure it has been + **durée** + since.

It's been three years **since** I have lived here.
It's been a long time **since** the wedding.

ATTENTION Ne confondez pas les deux emplois temporels de *il y a*.

- *Il y a* + **moment du passé** se traduit par ago.

Il y a un mois, il était au Canada.
A month ago, he was in Canada.

Il y a un an qu'il est parti.
He left **a year ago**.

- *Il y a* + **durée** se traduit à l'aide de for ou par it is + durée + since.

Il y a trois ans que j'habite ici.
I have lived here for three years.
It is three years since I have lived here.
It's been three years since I have lived here. (US)

LE PRESENT PERFECT EN BE + -ING

On parle de ***present perfect*** en be + -ing car cette forme correspond au *present perfect* (auxiliaire have au présent + participe passé) auquel be + -ing est ajouté.

Present perfect simple : I **have** work**ed**

Present perfect en **be + -ing** : I **have been** work**ing**

Remarquez que, dans I have been working, le participe passé du *present perfect* porte sur be (be**en**) et que -ing s'ajoute au verbe lexical (work**ing**).

67 Formes du *present perfect* en *be + -ing*

Le *present perfect* en be + -ing se construit avec have been + -ing.

Formes affirmative, interrogative, négative

AFFIRMATION	INTERROGATION	NÉGATION
I/we/you/they **have been** working	**have** I/we/you/they **been** working?	I/we/you/they **have not been** working
he/she/it **has been** working	**has** he/she/it **been** working?	he/she/it **has not been working**

Formes contractées très fréquentes

have not been working → haven't been working
has not been working → hasn't been working
I'**ve** (not) been working/you'**ve** (not).../we'**ve** (not).../they'**ve** (not)...
he'**s** (not).../she'**s** (not).../it'**s** (not)...

Forme interronégative

haven't I been working? ou have I not been working?
hasn't he been working? ou has he not been working?

Orthographe de V + -ing → 42

68 Valeur de base du *present perfect* en *be + -ing*

Tout comme le *present perfect* simple (I have washed my car), le *present perfect* en be + -ing (I **have been washing** my car) signale un **lien entre passé et présent**.

Avec cette forme, le locuteur signale qu'il perçoit dans sa situation présente les **traces d'un événement passé**.

It has been raining.
Tiens, il a plu.

Sous-entendu : je vois des **traces présentes** (des flaques d'eau) d'un événement passé, le fait de pleuvoir.

There is a strange smell in here. Have you been cooking something, Larry?
Il y a une odeur bizarre ici. Tu as fait de la cuisine, Larry ?

Le locuteur sent quelque chose au moment présent et demande s'il a raison de déduire que Larry a cuisiné.

La conséquence par rapport au moment présent peut être plus abstraite (moins visible), avec des verbes tels que say, talk, tell, think, wonder.

I've been thinking about it and I think we should get married.
J'y ai réfléchi et maintenant, je pense que nous devrions nous marier.

ATTENTION Les verbes peu compatibles avec be + -ing (understand, know, depend... → 7) s'emploient, logiquement, avec le *present perfect* simple. On dira :

I **have known** her since 2007.
Je la connais depuis 2007.
et non ~~I have been knowing her since 2007~~.

69 Particularités d'emploi du *present perfect* en *be + -ing*

- Le *present perfect* en be + -ing peut avoir une valeur de **justification**.

  "Your hands are dirty." "Of course, I have been repairing my car."
  traces perceptibles — justification de ces traces

  « *Tu as les mains sales. – Bien sûr, j'ai réparé ma voiture.* »

Cette valeur se rencontre surtout lorsqu'on énonce en premier les traces perceptibles (Your hands are dirty) et ensuite le segment au *present perfect* en be + -ing (I have been repairing my car).

- Dans certains contextes, le *present perfect* en be + -ing peut exprimer un **reproche**, une **accusation** vis-à-vis du sujet grammatical.

  Rick**'s been** eat**ing** my chocolates! *Rick a mangé mes chocolats !*
  (Rick est accusé d'avoir mangé des chocolats.)

  Liz, you'**ve been** smok**ing**! *Liz, tu as fumé !*
  (Liz est accusée d'avoir fumé.)

Le locuteur accuse à partir de traces présentes d'une activité passée : Rick a la bouche pleine par exemple ; Liz sent le tabac.

- On utilise aussi cette construction pour dire qu'une activité vient de se terminer. On peut la traduire alors par *venir de...*

  You'**ve been watching** the nine o'clock news.
  Vous ***venez de*** *voir le journal de 21 heures.*

- En signalant qu'une action passée a laissé des traces dans la situation présente, on sous-entend facilement que l'action a eu lieu récemment. C'est pourquoi I have been repairing my car peut se traduire par : *J'ai réparé ma voiture* ou *Je viens de réparer ma voiture.*

- D'autre part, le *present perfect* en be + -ing n'implique pas nécessairement que l'action décrite est terminée. Dans I have been repairing my car, le locuteur peut ne pas avoir terminé la réparation : ce qui importe pour lui, ce sont les traces visibles de cette réparation.

70 *Present perfect* simple ou *present perfect* en *be + -ing* ?

- **Avec un verbe transitif**

On peut dire : I've been writing. On ne peut pas dire : ~~I've written~~. En effet, un verbe transitif **employé sans complément** peut s'utiliser au *present perfect* en be + -ing mais pas au *present perfect* simple.

Avec un verbe suivi d'un complément

Dans ce cas, on a le choix entre *present perfect* simple et *present perfect* en be + -ing. Le sens est différent :

– le *present perfect* **simple** exprime un **résultat présent** ;

– le *present perfect* en be + -ing insiste sur l'**activité** exprimée par le verbe.

I **have washed** my car.

Résultat présent : ma voiture est propre.

I **have been washing** my car.

C'est le fait d'avoir passé du temps à laver ma voiture qui importe (que la voiture soit lavée ou non maintenant est secondaire) + traces présentes (par exemple, les mains mouillées).

He **has eaten** my cake.

Résultat présent : mon gâteau a été mangé, je n'en ai plus.

He **has been eating** my cake.

C'est le fait qu'il ait mangé de mon gâteau qui importe (il peut en rester) + traces présentes (par exemple, traces de gâteau sur les doigts).

On ne dit pas ~~I have been writing three letters~~ mais I have written three letters : l'élément chiffré du complément (three letters) suppose que le locuteur s'intéresse à un **résultat** présent (trois lettres écrites).

71 Le *present perfect* en *be + -ing* avec *for* et *since*

Continuité entre passé et présent

On emploie le *present perfect* en be + -ing pour décrire une action, commencée dans le passé, qui continue dans le présent. C'est surtout le cas avec for et since (depuis) et how long (depuis combien de temps). Le fonctionnement est exactement le même que pour le *present perfect* simple (→ 63).

She has been playing tennis **since** she was eight.
Elle fait du tennis depuis l'âge de huit ans.

He's been watching TV **for** two hours.
Cela fait deux heures qu'il regarde la télévision.

How long have you been working in London?
Depuis combien de temps travaillez-vous à Londres ?

→ Différence entre for et since **66**.

→ Emploi des temps avec for, since et how long **66**.

Tous ces énoncés se traduisent par un **présent** en français, ce qui montre bien qu'ils expriment une continuité entre passé et présent.

Remarquez la traduction de How long + *present perfect* en be + -ing : *Depuis combien de temps* + présent.

For et since : *present perfect* simple ou *present perfect* en be + -ing ?

- Avec for et since... le *present perfect* en be + -ing est bien plus fréquent que le *present perfect* simple. On dit He's been washing his car for two hours et non ~~He's washed his car for two hours~~.
  Toutefois, certains verbes peu compatibles avec be + -ing s'emploient au *present perfect* simple : I've known her since 2007 et non ~~I've been knowing her since 2007~~ (→ 7).

- D'autre part, **avec certains verbes**, tels que expect, feel, hope, learn, live, mean, rain, sleep, snow, stay, teach, wait, want, work ou les verbes de position lie, sit, stand, on trouve soit le *present perfect* simple, soit le *present perfect* en be + -ing.

  She **has lived** in London for twenty years.
  Elle habite Londres depuis vingt ans.

  She **has been living** in London for twenty years.
  Elle habite Londres depuis vingt ans. ou *Ça fait vingt ans qu'elle habite Londres.*

- **Quand le verbe décrit une action**, le *present perfect* en be + -ing exprime plus explicitement un lien avec le présent. Betty's been working for two hours signale que Betty n'a pas encore terminé de travailler. La nuance *pas encore terminé de...* n'apparaît pas avec le *present perfect* simple.

  Comparez :

  She's worked for two hours. *Elle travaille depuis deux heures.*

  C'est un constat, relativement objectif.

  She's been working for two hours. *Elle travaille depuis deux heures.*

  On insiste davantage sur la durée avec le sous-entendu : elle n'a (toujours) pas terminé.

On retrouve avec le *present perfect* en be + -ing le point de vue associé à be + -ing. Dans le cas de **conséquences perceptibles d'une action passée**, le locuteur montre que c'est lui qui perçoit des traces présentes d'une action passée. On pourrait paraphraser It has been raining par **I can see** it has been raining (***Je vois*** *qu'il a plu*).

Le past perfect

LE PAST PERFECT **SIMPLE**

72 Formes du *past perfect* simple

Le *past perfect* simple se construit avec had + verbe au participe passé.

Formes affirmative, interrogative, négative

AFFIRMATION	INTERROGATION	NÉGATION
I/he/she/it/we/ you/they **had worked**	**had** I/he/she/it/we/ you/they **worked**?	I/he/she/it/we/you/ they **had not worked**
I/he/she/it/we/ you/they **had seen**	**had** I/he/she/it/we/ you/they **seen**?	I/he/she/it/we/you/ they **had not seen**

Formes contractées très fréquentes

had → 'd   they had worked → they'd worked

had not → 'd not ou hadn't

Forme interronégative

hadn't I worked? ou **had** I **not** worked?

Orthographe et prononciation de V + -ed → 49-50.

73 Valeur de base du *past perfect* simple

On retrouve souvent dans le *past perfect* les valeurs du *present perfect* : résultat d'un événement sur un autre ou continuité entre deux moments, mais avec un décalage dans le passé.

Present perfect : établit un lien entre le présent et le passé
Past perfect : établit un lien entre deux moments du passé

Avec le *past perfect*, le locuteur se situe à un moment passé (T1) et fait allusion à un événement antérieur (T2).

It happened (yesterday) as she **had** fore**seen** (last month).
Ça s'est passé (hier) comme elle l'avait prévu (le mois dernier).

T2	T1	présent
she had foreseen	it happened	
le mois dernier	**hier**	**maintenant**

74 Particularités d'emploi du *past perfect* simple

Résultat d'un événement sur un autre

- Le ***past perfect*** exprime le **résultat** d'un événement passé sur un autre événement passé.

I impressed Tom, because I **had published** a book.
J'ai impressionné Tom, parce que j'avais publié un livre.

T2	T1	présent
I had published	I impressed	

Le fait d'avoir publié un livre a eu un **résultat** sur un moment postérieur : au moment T1, le locuteur a un livre à son nom et a pu impressionner Tom.

Après it was the first/second... time, on rencontre le *past perfect*, qui se traduit alors par un imparfait et non par un plus-que-parfait.

It was in 2005. It was the first time they **had swum** there.
*C'était en 2005. C'était la première fois qu'ils se **baignaient** là.*

→ *Present perfect* après it's the first time... 63.

- Le ***past perfect*** s'emploie avec just, pour traduire *venir de* + verbe.

The BBC **had just received** a phone call when the bomb went off.
*La BBC **venait** de recevoir un appel lorsque la bombe explosa.*

→ Traduction de *venir de* + verbe 64.

Valeur strictement temporelle de had + participe passé

Le *past perfect* peut avoir une valeur strictement temporelle de passé par rapport à un autre moment passé. Dans ce cas, le *past perfect* n'exprime pas un résultat.

Shirley died in 2003. She **had led** a miserable life.
Shirley mourut en 2003. Sa vie avait été très dure.

At the time Nancy lived in L.A. Before that she **had lived** in Boston.
À l'époque, Nancy vivait à Los Angeles. Avant cela, elle avait vécu à Boston.

L'emploi du *past perfect* n'est pas systématique pour renvoyer à un moment passé par rapport à un autre moment passé. Avec after, as soon as, before, once, when, on trouve souvent le **prétérit**.

Ainsi, on aurait pu trouver : At the time, Nancy lived in L.A. Before that, she lived in Boston, car before rend la relation temporelle entre les deux événements explicite. On dira de même :

It started raining after we **left** the beach ou after we **had left** the beach.
Il s'est mis à pleuvoir après que nous avons quitté la plage.

Le *past perfect* insiste davantage sur le fait que la première action est totalement coupée de la deuxième. Comparez :

When Kate **had gone**, I sat down and relaxed.
Une fois Kate partie, je me suis assis et détendu.

When Kate **went**, I cried. *Quand Kate est partie, j'ai pleuré.*

Dans le **premier cas**, les deux actions sont nettement séparées. Dans le **deuxième cas**, il y a **succession** d'actions dans le passé, qui s'interprète de manière causale (le départ de Kate a provoqué les pleurs).

Le plus-que-parfait français est plus fréquent que le *past perfect* anglais. En français, on emploie facilement le plus-que-parfait dès qu'il y a antériorité temporelle, comme dans la traduction ci-dessous.

It was hard to believe. The entire government gone, like that. How **did** it happen?
*C'était difficile à croire, cette disparition soudaine de tout le gouvernement. Comment cela s'**était-il produit** ?*

Le locuteur a employé le prétérit bien que How did it happen? soit temporellement antérieur à The entire government was gone.

D'autre part, le plus-que-parfait français est parfois utilisé pour exprimer simplement une rupture par rapport au moment présent.

*Tu as froid ? Je t'**avais dit** de bien te couvrir.*
You're cold? I **told** you to wrap up well, didn't I? [~~I had told you~~ to...]

Je t'avais dit n'est pas employé pour renvoyer à un moment passé par rapport à un autre moment passé. Le *past perfect* serait alors impossible.

Continuité entre deux moments

L'action commencée à un moment passé continuait à un autre moment passé. Dans ce cas, le *past perfect* se rencontre surtout avec for et since (*depuis*) et How long (*Depuis combien de temps*).

I **had** already **known** Trisha **for** years when she decided to leave the town.
Je connaissais déjà Trisha depuis des années lorsqu'elle a décidé de quitter la ville.

Nous avons deux moments du passé dans cet énoncé : le moment correspondant à when she decided to leave the town (T1) et un moment antérieur exprimé par had known (T2).

Le fait de connaître Trisha va de T2 à T1.

How long **had** you **been** in a relationship with Tim when you got pregnant?
Depuis combien de temps vivais-tu avec Tim quand tu es tombée enceinte ?

Le *past perfect* associé à for, since et how long se traduit par un imparfait et non par le plus-que-parfait.

Le *past perfect* au discours indirect

Le *past perfect* permet de rapporter des paroles prononcées au **prétérit** ou au ***present perfect*** à un moment passé (→ 451).

He said: "I met her yesterday."
Il a dit : « Je l'ai rencontrée hier. »

He said that he **had met** her the day before.
Il a dit qu'il l'avait rencontrée la veille.

He asked me: "Have you ever read that book?"
Il m'a demandé : « Est-ce que tu as déjà lu ce livre ? »

He asked me if I **had** ever **read** that book.
Il m'a demandé si j'avais déjà lu ce livre.

Le *past perfect* après if, I wish, I'd rather...

Dans ce cas, le *past perfect* signale que quelque chose **ne s'est pas produit** dans le passé. Il s'emploie, comme le prétérit du non-réel (→ 54) :

- après certaines **conjonctions** : if (*si*), as if, as though (*comme si*), even if, even though (*même si*)...

As if I had lied to them!
Comme si je leur avais menti ! (Sous-entendu : *Je n'ai pas menti.*)

- après certains **verbes** : suppose, wish...

Suppose you **had met** him.
Imagine que tu l'aies rencontré. (Cela ne s'est pas produit.)

I wish I **had** known!
Si seulement j'avais su !

On peut traduire I wish... à l'aide du verbe *regretter* : *Je regrette de ne pas l'avoir su.*

– après would rather (préférerais) :

I'd rather you **had**n't invit**ed** them last night.
J'aurais préféré que tu ne les invites pas hier soir. (C'est l'inverse qui s'est produit.)

Remarquez que, dans cet exemple, le renvoi au passé est signalé dans la subordonnée en anglais (hadn't invited) et dans la principale en français (*J'aurais préféré*).

On appelle parfois cet emploi du *past perfect* un **irréel du passé**. Cette étiquette signifie précisément que quelque chose ne s'est pas réalisé dans le passé.

LE PAST PERFECT EN BE + -ING

75 Formes du *past perfect* en *be* + *-ing*

Au *past perfect* (had + participe passé) s'ajoute be + -ing : le participe passé s'ajoute à be et -ing au verbe.

Formes affirmative, interrogative, négative

AFFIRMATION	INTERROGATION	NÉGATION
I/he/she/it/we/you/they **had been working**	**had** he/she/it/we/you/they **been working?**	I/he/she/it/we/you/they **had not been working**

Formes contractées très fréquentes

had been (working) → 'd been (working)

had not been (working) → 'd not been (working) ou hadn't been (working)

Forme interronégative

hadn't I been working? ou had I not been working?

Orthographe de verbe + -ing → 42.

76 Valeur de base du *past perfect* en *be* + *-ing*

On retrouve avec le *past perfect* en be + -ing les caractéristiques du ***present perfect*** en be + -ing, mais **dans le passé** :

– conséquences perceptibles d'une action antérieure ;

– continuité temporelle entre deux moments.

77 Particularités d'emploi du *past perfect* en *be + -ing*

Conséquences perceptibles d'une action antérieure

Ron look**ed** out of the window: it **had been** snow**ing**.
Ron regarda par la fenêtre : il avait neigé.

Ron voit à un moment du passé (correspondant à looked out) des traces d'un événement antérieur (de la neige sur le sol).
Au présent, on aurait Ron looks out of the window: it has been snowing (traces présentes – neige sur le sol – d'un événement passé).

Comparaison avec le prétérit en be + -ing

Ron looked out of the window: it **had been** snow**ing**.
Ron regarda par la fenêtre : il avait neigé.

Ron looked out of the window: it **was** snow**ing**.
Ron regarda par la fenêtre : il neigeait.

had been snowing : l'événement appartient au passé par rapport au moment looked (il ne neigeait plus) + traces de l'événement (on pouvait voir de la neige sur le sol).
was snowing : perception d'une action en train de se dérouler dans le passé (au moment où il regarda par la fenêtre).

ATTENTION Lorsque le verbe est suivi d'un complément et qu'on s'intéresse **au résultat**, on utilise le *past perfect* **simple**. Comparez :

He felt sick because he **had drunk** three pints of beer [~~had been drinking~~].
Il a eu la nausée parce qu'il avait bu trois pintes de bière.

On considère ici un **résultat chiffré** : three pints of beer.

He felt sick because he **had been drinking** beer [~~had drunk~~].
Il a eu la nausée parce qu'il avait bu de la bière.

Ici, on s'intéresse à une **activité** : boire de la bière.

→ *Present perfect* suivi d'un complément 70.

Continuité temporelle entre deux moments du révolu

L'action commencée à un moment passé continuait à un autre moment passé. Dans ce cas, le *past perfect* se rencontre surtout avec for et since (depuis) et How long (Depuis combien de temps). Le fonctionnement est exactement le même que pour le *past perfect* simple (→ 74).

Avec for et since, **on préfère nettement** employer le *past perfect* en be + -ing plutôt que le *past perfect* simple, sauf avec les verbes peu compatibles avec be + -ing (→ 7).

They **had been** play**ing** golf for an hour when the storm broke out.
Ils jouaient au golf depuis une heure lorsque l'orage a éclaté.

On traduit par un imparfait.

Delia **had been** keep**ing** a diary since the age of thirteen or fourteen and by now it ran to dozens of volumes.
Delia tenait un journal depuis l'âge de treize ou quatorze ans et il comprenait à présent des dizaines de volumes.

Le fait que Delia tienne un journal a commencé au moment since the age of... (T2) et continue au moment by now it ran (T1). Ces deux moments appartiennent au passé.

- Le *past perfect* en be + -ing permet de traduire l'**imparfait** avec depuis.

  Ils jou**aient** au golf **depuis** une heure.
  They **had been** play**ing** golf **for** an hour.

- Pour demander **depuis combien de temps + imparfait**, on utilise how long + *past perfect* en be + -ing.

  How long had they been playing golf?
  Depuis combien de temps jouaient-ils au golf ?

→ Traduction de depuis 66.

- Les constructions du type They **had been** play**ing** golf **for** an hour peuvent également se traduire à l'aide de Il y avait... Ça faisait...

  Il y avait une heure **qu'**ils jouaient au golf.
  Ça faisait une heure **qu'**ils jouaient au golf.

→ Traduction de il y a... 66.

Le passif

78 Formes types du passif

Toutes les formes du passif comportent be + **verbe au participe passé**.

TEMPS	FORME	EXEMPLES
Présent	am/is/are + participe passé	they are built
Présent en be + -ing	am/is/are being + participe passé	it is being repaired
Prétérit	was/were + participe passé	she was seen
Prétérit en be + -ing	was/were being + participe passé	they were being served
Present perfect	have/has been + participe passé	I have been warned
Past perfect	had been + participe passé	we had been called
Infinitif	be + participe passé	you will be registered
Infinitif passé	have been + participe passé	he might have been hurt

→ Emploi de get à la place de be 83.

79 Valeurs de base du passif

Mise en valeur de l'objet de l'action

Comparons ces deux énoncés :

Millions of viewers **watched** the match last night.
Des millions de téléspectateurs ont regardé le match hier soir.

The match **was** watch**ed** by millions of viewers last night.
Le match a été regardé par des millions de téléspectateurs hier soir.

Dans le premier énoncé, millions of viewers est sujet grammatical de watch the match. Il est **source** de l'action ou **agent** de l'action.
Dans le deuxième énoncé, on met en valeur l'**objet** de l'action (the match) en le choisissant comme point de départ, ou sujet grammatical, de l'énoncé.

Le complément d'agent

- La source de l'action au passif s'appelle le **complément d'agent**.

The match **was** watch**ed** by millions of viewers last night.
complément d'agent

- Dans la très grande majorité des phrases passives, le complément d'agent n'est pas mentionné pour les raisons suivantes.

– il n'est pas connu :

My watch **has been stolen**. *On m'a volé ma montre.*

– il n'est pas important dans le message :

Have you **been shown** the new machine?
Vous a-t-on montré la nouvelle machine ?

– il est évident :

Bush **was re-elected** President in 2004.
Bush a été réélu président en 2004.

– le locuteur ne peut pas ou ne veut pas le mentionner ; cet emploi est fréquent dans la langue journalistique :

The government **is expected** to lose the next election.
On s'attend à ce que le gouvernement perde les prochaines élections.

Notez que be est souvent omis dans les titres de presse :

Bush re-elected President.

Il est logique que le complément d'agent soit rarement mentionné, puisqu'on s'intéresse à l'objet de l'action et non à l'agent.

- Mais si le complément d'agent (la source de l'action) est mentionné, il est introduit le plus souvent par by.

This picture **was painted by Turner**, not by Whistler.
C'est Turner qui a peint cette toile, et non Whistler.

L'ensemble by + complément d'agent constitue une information nouvelle et importante dans l'énoncé.

ATTENTION On dit :
a novel **by** Charles Dickens : *un roman* ***de*** *Dickens.*
a picture **by** William Turner : *un tableau* ***de*** *Turner.*

- Notez que with peut être employé après un passif pour introduire l'instrument utilisé par l'agent.

This picture was painted **with** a palette knife.
Cette toile a été peinte au couteau.

Emploi de be + -ing **au passif présent et prétérit**

Excuse the mess, the room **is being** redecorated.
Excusez le fouillis, on est en train de refaire la chambre.

The house **was being** repair**ed** when the truck crashed into it.
La maison était en cours de réparation lorsque le camion l'a percutée.

Dans ces exemples, be + -ing exprime la nuance « en cours », comme le montre bien la traduction.

Les grammaires établissent souvent une correspondance entre actif et passif, sur le modèle suivant :

actif Turner painted this picture.
sujet COD

passif This picture was painted by Turner
sujet complément d'agent

Cette correspondance est strictement théorique, car le locuteur n'a pas « mis au passif » le premier énoncé. Il présente le fait décrit d'un **point de vue différent**, directement au passif, en privilégiant l'objet de l'action au détriment de celui qui fait l'action.

Comme toute forme composée (auxiliaire + participe), le passif est l'expression d'un **point de vue** du locuteur.

Les grammaires ajoutent parfois qu'au passif quelqu'un ou quelque chose **subit l'action**. Il est pourtant erroné de dire que Bush subit l'action dans Bush **was re-elected** President in 2004.

Principales traductions du passif anglais en français

On + verbe actif

You **are wanted** on the phone.
On vous demande au téléphone.
ou Quelqu'un vous demande...

English **spoken** here. *On parle anglais.*

It should **be repaired** now.
On devrait le réparer maintenant.

Forme pronominale (se + verbe)

The book **is called** *Gone with the Wind.*
Le livre s'appelle « Autant en emporte le vent ».

It **isn't done**. *Cela ne se fait pas.*

Tournure impersonnelle

What remains to **be done**? *Que reste-t-il à faire ?*

Forme passive

When **was** Queen Elizabeth **crowned**?
Quand la reine Elizabeth a-t-elle été couronnée ?

ATTENTION à la traduction de be born (*naître*) et was/were born (*être né*).

She **was born** in 2007. *Elle* ***est née*** *en 2007.*

The babies who will be born this year...
Les bébés qui naîtront cette année...

Historiquement, be born était un passif (born est un ancien participe passé du verbe bear : *porter*). Mais ce n'est plus du tout un passif en anglais contemporain.

80 Différences avec le français

Les tournures passives sont beaucoup plus fréquentes en anglais qu'en français.

Verbes transitifs

Tous les verbes transitifs, à l'exception de lack (*manquer de*) et resemble (*ressembler à*), peuvent être mis au passif.

He **was taught** English at school.
On lui a enseigné l'anglais à l'école. ou *Il a appris l'anglais à l'école.*

Ici, le passif est impossible en français.

Verbes exprimant une opinion générale

- À la différence du français, sont fréquemment employés au passif les verbes exprimant une opinion générale, tels que advise : *conseiller* ; believe : *croire* ; consider : *considérer* ; expect : *s'attendre à* ; forbid : *interdire* ; know : *connaître* ; report : *signaler* ; say : *dire* ; think : *croire...*

  On trouve alors la structure **verbe au participe passé** + to + **verbe**.

  He **was said/known to be** jealous of her.
  On disait/On savait qu'il était jaloux d'elle.

  A prisoner **is reported to be** missing.
  Un prisonnier manquerait à l'appel.

  She **was advised to quit** her job. *On lui a conseillé de démissionner.*

- Les verbes believe, know, report, say, think et understand apparaissent également dans des structures impersonnelles.

  It is said/thought/known that he was jealous of her.
  On dit/pense/sait qu'il était jaloux d'elle.

- Pour **renvoyer au passé**, on emploie to have + participe passé **après** les verbes d'opinion.

  A prisoner is reported **to have escaped**. *Un détenu se serait évadé.*

- On peut trouver to be + V-ing après ces verbes au passif.

  He is thought to be living abroad.
  On pense qu'il vit à l'étranger. (Sous-entendu : en ce moment.)

Quelques **verbes intransitifs** se rencontrent au passif.

  This bed **has been slept in**. *Quelqu'un a dormi dans ce lit.*

Verbes prépositionnels

- À la différence du français, où le cas est impossible, peuvent être employés au passif les verbes prépositionnels tels que apply for sth : *être candidat à* ; break into sth : *entrer par effraction quelque part* ; care for sb : *soigner* ; cater for sth : *satisfaire, pourvoir à* ; deal with sth/sb : *se charger de, s'occuper de* ; discriminate against sb : *établir une discrimination à l'encontre de* ; laugh at sb/sth : *rire de* ; look into sth : *examiner* ; look after sb/sth : *surveiller* ; send for sb/sth : *envoyer chercher* ; talk about sb/sth : *parler de* ; write on sb/sth : *écrire sur...*
- Le **participe passé** est alors suivi de la **préposition**.

  A doctor must **be sent for**.
  Il faut envoyer chercher un médecin.

  This house has **been broken into**.
  On a cambriolé cette maison.

- Certaines constructions **verbe + nom + préposition** peuvent également être employées au passif. Ainsi :
  find fault with sb/sth : *trouver à redire à* ; take advantage of sb/sth : *profiter de* ; take care of sb/sth : *prendre soin de* ; lose sight of sb/sth : *perdre de vue* ; make fun of sb/sth : *se moquer de* ; pay attention to sb/sth : *faire attention à* ; put a stop to sth : *mettre un terme à...*

  He does not like **being made fun of**.
  Il n'aime pas qu'on se moque de lui.

  The situation must **be put a stop to**.
  Il faut mettre un terme à cette situation.

81 Les verbes à double complément

Ces verbes peuvent, en théorie, être employés au passif de deux manières différentes.

Prenons la phrase suivante :

  John offered Lindsay a gold watch.
  John a offert une montre en or à Lindsay.

On peut avoir recours au passif et mettre en valeur

– **la personne** à laquelle le cadeau a été fait :

> **Lindsay** has been offered a gold watch.
> *On a offert une montre en or à Lindsay.*
> *ou Lindsay **s'est vu offrir** une montre en or.*

– **le cadeau** qui a été fait :

> **A gold watch** has been offered to Lindsay.
> *Une montre en or a été offerte à Lindsay.*

Dans la pratique, c'est surtout la **première structure** qui est employée.

Verbes à double complément les plus fréquents (→ 456-457) **:**

allow : *autoriser* ; ask : *demander* ; bring : *apporter* ; buy : *acheter* ; deny : *refuser* ; expect : *s'attendre à* ; forbid : *interdire* ; give : *donner* ; grant : *accorder* ; lend : *prêter* ; offer : *offrir* ; order : *ordonner* ; present : *présenter* ; promise : *promettre* ; sell : *vendre* ; send : *envoyer* ; show : *montrer* ; suppose : *supposer* ; teach : *enseigner* ; tell : *dire*...

- Les verbes allow, ask, expect, forbid, order, promise, suppose et tell peuvent être suivis de to + **verbe**.

> She was asked/ordered/told to come back.
> *On lui a demandé/ordonné/dit de revenir.*

- Les verbes à double complément qui font appel à la préposition for (cook, find, order... → 457) n'ont qu'une construction passive.

> A nice meal was cooked for the winner.
> [~~The winner was cooked a nice meal.~~]
> *Un bon repas fut préparé pour le vainqueur.*

ATTENTION Les verbes suivants à deux compléments n'ont qu'une construction passive :

borrow sth from sb : *emprunter qqch. à qqn* ; describe sth to sb : *décrire qqch. à qqn* ; explain sth to sb : *expliquer qqch. à qqn* ; suggest sth to sb : *suggérer qqch. à qqn*...

> The new method was clearly explained/described to the engineers.
> Et non ~~The engineers were explained/described the new method.~~
> *La nouvelle méthode a été clairement expliquée/décrite aux ingénieurs.*

82 *Make* et verbes de perception au passif

- Le verbe make se construit avec to au passif.

ACTIF	PASSIF
They made us work.	We were made to work.
verbe + verbe	**verbe passif + to + verbe**
Ils nous ont fait travailler.	*On nous a fait travailler.*

- C'est également le cas des **verbes de perception**.

ACTIF	PASSIF
They saw him run out of the pub.	He **was seen to** run out of the pub.
Ils l'ont vu sortir du pub en courant.	*On l'a vu sortir du pub en courant.*

83 *Get* auxiliaire du passif

- Get verbe lexical signifie *devenir* lorsqu'il est suivi d'un adjectif ou d'un participe passé employé comme adjectif.

  I'm **getting** old. *Je deviens/me fais vieille.*

  Everybody **got** bored. *Tout le monde s'est ennuyé.*

Souvent, get + participe passé correspond à un verbe pronominal en français : get married/divorced *(se marier/divorcer)*, get dressed *(s'habiller)*, get drowned *(se noyer)*, get drunk *(se soûler)*, get lost *(se perdre)*, get washed *(se laver)*.

- Utilisé comme auxiliaire du passif, get implique le passage d'un état à un autre.

- L'action décrite est assez souvent **fortuite**. Il s'agit d'un emploi oral.

  He **got killed** in an accident. *Il a été tué dans un accident.*

  They **got arrested**. *Ils se sont fait arrêter.*

- Si l'action est **planifiée**, sur le long terme, on n'emploie pas get.

  This tower was built in the 1920s.
  [~~This tower got built in the 1920s.~~]
  Cette tour a été construite dans les années 1920.

Le renvoi à l'avenir et le conditionnel

POUR COMMENCER

Il n'existe que deux temps grammaticaux en anglais : le présent et le prétérit. Pour renvoyer à l'avenir, l'anglais a recours à différents procédés qui varient selon le point de vue du locuteur, à savoir :
– les modaux shall et will ;
– le présent simple ;
– le présent en be + -ing ;
– les tournures en be conjugué avec to : be about to, be going to.

Chacun de ces procédés fait intervenir un temps **présent**, ce qui est logique, puisque le renvoi à l'avenir est une projection **présente** dans l'avenir.
Le **conditionnel** permet également de renvoyer à l'avenir. C'est pourquoi nous le traitons dans ce chapitre.

LE RENVOI À L'AVENIR

Procédés de renvoi à l'avenir

84 *Will* (et rarement *shall*)

Formes de will

- **Forme affirmative :** on emploie will **à toutes les personnes**
  I will go
  he/she will go
  we will go
  you will go
  they will go
- **Forme interrogative :** will + sujet + base verbale
  Will you be there? *Tu y seras ?*

- **Forme négative :** will not + base verbale

  They will not come with us. *Ils ne viendront pas avec nous.*

- **Formes contractées très fréquentes**

  will → 'll

  will not → 'll not ou won't [wəʊnt]

  I'll go, he'll go, they'll not ou won't go, we'll not ou won't go.

  La forme contractée se rencontre surtout avec les pronoms personnels (I, you, he, she...). On écrit : The sun will go down in a few minutes, même si l'on entend souvent : The sun'll go down in a few minutes.

- À la première personne (I, we), on trouve aussi shall en anglais britannique : we shall see *(nous verrons)*, mais cet emploi tend à disparaître.

  Forme contractée de shall not : shan't [ʃɑːnt].

Emplois de will

- Will ('ll) est l'outil privilégié du renvoi à l'avenir. Il est souvent accompagné d'un marqueur temporel (tonight, tomorrow, next month...) ou d'un marqueur de lieu (in London, in Australia...). Dans ce cas, will + base verbale se traduit souvent par un futur.

  She **will be** here soon. *Elle sera bientôt là.*

  We'**ll** all **be** back before dark.
  Nous serons tous de retour avant la nuit.

  We'**ll see** each other in Sydney! *On se reverra à Sydney !*

  Avec will, on fait une simple **projection dans l'avenir**.

- Will s'emploie également après les expressions ou mots suivants : probably *(probablement)*, (I) think *(je pense)*, (I'm) sure *(je suis sûr)*, (I) expect *(je m'attends à ce que)*.

  They'**ll** probably **find** it very easy.
  Ils trouveront sans doute cela très facile.

  I'm sure a week's holiday **will do** her good.
  Je suis sûr qu'une semaine de vacances lui fera du bien.

ATTENTION Pour une décision **prise sur-le-champ**, on emploie également will + base verbale mais, dans ce cas, on traduit par *aller* au **présent** + infinitif.

"This is a very heavy box." "I'**ll** help you to carry it."
« Cette boîte est très lourde. – Je vais t'aider à la porter. »

[Le téléphone sonne] I'**ll get** it. *Je vais répondre./Je réponds.*

Le tour **aller + infinitif** (appelé « futur immédiat ») se traduit le plus souvent par be going to (→ 89), sauf s'il s'agit d'une décision prise sur-le-champ :

*Entrez, je **vais lui dire** que vous êtes là.*
Come in, **I'll tell** her you're here.

Après I hope et I bet (you), on peut utiliser un présent à la place de will + V.

I hope this letter **finds** you well. ou **will find** you well.
*J'espère que cette lettre te **trouvera** en bonne santé.*

I bet (you) they **win** hands down. ou they **will win**...
*Je te parie qu'ils **gagneront** haut la main.*

85 *Will be + -ing*

Cette forme combine will (renvoi à l'avenir) et be + -ing (en cours).

- Elle signale donc logiquement qu'une action sera en cours.

This time next week **I'll be swimming** in the Mediterranean.
À cette heure-ci la semaine prochaine, je serai en train de nager dans la Méditerranée.

- On l'emploie aussi pour dire qu'une action est le résultat d'une décision antérieure et qu'elle se réalisera.

Now you know well what we can take and what we can't take. We'**ll be** camp**ing** out: a few pots to cook in...
Voyons, vous savez très bien ce qu'on peut emporter ou non. On va camper : il nous faut quelques récipients pour la cuisine...
(C'est prévu et ça se fera.)

- On peut également vouloir dire qu'une action se situe dans le cours normal des choses.

I guess **I'll be seeing** you one of these days.
Je suppose que je te reverrai un de ces jours.
(C'est dans l'ordre des choses.)

La forme shall be + -ing ne s'emploie qu'à la 1re personne (du singulier ou du pluriel), mais de moins en moins.

We shall be landing shortly. ou We will be landing shortly, plus courant, même dans ce langage un peu formel de l'aviation.
Nous allons bientôt atterrir.

Will be + -ing est d'un usage fréquent à la forme interrogative, y compris avec des verbes peu compatibles avec be + -ing.

> **Will** you **be** com**ing** to Phil's party?
> *Est-ce que tu viendras à la fête de Phil ?*
>
> How much **will** you **be** want**ing** to pay?
> (Want ne s'emploie pas normalement avec be + -ing.)
> *Quelle somme serez-vous prêt à payer ?*

Nous avons là une simple demande d'information. La formule est considérée comme polie.

Comparaison avec will et be going to

- Avec will, nous aurions facilement une nuance de **volonté**. Avec be going to, on parle d'**intention**.

  > Will you come to Phil's party?

  Équivalant à : *Comptes-tu aller à la fête de Phil ?*

  > Are you going to come to Phil's party?

  Équivalant à : *As-tu l'intention de...* (Sous-entendu : *Je te demande de prendre une décision.*)

- L'ajout de be + -ing à will permet souvent de gommer toute nuance de volonté, comme dans Will you be coming to Phil's party?

→ Will et la volonté 114.

86 Présent simple et présent en *be + -ing*

Avec le présent simple on fait part d'un **programme officiel**, **objectif**.

Le présent en be + ing s'utilise pour faire part d'un **programme** ou d'un **projet personnel**.

ATTENTION Il est important de noter que le présent en be + -ing est bien plus fréquent pour renvoyer à l'avenir que le présent simple.

Le présent simple

- Avec le présent simple, on fait part d'une information brute, principalement pour donner des horaires ou pour parler d'emplois du temps réguliers ou de programmes officiels. Il est obligatoirement employé **avec un repère temporel** (adverbe/complément de temps).

  > We **sail tomorrow** at eight.
  > *Nous larguons les amarres demain à 8 heures.*

When does the film begin?
À quelle heure commence le film ?

The plane to New York **takes off at 10:45**.
L'avion de New York décolle à 10 h 45.

What time do you close on Saturday?
À quelle heure fermez-vous samedi ?

The show **starts at 7 p.m.**
Le spectacle commence à 19 heures.

- En l'absence d'horaire officiel, on emploie très peu le présent simple.

On dira par exemple : I am meeting Cindy tonight (*Je vois Cindy ce soir*) et non ~~I meet Cindy tonight~~.

Il est logique d'employer le présent simple lorsque l'on donne des horaires, puisque dans ce cas c'est l'information brute qui importe.

Le présent en be + -ing

- Le locuteur signale que la réalisation de l'énoncé correspond à un **projet personnel**. L'action envisagée est souvent perçue comme le **fruit de préparatifs personnels**.

She **is** gett**ing** married next month. [~~She gets married...~~]
Elle se marie le mois prochain.

What **are** you do**ing** tonight? [~~What do you do tonight?~~]
Qu'est-ce que tu fais ce soir ?
(Au sens de *Qu'as-tu prévu de faire ce soir ?*)

Cet emploi est en particulier fréquent avec les verbes de mouvement, tels que arrive, come, drive, fly, go, leave, start...

I'**m** travell**ing** to Iceland next week. [~~I travel to Iceland next week.~~]
Je vais faire un voyage en Islande la semaine prochaine.

Sans marqueur temporel (next month, tonight...), ces énoncés sont ambigus et peuvent signifier : *en ce moment* (→ 43).

- À la forme négative, cet emploi de be + -ing s'interprète de deux façons.

– par l'intention :

I'**m not** com**ing** tonight.
Je n'ai pas l'intention de venir ce soir.

– par la volonté, l'insistance :

You'**re not wearing** that cap to school.
Tu ne mets pas cette casquette pour aller à l'école. (Je ne veux pas que... ou J'insiste pour que...)

87 *Am/Is/Are to* + base verbale

Dans un contexte formel, on utilise cette structure pour parler d'actions prévues par un calendrier, notamment des projets officiels.

The Prime Minister is to meet his Australian counterpart.
Le Premier ministre doit rencontrer son homologue australien.

Notez la traduction en français à l'aide de *devoir* (→ 139-140).

88 *Be about to* + base verbale

Avec cette tournure, le locuteur marque l'**imminence** de l'événement.

The hurricane **is about to** hit the island.
L'ouragan va bientôt frapper l'île.

89 *Be going to* + base verbale

En anglais familier, going to est souvent prononcé ['gənə], ce qui se transcrit par gonna à l'écrit.
Cette forme a deux valeurs principales.

- **La prédiction à partir d'indices présents**

Look at those clouds! It'**s going to rain**. [et non ~~will~~]
Regarde ces nuages ! Il va pleuvoir.

Indice visible : les nuages

How pale she is! She **is going to** faint. [et non ~~will~~]
Comme elle est pâle ! Elle va s'évanouir.

Indice visible : la pâleur

L'indice peut être moins évident :

I think Paula is going to get the job.
Je pense que Paula va obtenir cet emploi.
(Je m'appuie sur ce que je sais de Paula et de l'emploi en question.)

Will est possible ici : Paula will get the job est une simple projection dans l'avenir.

- **L'intention, la décision déjà prise**

We need the car. We'**re going to** visit your grandparents.
Nous avons besoin de la voiture. Nous allons rendre visite à tes grands-parents.

La décision de voir les grands-parents a déjà été prise.

De même :

I'm tired. I'**m going to** have an early night.
Je suis fatiguée. J'ai l'intention d'aller au lit de bonne heure.

Futur proche

Be going to renvoie très souvent à un futur proche, mais pas toujours.

He **is going to** be a dentist when he grows up.
Plus tard, ou Quand il sera grand, il sera dentiste.

Comparaison entre le présent en be + -ing (projet personnel) et be going to (intention)

- Ces deux formes sont très proches. La nuance est subtile :

I'm seeing her tonight. *Je la vois ce soir.*
J'ai prévu de la voir.

I'm going to see her tonight. *Je vais la voir ce soir.*
Décision que j'ai prise ; c'est mon intention.

Notez qu'on ne peut pas dire ~~It's raining tonight~~ car il n'y a pas de projet personnel. On peut dire It's going to rain tonight : appui sur des indices présents.

- On n'emploie pas le présent en be + -ing avec un verbe décrivant un état permanent.

The hotel will be built next year. ~~It is overlooking the port~~.
It is going to overlook the port [décision].

It will overlook the port.
[simple projection dans l'avenir]
L'hôtel sera construit l'année prochaine. Il donnera sur le port.

Be going to et *aller* + **infinitif**

Be going to se traduit le plus souvent par *aller* + infinitif, mais pas dans l'exemple He's going to be a dentist when he grows up. *Quand il sera grand, il sera dentiste*, car il s'agit d'un projet à très long terme.

Aller + **infinitif** se traduit souvent par be going to, mais pas toujours (→ 84).

On trouve parfois to be + -ing après be going.

I'm going to be hosting the show in my school!
C'est moi qui vais animer le spectable de mon école !

Le locuteur parle d'une décision déjà prise et insiste sur le lien de l'événement avec une situation à venir.

Ce n'est pas un hasard si l'on est passé du verbe lexical go en anglais (et *aller* en français) à l'expression d'un renvoi à l'avenir (be going to) : go signale un mouvement d'un point vers un autre. Ce mouvement peut être spatial (avec go verbe lexical : Let's go to London) ou temporel.

Avec la tournure be going to, on envisage le passage d'un moment présent à un moment futur.

À chaque fois, avec be going to, le moment présent est important : l'événement futur a une réalité présente (indice **présent** ; décision déjà prise au moment **présent**).

Be going to n'est qu'un cas particulier de l'utilisation de be + -ing. Comme dans tous les emplois de be + -ing, le tour be going to exprime un **point de vue du locuteur** : ce dernier montre qu'il est observateur de quelque chose, dans sa situation présente (ce quelque chose qui l'autorise à prédire un événement à venir).

Renvoi au passé dans l'avenir

On peut se situer dans le futur et parler d'un moment passé par rapport à ce futur.

90 Traduction du futur antérieur

Pour renvoyer au passé dans l'avenir, on emploie will have + participe passé. Cette tournure correspond au **futur antérieur** français.

*J'**aurai** vu*
I **will have** seen

*Tu **auras** parlé*
You **will have** spoken

*Ils **auront** acheté*
They **will have** bought

In the year 2020, **I will have lived** in this house for ten years.
En l'an 2020, j'aurai vécu dix ans dans cette maison.

The world population **will have reached** nine billion by 2050.
La population mondiale aura atteint 9 milliards d'ici 2050.

moment présent 2050

Le fait d'atteindre 9 milliards d'habitants
se situe à l'intérieur de ce cadre temporel.

Renvoi à l'avenir dans le passé

On peut se situer dans le passé et parler d'un moment postérieur à ce passé.

91 *Was/Were to* + base verbale

Avec was/were to + base verbale, le locuteur fait allusion à des **faits prévus** (notamment dans un calendrier officiel).

The Queen **was to visit** the USA in September.
La reine devait se rendre aux États-Unis en septembre.

On ne sait pas si la reine s'est rendue aux États-Unis ou non.

The Queen **was to have visited** the USA in September.
La reine aurait dû se rendre aux États-Unis en septembre.

Sous-entendu : l'événement projeté (visit the USA) ne s'est pas réalisé.

Was/Were to peut aussi exprimer une **idée de fatalité**, de destin.

The Princess **was to** die young.
La princesse devait mourir jeune.

She **was to** come back at the end of the war.
Elle devait revenir à la fin de la guerre.

92 *Was/Were + -ing*

Le locuteur fait part d'un projet personnel dans le passé.

We didn't invite them because they **were** catch**ing** an early train.
Nous ne les avons pas invités car ils devaient prendre un train tôt.

→ Be + -ing et l'expression d'un projet personnel 86.

93 *Was/Were going to* + base verbale

Le locuteur fait part d'une intention dans le passé. L'événement prévu n'a pas eu lieu.

I was going to do it yesterday but I forgot.
J'avais prévu/J'avais l'intention de le faire hier, mais j'ai oublié.

→ Be going to et l'expression de l'intention 89.

94 *Was/Were about to* + base verbale

Le locuteur relate l'imminence d'un événement dans le passé.

I **was about to** leave when he called me.
J'étais sur le point de partir lorsqu'il m'a appelé.

→ Be about to et l'expression de l'imminence 88.

95 *Would* + base verbale

Lorsque le verbe de la proposition principale est au prétérit, would + base verbale décrit une action à venir par rapport au verbe de la principale. Would se traduit le plus souvent par un conditionnel.

He said he **would** mow the lawn next week.
Il a dit qu'il tondrait le gazon la semaine prochaine.

Comparez avec le présent :

He says he will mow the lawn next week.
présent will **dans la subordonnée**

→ Temps de la subordonnée au discours indirect 451.

On peut aussi utiliser would pour parler d'un événement futur par rapport à un moment passé, événement futur qui s'est déjà produit.

In 1980, I started teaching in a school where I would spend twenty years of my life.
En 1980, j'ai commencé à enseigner dans une école où j'allais passer vingt ans de ma vie.

On peut aussi dire where I **was going to** spend... Cet emploi de would se traduit souvent par l'imparfait.

WOULD **ÉQUIVALENT DU CONDITIONNEL**

96 Formes de *would* et *should*

Would + **base verbale**

- Would + base verbale est employé à toutes les personnes pour former l'équivalent du conditionnel.

Je voudrais	I would like
Tu saurais	You would know
Il/Elle viendrait	He/She would come

- On trouve souvent la forme contractée 'd : I'**d**/he'**d** do it...

Should

- À la 1re personne, on utilise parfois should (GB), mais cet usage est de plus en plus archaïque.

  I **should** do it if I were you. *Je le ferais si j'étais à ta place.*

- On rencontre également should dans des expressions figées : I should think so (*J'espère bien*) ; I should hope not (*J'espère bien que non*) ; I should say so! (*Et comment !*) ; I should imagine (*j'imagine*).

- En anglais contemporain, I should do it/we should do it s'interprètent comme : *Je devrais/Nous devrions le faire* (→ 106, 116).

97 Emplois de *would*

On emploie would + base verbale de la même façon que le conditionnel en français.

Dans les propositions principales, lorsque la subordonnée comporte **if + verbe au prétérit**.

I would do it if I were you.
Je le ferais si j'étais toi. ou *À ta place, je le ferais.*

La condition peut être sous-entendue :

I'**d be** happy to come along. *J'aimerais me joindre à vous.*

(Sous-entendu : if I could, *si je pouvais*.)

Au discours indirect

- Would ('d) est dans ce cas l'équivalent de will au discours direct (→ 451).

He said: "I'**ll** come."	He said he **would** come.
Il a dit : « Je viendrai. »	*Il a dit qu'il viendrait.*

- Ce would apparaît également au discours indirect libre (→ 454-455).

Pour demander ou offrir quelque chose de façon polie.

I'**d** like twenty litres, please. *J'aimerais vingt litres, s'il vous plaît.*

Would you care for a cup of coffee? *Voudriez-vous une tasse de café ?*

ATTENTION On n'emploie pas would, mais le prétérit après les conjonctions de temps when (*quand*), as soon as (*dès que*), until (*jusqu'à ce que*). Will est également exclu après ces conjonctions (→ 434).

But you promised you'd call **as soon as** you **heard** something!
Mais tu as promis que tu téléphonerais dès que tu ***apprendrais*** *quelque chose !*

98 *Would have* + participe passé

- Cette forme s'emploie comme le conditionnel passé.

  I **would have** liked.
  *J'**aurais** aimé.*

  She **would have** preferred.
  *Elle **aurait** préféré.*

- On la rencontre dans les propositions principales lorsque la subordonnée inclut if + *past perfect*. On trouve la même structure en français.

  He **would have** done it if you had asked him.
  *Il l'**aurait** fait si vous le lui aviez demandé.*

- Après if, le *past perfect* signale que quelque chose ne s'est pas réalisé dans le passé : if you had asked him sous-entend you did not ask him.

→ *Past perfect* après if 74.

99 L'obligation au conditionnel

Must n'a pas de conditionnel propre. L'expression de l'obligation au conditionnel s'effectue grâce à should + V ou would have to + V.

You **should** behave yourself. *Tu devrais te tenir convenablement.*

Obligation soumise à condition :

If you went to London you **would have to** visit aunt Lucy.
Si tu allais à Londres, il faudrait que tu rendes visite à tante Lucy.

→ Emploi de should (devrais) 116.

ATTENTION Can et may ont une forme de conditionnel qui leur est propre.
→ could et might 107, 112

She **could** do it if necessary.
*Elle **pourrait** le faire si nécessaire.*

He **might have done** it if only you had asked him.
*Il **aurait pu le faire** si tu le lui avais demandé.*

- Le conditionnel en français correspond parfois à *on dit que/on croit que/il semble que*... Dans ce cas, il ne se traduit pas par would, mais par is said to (→ Le passif 80).

  *Trois prisonniers **auraient pris** la fuite.*
  Three prisoners **are said** to have escaped. ou **It is said** that three prisoners have escaped.

Le conditionnel, en français comme en anglais, n'est jamais qu'un **futur hypothétique**. En effet, dans la phrase : *S'ils arrivaient ce soir, on pourrait partir dès demain matin*, le conditionnel *pourrait* renvoie à un moment futur, mais la réalisation de *on/partir demain* est hypothétique, c'est-à-dire soumise à condition (il faut d'abord que la condition *s'ils arrivaient ce soir* soit réalisée). On comprend ainsi l'étiquette « conditionnel ».

On remarque d'ailleurs que la forme du conditionnel est très proche de celle du futur (*je chanterai/je chanterais*). En anglais, on a will et would. Le rôle du prétérit (dans would) est de signaler de l'hypothétique (will exprimant, bien sûr, un renvoi à l'avenir).

100 Le futur et le conditionnel dans les subordonnées de temps

Dans les propositions introduites par une conjonction de subordination de temps (after, as soon as, as long as, by the time, once, until, when, whenever, while, by the time...), on n'emploie ni will ni would, contrairement au français où le futur ou le conditionnel peuvent être utilisés.

When I **am** ready I will come. *Quand je **serai** prêt, je viendrai.*

Quand be ready sera vrai, actuel, présent, come se réalisera.

→ Différences entre anglais et français dans les subordonnées de temps 434.

ATTENTION When peut être un mot interrogatif ou un relatif (→ 376, 423). Dans ce cas, il peut être suivi de will ou de would.

When will you be ready? *Quand seras-tu prêt ?*

She was wondering **when** he **would** be ready.
Elle se demandait quand il serait prêt.

There will be days **when** you **will** hate him.
Il y aura des jours où tu le haïras.

LE GROUPE VERBAL

Les modaux

POUR COMMENCER

Le terme **modal** est lié au mot **mode**, qui évoque l'idée de **manière**. Avec un modal, le locuteur exprime une **manière** de considérer un événement. Les modaux sont : can/could, may/might, must, shall/should, will/would.

Le modal will a une particularité : il sert souvent à renvoyer à l'avenir.

The sun will go down in ten minutes.
Le soleil se couchera dans dix minutes. → 84-85

PRÉSENTATION DES MODAUX

101 À quoi servent les modaux ?

Avec un modal, le locuteur peut :

- Exprimer un **degré de certitude** (c'est très certain, peu certain, incertain, très incertain...).

  He **must** be home. *Il doit être chez lui.*

- Parler avant tout du **sujet grammatical**.
  - de la **capacité**, la propriété du sujet : She **can** do it. *Elle peut le faire.*
  - d'une **volonté** du sujet : **Will** you pass me the salt? *Tu veux bien me passer le sel ?*
  - d'une **obligation** imposée au sujet : You **must** do it. *Tu dois le faire.*
  - d'une **autorisation** accordée au sujet : You **may** call me Bob. *Tu peux m'appeler Bob.*

Des **adverbes** ou **locutions** sont comparables aux modaux. On peut dire :

You **must** work. [modal]
ou It is **necessary** for you to work. [absence de modal]
Il est nécessaire que tu travailles.

You **may** be right. ou **Maybe/Perhaps** you're right.
Tu as peut-être raison.

You **must** be joking. ou You'**ve got to** be joking. *Tu plaisantes ?*

→ Adverbes 520 ; → You've got to 126.

Les locutions *il faut que, il se peut que, il est impossible que* sont très fréquentes en français. L'anglais préfère une **intervention plus directe** dans l'énoncé, entre le sujet et le verbe, sous la forme d'un modal.

102 Tableau des modaux

PRÉSENT	may	can	must	shall	will
PRÉTÉRIT	might	could	X	should	would

Pourquoi un tel regroupement ?

May, can, shall, will ont une forme de présent et might, could, should, would sont leurs prétérits, comme le montre la finale en t (migh**t**) ou d (coul**d**, shoul**d**, woul**d**) caractéristique du prétérit.

On voit dans ce tableau que must n'a pas de prétérit. C'est parce qu'il correspond historiquement à un ancien prétérit dont il a gardé la finale en t. **Pas de confusion** toutefois : en anglais contemporain, must fonctionne comme un **présent**.

Que signale le prétérit ?

- Il a deux valeurs :
  - renvoi au **passé** ;
  - équivalent d'un **conditionnel** (cas le plus fréquent).
- **Seuls** could **et** would **peuvent renvoyer au passé**. Ils se traduisent alors par l'imparfait.

  As a child she **could** speak four languages.
  Quand elle était enfant, elle ***parlait*** *quatre langues.*
  [expression d'une capacité passée]

  In those days they **would** go to Spain every summer.
  À cette époque, ils ***partaient*** *en Espagne tous les étés.*
  [expression d'une habitude passée]

  Comparez avec ces modaux au prétérit qui se traduisent par un conditionnel.

  He **might/could** be home now.
  Il se pourrait qu'il soit chez lui maintenant.

  He **should** be home.
  Il devrait être chez lui.

103 Prononciation des modaux

	FORME PLEINE	FORME FAIBLE
can	[kæn]	[kən]
could	[kʊd]	[kəd]
must	[mʌst]	[məst]
shall	[ʃæl]	[ʃəl]
should	[ʃʊd]	[ʃəd]
would	[wʊd]	[wəd]

La forme faible est plus fréquente que la forme pleine.

➜ Petite grammaire de l'oral 2.

104 Formes contractées des modaux

À la forme négative, on trouve les formes contractées suivantes.

cannot	can't
could not	couldn't
might not	mightn't
must not	mustn't [mʌsnt]
shall not	shan't [ʃɑːnt]
should not	shouldn't
will not	won't [wəʊnt]
would not	wouldn't

Cannot s'écrit en un seul mot, surtout en anglais britannique.

105 Caractéristiques grammaticales des modaux

- les modaux ne prennent pas de -s à la 3e personne du singulier ;
- ils sont toujours suivis de la base verbale : jamais to + V, ni V + -ing après un modal ;
- ils ne sont pas précédés de to ;
- on ne trouve jamais modal + modal ;
- on ne peut pas leur accoler -ing ;
- ils ne se conjuguent pas avec l'auxiliaire do ;
- à la forme négative, on a **modal + not** : He **may not** come ;

- à la forme interrogative, on a **modal + sujet** : May he come?
- les formes might, could, should et would ne peuvent être que prétérit ; elles ne sont jamais participes passés ;
- might et should correspondent toujours à un conditionnel, could et would correspondent souvent à un conditionnel.

Pour désigner la base verbale (« l'infinitif sans to »), nous utilisons la lettre **V**.

LES DEGRÉS DE CERTITUDE DES MODAUX

- Les degrés de certitude vont du quasi certain à l'impossible. Entre le quasi certain et l'impossible, il existe des degrés intermédiaires : très certain, peu certain, incertain, très incertain... À chaque fois, le locuteur se livre à un travail de **déduction**.

  She must be in her room. [très certain]
  Elle doit être dans sa chambre.

  She may be in her room. [assez certain]
  Elle est peut-être dans sa chambre.

  She can't be in her room. [très incertain]
  Elle ne peut pas être dans sa chambre.

- Dans ces emplois liés au degré de certitude, **le prétérit ne renvoie jamais au passé** : on le traduit par un **conditionnel**. Plus précisément, il implique une plus grande incertitude que les modaux à la forme du présent.

  Comparez :

  She **may** be in her room.
  *Il se **peut** qu'elle soit dans sa chambre.*

  She **might** be in her room.
  *Il se **pourrait** qu'elle soit dans sa chambre.*

  Pour renvoyer au passé, on a recours à **modal** + have + participe passé :

  She **might have** been in her room.
  Elle aurait pu être dans sa chambre.

→ Pour cette structure 108.

106 Degrés de certitude : tableau de synthèse

Must

certain ou **très probable**

She **must** be in her room.

Elle doit être dans sa chambre.

Traduction fréquente : *devoir au présent*

pas de prétérit

Shall

Shall n'est pas utilisé dans ce cas.

Should

quasi certain par référence à une norme, à une attente. Déduction prudente.

This road **should** take us there.

Cette route devrait nous y amener.

ought to a la même valeur (→ 126)

traduction fréquente :

devoir au conditionnel

Will

forte certitude (plus forte qu'avec must).

That'**ll** be the postman.

C'est sans doute le facteur.

He'**ll** be about fifty.

Il doit avoir cinquante ans environ.

Traduction fréquente : *devoir au présent* ou adverbe de probabilité

Would

Would n'est pas utilisé dans ce cas.

May

possible

She **may** be in her room.

Il se peut qu'elle soit dans sa chambre.

Traduction fréquente : *Peut-être/Il se peut que...*

Might

incertain : l'ignorance est plus grande qu'avec may.

She **might be** in her room.

Il se pourrait qu'elle soit dans sa chambre.

Traduction fréquente : *Il se pourrait que...*

Can

Can affirmatif n'est pas utilisé dans ce cas.

Could

imaginable

It **could** be true.

Cela pourrait être vrai.

Can't

impossible : déduction négative

It **can't** be true!

C'est impossible !/Ce n'est pas vrai !

Couldn't

difficilement imaginable

It **could not** be true.

Je ne pense pas que ce soit vrai.

107 Degrés de certitude : particularités d'emploi

Might et could

Ils sont très proches ici.

She might be in her room. ou She could be in her room.
Il se pourrait qu'elle soit dans sa chambre.

À la forme négative, la différence entre might et could est plus nette.

The river **might not** overflow.
Il se pourrait que la rivière ne déborde pas.

The river **could not** (possibly) overflow.
Il n'est pas possible que la rivière déborde.

May

Ce modal peut aussi exprimer la concession.

He **may** be rich but he's unbearable.
Il est peut-être riche, mais il est insupportable.
(Au sens de : *Je te concède qu'il est riche...*)

May + **sujet** + **verbe** est parfois employé pour exprimer un souhait.

May they find peace and happiness.
Puissent-ils trouver la paix et le bonheur.

Must et can't

La **quasi-certitude** est exprimée à l'aide de must + V. L'inverse (quasi-certitude négative) est exprimée à l'aide de can't + V. On peut traduire par devoir dans les deux cas.

It **must** be heavy.
*Ça **doit** être lourd.*

It **can't** be heavy.
*Ça **ne doit pas** être lourd.*

En anglais américain, on peut rencontrer must not à la place de can't.

This film can't be any good. ou This movie must not be any good.
Ce film ne doit pas être bon du tout.

→ Have got to degré de certitude 126.

108 Certitude et renvoi à l'avenir, au passé

La certitude concerne souvent le moment présent, comme dans les énoncés précédents, mais elle peut aussi concerner l'avenir ou le passé.

Plus ou moins grande certitude sur un fait à venir

- **Modal + V ou modal + be + -ing**

It **may rain** this afternoon.
Il se peut qu'il pleuve cet après-midi.

Don't call me at nine. I **might be** slogg**ing** away at revision.
Ne m'appelle pas à 9 heures, il se pourrait que je sois en train de bûcher mes révisions.

Ce sont les indicateurs temporels this afternoon et at nine qui permettent le renvoi à l'avenir.

- **Must** ne peut renvoyer à l'avenir qu'avec des **verbes d'action**, et le plus souvent accompagnés de certainly, probably, surely...

They must surely be flying tomorrow.
Ils doivent sans doute prendre l'avion demain.
(Mais on ne dira pas : ~~It must be raining this afternoon.~~)

Plus ou moins grande certitude sur un fait passé

- **Modal + have + participe passé**

You **can't have met** him!
Tu n'as pas pu le rencontrer ! (Ce n'est pas possible.)

They **may have missed** their plane.
Il se peut qu'ils aient raté leur avion.
ou Ils ont peut-être raté leur avion.

C'est have + **participe passé** qui permet le renvoi au passé.

- **Modal + have been + V-ing**

You **must have been** day-dreaming!
Tu devais rêvasser !

Ici, be + -ing ajoute la valeur « en cours » à un moment passé.

109 Rôle de *be* + *-ing* après les modaux

La forme be + -ing se rencontre principalement avec les modaux exprimant un degré de certitude. Elle apporte la nuance « en cours ».

Ron may/might/can't be working now.
Il se peut/Il se pourrait/Il n'est pas possible que Ron soit en train de travailler.

On utilise en particulier be + -ing avec les verbes d'activité parce que ce sont les plus compatibles avec la valeur « en cours ».

Lorsque le degré de certitude porte sur le présent ou l'avenir, be + -ing est souvent indispensable avec les **verbes d'activité**.
Comparez :

He must work. *Il faut qu'il travaille.*

He must be working. *Il doit être en train de travailler.*

Dans He must be working, nous trouvons une **grande certitude** (must) + **action considérée dans son déroulement** (be + -ing).
On voit ainsi que la forme be + -ing associée à un modal exprime un lien fort à une situation précise.

LA CAPACITÉ, LA PROPRIÉTÉ DU SUJET

Le sujet grammatical est présenté comme capable ou incapable de réaliser quelque chose.

110 Capacité ou propriété présente

Can

- **Capacité** (ponctuelle, occasionnelle ou permanente)

You **can** lift it, it's not very heavy.
Tu peux soulever ça. Ce n'est pas très lourd. [capacité ponctuelle]

He can be very unpleasant.
Il sait/peut être très désagréable. [capacité occasionnelle]

She **can** swim. *Elle sait nager.* [capacité permanente]

Can se traduit souvent par *pouvoir* ou *savoir*.

➜ Could et la capacité 111-112.

➜ Opposition can/be able to 127.

LE GROUPE VERBAL

Avec des noms de langue, on ne traduit pas can par pouvoir ou savoir.

She **can speak** German. ou She **speaks** German.
Elle **parle** allemand.

On dit She **can play** the piano. ou She **plays** the piano. (Elle joue du piano.)

• **Propriété du sujet**

Cigarettes **can** seriously damage your health.
Les cigarettes peuvent nuire gravement à votre santé.

Can ne peut pas se paraphraser par be able to ici.

• **Can + verbe de perception**

Les verbes de perception involontaire (see, hear, smell, taste) sont peu compatibles avec be + -ing (→ 7). Pour renvoyer à un moment particulier, on utilise can devant ces verbes, surtout en anglais britannique.

I **can** see you're not feeling well. ou I see... (US)
Je vois bien que tu n'es pas en forme.

Can you hear me? ou Do you hear me? (US)
Tu m'entends ?

Les verbes follow, remember et understand peuvent s'employer avec can.

Can you follow/understand/remember them? ou Do you follow/understand/remember them?
Tu les suis/Tu les comprends/Tu te souviens d'eux ?

Dans un contexte scientifique, on peut employer may pour décrire une propriété du sujet.

This Chilean spider **may** yield spermicide. ou This spider can yield...
Cette araignée chilienne peut produire des spermicides.

Cannot (can't)

• **Incapacité**

I **cannot** do it.
Je suis incapable de le faire.

He **can't** come tomorrow.
Il ne peut pas venir demain.

• **Propriété négative**

She **can't** read.
Elle ne sait pas lire.

Some diseases **cannot** be cured.
Certaines maladies sont incurables.

Will et will not

Will et will not peuvent être utilisés pour décrire une **propriété** du sujet grammatical.
Cette propriété peut être interprétée de deux manières.

- **Propriété caractéristique, inhérente au sujet**

  Oil **will** float on water. *L'huile flotte sur l'eau.* (float on water est une propriété inhérente à oil.)

  This machine **will** wash four kilos of laundry.
  Cette machine peut laver quatre kilos de linge.

- **Habitude, comportement typique**

  They **will** sit here for hours waiting for their son to come home.
  Ils restent assis là des heures à attendre le retour de leur fils.

  Si will est accentué, ce comportement est critiqué par le locuteur.

  He *will* fall in love with the wrong girls.
  Il doit toujours tomber amoureux de filles qui ne lui conviennent pas.

Remarquez dans tous ces cas la traduction de will par un **présent**.

111 Capacité ou propriété passée

Seuls could et would sont utilisés pour renvoyer au passé.

Could : capacité passée

- On emploie could pour décrire une capacité **permanente** qui appartient au **passé**.

  When I was young, I **could** swim for hours.
  Quand j'étais jeune, je pouvais nager pendant des heures.

  ATTENTION Could à la forme affirmative ne s'emploie pas pour une capacité **ponctuelle**. On a recours à was/were able to (→ 127).

- Couldn't s'emploie pour une incapacité permanente **ou** ponctuelle.

  Sorry I **couldn't** make it this morning.
  Désolé de ne pas avoir pu venir ce matin.

  I **couldn't** swim when I was young.
  Je ne savais pas nager quand j'étais petit.

- Could et couldn't s'emploient aussi avec les **verbes de perception involontaire** (→ 110).

  When we went into the house, we **could** smell something burning.
  Lorsque nous sommes entrés dans la maison, ça sentait le brûlé.

→ Différence entre could et was/were able to 127.

Would/would not : habitude, caractéristique passée

- **Habitude passée**

  Each morning my sister and I **would** leave early... We **would** kiss our parents goodbye...
  Tous les matins, ma sœur et moi partions tôt... Nous disions au revoir à nos parents en les embrassant...

→ Emploi dit fréquentatif de would 132.

Dans cet emploi, would se traduit en français par l'imparfait.

- **Caractéristique passée**

  "I have forgotten my keys." "You **would**!"
  « J'ai oublié mes clefs. – Pas étonnant !/C'est typique !/C'est bien de toi, ça ! »

  "You **would** go and tell her!"
  « Il fallait que tu ailles lui raconter ! »

Dans le **premier énoncé**, you would sous-entend you would forget your keys (*cela te ressemble bien d'avoir oublié tes clefs*). Nous avons un lien au passé, traduit par l'infinitif passé *avoir oublié*.

Le **second énoncé** sous-entend : *Cela te ressemble bien (d'être allé lui raconter)*. Le lien au passé est traduit par l'imparfait *il fallait*.

Could(n't) et would(n't) peuvent également être des prétérits de **discours indirect**.

He said: "**I can** come any time."
Il a dit : « Je peux venir n'importe quand. »

He said he **could** come any time.
Il a dit qu'il pouvait venir n'importe quand.

She wondered: "**Will** he write to me?"
Elle s'est demandée : « Est-ce qu'il m'écrira ? »

She wondered if he **would** write to her.
Elle se demandait s'il lui écrirait.

→ Discours indirect 452.

112 Capacité ou propriété à valeur de conditionnel

Dans ces emplois, could et would sont des prétérits qui se traduisent par un **conditionnel**.

Could(n't)

- Could(n't) peut **atténuer l'idée de capacité contenue dans** can.

  I could come earlier, if necessary.
  Je pourrais venir plus tôt, si nécessaire.

  I wish I **could** go. *J'aimerais pouvoir y aller.*

  You **couldn't** succeed even if you worked harder.
  Tu ne pourrais pas réussir même si tu travaillais davantage.

- Could s'emploie fréquemment dans des **suggestions** ou **demandes** polies.

  "What shall we do this evening?" "We **could** go to the cinema."
  « Que fait-on ce soir ? – On pourrait aller au cinéma. »

  Could you shut the door, please?
  Pourriez-vous fermer la porte, s'il vous plaît ?

Could(n't) have + participe passé

Cette forme correspond en français à *aurais/aurait pu*. Elle a deux valeurs :

- capacité dans le passé, mais l'action ne s'est pas réalisée ;
- reproche concernant le passé.

  We **could have gone** to the beach but we decided to stay in our hotel room. [capacité dans le passé]
  Nous aurions pu aller à la plage mais nous avons décidé de rester dans notre chambre d'hôtel.

Le sujet we avait la capacité d'aller à la plage mais ça ne s'est pas réalisé.

  You **could have told** me.
  Tu aurais pu me le dire. [reproche]

Might have + participe passé a la même valeur :

  You **might** have told me. (→ 118)
  Tu aurais pu me le dire.

113 Capacité, propriété du sujet : tableau récapitulatif

Can

CAPACITÉ ACTUELLE	traduction : **présent** She can do it. *Elle peut le faire.*

Could

CAPACITÉ ACTUELLE ATTÉNUÉE	traduction : **conditionnel** Could you repeat, please? Pourriez-vous répéter ?

Will

PROPRIÉTÉ	traduction : **présent** Oil will float on water. *L'huile flotte sur l'eau.*
HABITUDE	traduction : **présent** They'll sit talking for hours about work. *Ils passent des heures assis à parler du travail.*

Could/Would : renvoi au passé

CAPACITÉ PASSÉE	traduction : **imparfait** ou **passé composé** He could not come: he was ill. *Il n'a pas pu venir : il était malade.*
CARACTÉRISTIQUE/HABITUDE PASSÉE	traduction : **imparfait** He would sit for hours, waiting for her to come back. *Il restait assis pendant des heures à attendre qu'elle revienne.*

Could have + participe passé

CAPACITÉ NON RÉALISÉE DANS LE PASSÉ OU REPROCHE	traduction : **conditionnel passé** You could have told me the truth. *Vous auriez pu me dire la vérité.*

VOLONTÉ DU SUJET

114 Volonté présente avec *will* et *would*

- **Will** se rencontre principalement dans ce cas à la forme interrogative (will you + V?) ou à la forme négative (won't + V).

  Will you have a drink? *Voulez-vous boire quelque chose ?*

  Will you pass me the salt? *Tu veux bien me passer le sel ?*

  He **won't** talk to anyone. *Il refuse de parler à qui que ce soit.*

La volonté peut être attribuée à un objet, qui est alors en quelque sorte personnifié.

  This car **will not** start. ou This car won't start.
  Cette voiture refuse de démarrer.

Notez la traduction de will par *(bien) vouloir* au présent, will not/won't par *refuser* au présent.

Ich will en allemand signifie *je veux*, alors que will en anglais exprime assez rarement la volonté. Le verbe lexical correspondant à *vouloir* est **want**.

- **Would(n't)** peut être utilisé pour atténuer l'idée de volonté contenue dans will. On le rencontre surtout dans les **suggestions** ou l'expression de **souhaits**.

  Would you pass me the salt, please?
  Pourriez-vous me passer le sel ?

  Would you type this text for me, please?
  Vous voudriez bien me taper ce texte ?

- **I wish... would**

On emploie would après I wish... lorsqu'on désire qu'un autre que soi fasse quelque chose. ~~I wish I would~~ est donc impossible.

  I wish you **wouldn't** drive so fast!
  J'aimerais bien que tu conduises moins vite ! ou Si seulement tu ***voulais*** *bien ralentir un peu !*

  I wish it **would** stop raining!
  J'aimerais qu'il s'arrête de pleuvoir ! ou Si seulement la pluie ***voulait*** *bien arrêter de tomber.*

→ wish + prétérit 54.

115 ## Volonté passée avec *would*

He **would not** tell us where he had spent the night.
Il a refusé de nous dire où il avait passé la nuit.

My car **wouldn't** start. *Ma voiture refusait de démarrer.*

OBLIGATION ET CONSEIL

Dans ces emplois, les modaux signalent que le sujet est soumis à une pression allant de l'**obligation** au **conseil** ou à la **suggestion**.

116 ## Obligation et conseil avec *shall/should* et *must*

Shall + V

- **Forme interrogative :** 1re personne du singulier et du pluriel

Shall I... ? Shall we... ? sont d'usage fréquent dans le cas d'offres ou de suggestions.

Shall I open the door for you?
Voulez-vous que je vous ouvre la porte ?

Shall we go? *On y va si tu veux ?*

Remarquez la traduction à l'aide de *voulez-vous/si tu veux* : on s'en remet à l'autre.

Must I open the door for you? (*Faut-il que je vous ouvre la porte ?*) impliquerait une réticence de la part du locuteur.

Let's est repris par shall we? (→ 155)

Let's go, **shall we**? *On y va, d'accord ?*

- **Forme affirmative :** 2e et 3e personnes

– Cet emploi est maintenant archaïque. Il s'agit souvent de l'expression d'une menace :

You shall do as I tell you. *Tu feras ce que j'exige.*

– **Shall** reste employé dans les textes de loi, les règlements :

Newly hired employees **shall** serve a probationary period of nine months.
Les nouveaux employés feront une période d'essai de neuf mois.

– Remarquez l'emploi biblique de shall :

Thou shalt not kill. *Tu ne tueras point.*

Should

Should correspond au prétérit de shall. Ce prétérit atténue la valeur de shall. Il permet d'exprimer une **obligation atténuée** ou un **conseil**. Should est très fréquent. Il se traduit très souvent par *devoir* au **conditionnel**. Il est comparable à ought to (→ 126).

- **Obligation atténuée** (qui peut s'interpréter comme un reproche).

  You **should** behave yourself.
  Tu devrais te conduire correctement.

  La pression est moins forte qu'avec must ou shall.

  Avec les verbes d'action, pour ajouter la nuance **en cours**, il est possible d'employer should be + -ing.

  They **shouldn't be playing**. They should be at school.
  Ils ne devraient pas être en train de jouer. Ils devraient être à l'école.

- **Conseil**
  - L'atténuation par rapport à un ordre est parfois appuyée par l'emploi de I think... I don't think...

    You **should** stop smoking.
    Tu devrais arrêter de fumer.

    I don't think you **should** work so hard.
    Je pense que tu ne devrais pas travailler autant.
  - Lorsque l'action est perçue « en cours », on trouve la forme should be + V-ing. Be + -ing crée un lien fort avec la situation présente :

    You **shouldn't be** driving so fast!
    Tu ne devrais pas conduire si vite !
    ou Tu devrais ralentir !

Tu ne devrais pas conduire si vite peut signifier en général ou au moment présent. You shouldn't be driving so fast s'applique forcément au moment où l'on parle, d'où l'autre traduction à l'aide de *Tu devrais ralentir.*

ATTENTION Be + -ing ne s'emploie qu'avec should. Pour les autres modaux, on ne s'intéresse pas à un quelconque déroulement.

Should have + participe passé

- Cette forme exprime souvent un **reproche** concernant un moment passé.

  You **should have warned** him.
  Tu aurais dû le prévenir.

- Pour signaler qu'une action **aurait dû être en cours**, on emploie should have been + V-ing.

  You **should have been** listen**ing**! You don't even know what the talk was about.
  Tu aurais dû écouter ! Tu ne sais même pas sur quoi portait l'exposé.

Must

Must s'emploie davantage en anglais britannique qu'en anglais américain, qui préfère have to (→ 135-137). En anglais britannique, must est d'un emploi fréquent.

- **Pour donner un ordre**

  You **must be** careful.
  Vous devez être prudents.

  Must not (mustn't) implique un ordre négatif, donc une interdiction.

  You mustn't tell anyone what I said.
  Vous ne devez pas ou *Je vous interdis de répéter ce que j'ai dit.*

ATTENTION Ne pas confondre :

  You **must not** tell me.
  Tu ne dois pas me le dire.

  You **don't have to** tell me.
  Tu n'es pas obligé de me le dire.

→ Have to 136.

- **Pour donner son opinion** sur ce qui paraît **nécessaire**

  The government **must do** something about unemployment.
  Le gouvernement doit faire quelque chose contre le chômage.

  I **must go** now. *Je dois partir maintenant.*

  Le locuteur s'impose une contrainte, une nécessité.

  Why **must** you always **be** so rude?
  Pourquoi faut-il donc que tu sois toujours aussi impoli ?

  Cette expression d'une ironie peut s'interpréter comme : *Pourquoi te sens-tu obligé d'être toujours aussi impoli ?* ou *D'où vient cette* ***nécessité*** *que tu ressens d'être... ?*

Quand must exprime une pression exercée sur le sujet, il n'est **jamais** suivi de be + -ing. C'est logique : il y a incompatibilité de sens entre la valeur **en cours** de be + -ing et la valeur de nécessité, d'obligation ou d'ordre contenue dans must. Si je dis you must work, c'est précisément parce que you **n'est pas en train de** travailler.

• Must n'a pas de prétérit (→ 102). Pour **renvoyer au passé**, il faut faire appel à la structure had to + V.

In 1900, most immigrants **had to** go through Ellis Island before being allowed into the United States.
En 1900, la plupart des immigrants devaient passer par Ellis Island avant d'être admis à entrer aux États-Unis.

→ Comparaison must/have to 136.

Au style indirect, on peut employer must après un verbe au passé.

There was no escape: he thought to himself he **must make** a decision.
*Il n'y avait pas d'échappatoire : il pensa en lui-même qu'il **fallait** qu'il prenne une décision ou qu'il **devait**...*

Remarquez la traduction de must à l'aide d'un imparfait.

117 Obligation et conseil : tableau récapitulatif

	EMPLOIS FRÉQUENTS	EMPLOIS MOINS FRÉQUENTS
CONTRAINDRE, DONNER UN ORDRE	**Must** + V You must hurry up! *Tu dois te dépêcher !*	**Shall** + V [rare] You shall obey me. *Vous devez m'obéir.*
INTERDIRE	**Must not** + V You must not smoke. *Tu ne dois pas fumer.*	**Shall not** + V Thou shalt not kill. [archaïque] *Tu ne tueras point.*
OFFRIR, SUGGÉRER DE...	**Shall** + **I** + V Shall I open it? *Voulez-vous que je l'ouvre?*	**Might** + V You might try again. *Tu pourrais encore essayer.*
DONNER UN CONSEIL	**Should** + V You should eat more fruit. *Tu devrais manger plus de fruits.* You should be working! [aussi un reproche] *Tu devrais être en train de travailler !*	
EXPRIMER UN REPROCHE	**Should have** + participe passé They should have called me! *Ils auraient dû me téléphoner !*	

L'AUTORISATION

118 L'autorisation avec *may/might* et *can/could*

May

Dans un contexte formel, may exprime la **permission**.

> **May** I have a word with you?
> *Puis-je vous parler un instant ?*
>
> You **may** go now.
> *À présent, vous pouvez partir.*
>
> You **may not** use that phone.
> *Vous n'avez pas le droit de vous servir de ce téléphone.*

→ Comparaison may/be allowed to **141**.

Lorsque may exprime une permission, la négation porte sur le modal. He **may not** come signifie **I don't allow** him to come. May et not forment un bloc, qui est accentué.

Lorsque may est employé pour exprimer un degré de certitude, la négation porte sur le verbe.

> He is very busy at the moment, he **may** not come.
> *Il a beaucoup à faire en ce moment, il est possible qu'il ne vienne pas.*

On remarque qu'en français *ne... pas* porte sur *venir*. C'est not come qui est accentué.

May ou can ?

- Can est bien plus fréquent que may pour accorder une **permission** ou pour demander une **autorisation**.

  Comparons les deux énoncés suivants :

  > **May** I borrow your car? *Puis-je t'emprunter ta voiture ?*
  >
  > **Can** I borrow your car? *Je peux t'emprunter ta voiture ?*

  En anglais contemporain, may n'est pas considéré comme plus poli que can. C'était le cas autrefois. May est simplement plus formel que can.

- Cannot (can't) est utilisé pour refuser une autorisation.

  > You **can't** use that telephone.
  > *Tu ne peux pas te servir de ce téléphone.*

  May not est plus autoritaire : *tu n'as pas le droit de...*

On n'emploie pas may pour parler de lois, de règlements, ni d'une permission déjà accordée.

Can anybody use this parking space? ou Is anybody allowed to... [règlement]
Est-ce que n'importe qui peut utiliser cette place de stationnement ?

Pupils can do whatever they like these days. ou Pupils are allowed to... [permission déjà accordée]
De nos jours, les élèves peuvent faire tout ce qu'ils veulent.

Might

- Might est le prétérit de may. Il atténue la valeur de may. Il se traduit presque toujours par un conditionnel.

  Il est utilisé à la forme interrogative dans un style soutenu et surtout précédé de : I wonder if...

  I wonder if I **might** borrow your car.
  Je me demande si je pourrais vous emprunter votre voiture.

  Might I suggest...? *Puis-je suggérer... ?* [très formel]

- Might peut correspondre à may **au discours indirect**, dans un style recherché.

  "You may come back whenever you like."
  « Vous pouvez revenir quand il vous plaira. »

  He assured me I **might** (may) come back whenever I liked.
  Il m'a assuré que je pouvais revenir quand je voulais.

- **Autres emplois de** might

  Might peut aussi exprimer une suggestion (might + V) ou un reproche (might have + participe passé).

  You **might** try again. *Tu pourrais essayer encore une fois.*

  You **might have tried** again. *Tu aurais pu essayer une fois de plus.*

Dans ce cas, might est comparable à could (→ 112).

Could

- Could s'emploie à la forme **interrogative** pour demander une permission. D'un emploi formel, could est considéré comme plus poli que can, car plus hésitant. On trouve la même différence en français entre *peux* et *pourrais*.

  Do you think I **could** use your mobile?
  Pourrais-je me servir de ton portable ?

- Could **ne s'emploie pas** pour accorder (ou refuser) une permission.

Could I use your mobile? Yes, you **can** ou Yes, you may, mais non ~~Yes, you could~~.

- **Could** peut renvoyer à une autorisation passée.

My parents were very lenient. I **could** go out whenever I wanted when I was young.
Mes parents étaient très indulgents. Je pouvais sortir quand je voulais quand j'étais jeune.

- Pour une autorisation **ponctuelle**, on emploie was/were allowed to et non could.

I was allowed to go out last night. *J'ai eu le droit de sortir hier soir.*

Toutefois, could not peut s'employer pour une autorisation ponctuelle.

I could not ou was not allowed to go out last night.
Je n'ai pas pu sortir hier soir.

Le fonctionnement est le même que pour could et was/were able to (→ 127).

- Could peut correspondre à can au **discours indirect**.

"**Can** I borrow your mobile?" he asked her.
« Je peux emprunter votre portable ? » lui demanda-t-il.

He asked her if he **could** borrow her mobile.
Il lui demanda s'il pouvait emprunter son portable.

119 Autorisation : tableau récapitulatif

	EMPLOIS FRÉQUENTS	EMPLOIS MOINS FRÉQUENTS
ACCORDER UNE PERMISSION	**Can** + V You can come if you want. *Tu peux venir si tu veux.*	**May** + V You may marry at eighteen. *On a le droit de se marier à 18 ans.*
DEMANDER UNE PERMISSION	**Can** + sujet + V ? Can I borrow it? *Je peux te l'emprunter ?* **Could** + sujet + V ? Could I get some more? *Pourrais-je en avoir encore un peu ?*	**May** + sujet + V ? May I borrow it? *Puis-je vous l'emprunter ?* **Might** + sujet + V ? Might I suggest...? [très formel] *Puis-je suggérer... ?*
REFUSER UNE PERMISSION	**Can't** + V You can't take it! *Tu ne peux pas le prendre !*	**May not** + V You may not smoke here. *Tu n'as pas le droit de fumer ici.*

LES EMPLOIS NON CONDITIONNELS DE SHOULD

Dans ces emplois non conditionnels, should ne se traduit pas par un conditionnel.

120 *Should* après la conjonction *if*

- Should renforce l'incertitude exprimée par if. Notez la traduction à l'aide de *Si jamais*.

  If you **should see** him this evening, can you tell him to call me?
  Si jamais vous le voyez ce soir, pouvez-vous lui dire de m'appeler ?

- If you **happen to** see him... a un sens comparable. On peut même dire If you **should happen to** see him... qui implique que c'est peu probable.

- Should peut également poser de lui-même une condition. On aura alors la structure should + sujet + verbe

  Should you **see** him this evening, tell him to call me. [formel]
  Si vous le voyez ce soir, dites-lui de m'appeler.

Cette structure correspond à **If you see** him this evening... → 444

121 *Should* après *in case*

- Dans un contexte présent, avec in case + should, on est moins sûr de ce qu'on avance qu'avec in case + présent.

  In case you **(should) see** him...
  Au cas où vous le verriez...

> On utilise le conditionnel après *au cas où*... La nuance entre In case you **meet** him et In case you **should meet** him est la même qu'entre *Si tu le* ***vois***... et *Si tu le* ***voyais***...

- On n'emploie pas will ni would après in case : ~~In case you will/would meet him...~~

- In case + should est particulièrement fréquent dans un contexte passé.

  He took a map in case he **should get** lost.
  He took a map in case he **got** lost.
  Il prit une carte au cas où il se perdrait.

122 *Should* après la conjonction *for fear that/lest* (de peur que...)

- Lest, assez rare, surtout en anglais britannique, s'emploie à l'écrit.

  He made him sign the contract immediately **lest/for fear that** he **should change** his mind...
  Il lui fit signer le contrat sur-le-champ, de peur qu'il ne change d'avis.

- Lest peut être suivi d'un subjonctif (US) : lest he **change** his mind [change sans -s].

- Notez l'expression figée : Lest we forget (*litt. De crainte que nous oubliions*), équivalente de In Memoriam.

- À noter que, dans ces emplois, should n'est **jamais utilisé** sous la forme contractée 'd.

→ Emploi de should après so that, in order that 436.

123 *Should* après un adjectif exprimant une opinion, un jugement...

- En anglais **britannique**, dans un registre formel, on emploie should après les adjectifs suivants :
  (It is) strange/odd/funny/typical/natural/interesting/surprising...
  (I'm) surprised...

  They're delighted that she **should** still want to see him.
  ou, plus oral : ...that she still wants...
  Ils sont ravis à l'idée qu'elle veuille encore le voir.

  It was funny/interesting that she **should** be the one to complain
  ou, plus oral : ...that she was the one...
  Il était drôle/intéressant que ce soit elle qui se plaigne.

- En anglais **américain**, on préfère le présent ou le prétérit.

→ Structures du type That they **should** be here is surprising 429.

124 *Should* après un adjectif ou un verbe exprimant un ordre, une demande…

En anglais **britannique**, dans un registe formel, on emploie également should après les adjectifs et verbes suivants.

- **adjectifs** : (It is) essential, important, necessary, vital, (I'm) anxious…
- **verbes** : ask : *demander* ; demand : *exiger* ; insist : *insister* ; propose : *proposer* ; recommend : *recommander* ; request : *exiger* ; suggest : *suggérer*…

It is **important/necessary** that he **should** be told.
Il est important/nécessaire qu'on lui en parle.

I'm **anxious** that they **should** start collaborating immediately.
Je tiens beaucoup à ce qu'ils commencent à collaborer immédiatement.

They **demanded** that I **should** apologize to them.
Ils ont exigé que je m'excuse auprès d'eux.

What do you **suggest** we **should** do?
Que suggérez-vous que nous fassions ?

En anglais britannique moins formel, on emploie le présent ou le prétérit : It is important/necessary that he is told ; I'm anxious that they start ; They demanded that I apologize…

Après l'expression d'un ordre ou d'une demande, on trouve aussi le **subjonctif** (→ 144), surtout en anglais américain.

It is important/necessary that he **be** told.

They demanded that I **apologize**/he **apologize**.

What do you suggest we **do**/he **do**?

Mais on ne dira pas ~~It is interesting that he be told~~, car interesting n'exprime pas un ordre.

Avec it is + adjectif, on trouve plus facilement la structure for + complément + to + verbe.

It is important/necessary **for us to** tell him.
Il est important/nécessaire qu'on le lui dise.

Autres façons d'exprimer la modalité

POUR COMMENCER

Certains verbes ou expressions sont proches des modaux par leur sens : ought to, be able to, be allowed to, used to, had better, have to, need, is to...
Certains adverbes sont également proches des modaux.

Cependant, ils ne se comportent pas du tout comme des modaux sur le plan syntaxique. Les modaux sont vraiment à part !

Nous reprenons les mêmes catégories que pour les modaux : certitude, capacité, préférence, habitude, conseil, obligation, autorisation...

LES DEGRÉS DE CERTITUDE

125 Adverbes exprimant la certitude

definitely/obviously : *très certainement/manifestement*
certainly/unmistakably : *certainement/sans doute*
(very) probably : *très probablement*
(very) likely : *(très) probablement*
surely : *certainement, tout de même*
maybe/perhaps/possibly : *peut-être*

Possibly/Perhaps/Maybe they have already gone.
Peut-être sont-ils déjà partis.

They will **likely** leave tonight. [likely : US]
Ils partiront probablement ce soir.

126 Tournures exprimant la certitude

- **(Be) likely/unlikely to** *(il est probable/improbable que)*

Ces expressions se construisent de deux façons. La première tournure est plus fréquente.

She is likely to succeed. *Elle a des chances de réussir.*

She est le sujet grammatical, mais la certitude est celle du locuteur.

> **It is likely** that she will succeed.
> *Il est probable qu'elle réussira.*
> (Construction impersonnelle comme en français.)

On peut aussi dire She's **liable to** succeed, mais pas ~~it is liable that she...~~

- **(Be) sure/certain (to)** *(il est sûr/certain que)*

> They are sure to win ou It is sure that they'll win.
> *Il est sûr qu'ils gagneront.*

Quand c'est le sujet qui est sûr, on utilise be sure of + V-ing.

> John and Joan are sure of ou certain of winning.
> *John and Joan sont sûrs de gagner.*

- **(Be) bound to** *(il est certain que)* est toujours suivi de to, jamais de that.

> She's bound to succeed.
> *Elle va certainement réussir.*

- **Have (got) to** s'emploie de plus en plus comme must de probabilité (→ 107).

> She's worked a lot. She**'s got to** be tired. ou She must be tired.
> *Elle a beaucoup travaillé. Elle doit être épuisée.*

- **Ought to** peut être l'équivalent de should, indiquant une quasi-certitude par référence à une norme.

> Fireball **ought to** win the Derby.
> (ou Fireball **should** win...)
> *Fireball devrait logiquement gagner le Derby.*

→ Ought to expression du conseil 133.

LA CAPACITÉ DU SUJET

127 *Be able/unable to* + base verbale

- **Be able to** remplace can là où can est impossible. Be unable to remplace cannot dans les mêmes cas.

• À l'infinitif

> I **might** not **be able to** come tomorrow.
> *Il se pourrait que je ne puisse pas venir demain.*
> ou I **might be unable** to come tomorrow.

La construction modal + modal est impossible en anglais.

- Pour parler du futur après will

  You **will** soon **be able to** travel into space.
  Vous pourrez bientôt voyager dans l'espace.

- Au *present perfect* et au *past perfect*

  I haven't been able to sleep recently.
  Dernièrement, je n'ai pas pu dormir.

Au présent : can ou be able to ?

- Au présent, be able to s'emploie assez peu et signale une capacité (physique ou intellectuelle). Be able to décrit davantage une idée d'effort à fournir que can.

  Lucy **is able to** climb that hill in under five minutes.
  Lucy est capable de grimper cette colline en moins de cinq minutes.

- Be able to ne s'emploie pas pour décrire une propriété caractéristique du sujet, ni dans le sens de *savoir*.

  Cigarettes **can** [~~are able to~~] seriously damage your health.
  Les cigarettes peuvent nuire à votre santé.

  I can type.
  Je sais taper à la machine.

  I am able to... impliquerait ici une capacité physique.

Pour parler du passé : could ou be able to ?

- Could décrit une capacité **permanente**. Was (were) able to parle d'une capacité permanente ou **ponctuelle** (→ 111).

  When he was young, he **could** climb any tree.
  (Capacité permanente dans le passé : was able to est possible.)
  Quand il était jeune, il pouvait grimper à n'importe quel arbre.

  I ran so fast that **I was able to** catch the bus.
  (Capacité ponctuelle : could est impossible.)
  J'ai couru si vite que j'ai pu attraper le bus.

- Pour une capacité **ponctuelle**, on utilise aussi managed to ou succeeded in V-ing.

  I **managed to catch** the bus
  I **succeeded in catching** the bus.
  J'ai réussi à attraper le bus.

Remarquez la différence de traduction.
Could : pouvait (imparfait) ≠ was able to : ai pu (passé composé).

- Cette différence entre could et was able to s'estompe avec les verbes de perception.

  I **was able to** ou I **could** see him through an open window.
  J'ai pu/Je pouvais le voir par une fenêtre ouverte.

- Cette différence disparaît à la forme négative. Was (were) unable to + V est pratiquement équivalent à could not + V.

  I was unable to ou I could not understand a word.
  Je n'ai pas pu comprendre le moindre mot.

128 *Dare* (« oser »)

Dare se conjugue soit comme un verbe lexical, soit comme un modal, avec le même sens.

- Dare verbe lexical : emploi de do (does) à la forme négative.

  She **does not dare** (to) sing.

- Dare modal : pas d'emploi de do et pas de -s à la 3e personne.

  She **dare not** (daren't) **sing**. *Elle n'ose pas chanter.*

Au prétérit on rencontre également deux formes.

She didn't dare (to) sing.
ou She dared not sing.
Elle n'a pas osé chanter.

Notez les emplois suivants.

How dare you? *Comment oses-tu ?*

Don't you dare! *Ne t'avise pas de faire ça !*

I dare you! *Chiche !*

L'EXPRESSION DE LA PRÉFÉRENCE

129 *Would rather* (« préférerais/préférerait... »)

Forme interrogative : would + sujet + rather + V

Would you **rather stay** here? *Préférerais-tu rester ici ?*

Forme négative : would rather not + V

She **would rather not** drink wine. *Elle préférerait ne pas boire de vin.*

Forme contractée : 'd rather + V.

Cette tournure est l'équivalent de **préférer** au conditionnel.

"Do you want to go out this evening?" "**I'd rather not.**"
« Voulez-vous sortir ce soir ? – Je préférerais ne pas (sortir). »

He **would rather** read **than** talk.
Il préférerait lire plutôt que de parler.

Remarquez l'emploi de than (**than** talk) car rather est un comparatif.

Notez la structure **sujet** + would rather + **sujet** + **prétérit** lorsqu'on a deux sujets différents dans la phrase.

I'd rather he **kept** quiet about it.
J'aimerais mieux qu'il n'en parle pas. [deux sujets : I et he]

Le prétérit kept est un prétérit du non-réel (→ 54).

Pour renvoyer au passé, on emploie le ***past perfect*** après would rather.

I'd rather you **hadn't told** her.
J'aurais mieux aimé que tu ne lui dises pas.

Mais on dira plus couramment I wish you hadn't told her ou I would have preferred you not to tell her. *J'aurais préféré que tu ne lui dises pas.*

130 *Would sooner* (« préférerais/préférerait... »)

Cette tournure s'emploie dans les mêmes conditions que would rather, mais elle est moins fréquente. On peut aussi utiliser la structure would prefer **to** + verbe.

I'd sooner not go out. ou I'd prefer not to go out.
Je préférerais ne pas sortir.

L'EXPRESSION DE L'HABITUDE PASSÉE

131 *Used to*

Used to se prononce ['juːstu] avec un [s] et non un [z]. Devant une consonne, on prononce plutôt ['juːstə].

Used to en anglais contemporain se conjugue à l'aide de **did** aux formes interrogative et négative.

Did you **use to** work at night?
Tu travaillais le soir à cette époque-là ?

They **didn't use to** work at night.
Ils ne travaillaient pas le soir à cette époque-là.

- On rencontre aussi used avec **did** : Did you use**d** to work?/They didn't use**d** to work. Cet emploi de did avec used est surprenant mais il est correct.
- Il existe également une variante un peu archaïque sans did : Used you to work? They usedn't to work ou They used to not work.

Used to signale essentiellement un **contraste fort** entre l'événement décrit et le moment présent. On le traduit par l'imparfait (souvent accompagné de *autrefois* ou *avant*).

> "Do you often go to the cinema?" "No, but I **used to**."
> *« Tu vas souvent au cinéma ? – Non, mais avant j'y allais souvent. »*
>
> There **didn't use to** be a street here.
> *Autrefois, il n'y avait pas de rue ici.*

Used to exprime souvent une habitude, mais pas avec un verbe d'état : There didn't use to be a street here ne décrit pas une habitude.

On trouve aussi get used to + V-ing (*s'habituer à…/se faire à…*)

> She never **got used to** be**ing** called Mother.
> *Elle ne s'est jamais habituée à ce qu'on l'appelle Mère.*

On trouve to + V-ing car to est ici une préposition (→ 427).

→ Différence entre used to + base verbale et be used to + V-ing 427.

132 *Would*

Would est l'expression d'une **habitude passée**. Cette habitude est décrite comme caractéristique, prévisible. Would s'emploie avec un sujet animé (humain ou animal) → 111.

> When he was young, he **would** spend all his money on books.
> *Quand il était jeune, il dépensait tout son argent à s'acheter des livres.*

On n'emploie pas would avec un verbe d'état, ni pour décrire un comportement important régulier.

> I used to be mean. [~~I would be mean.~~]
> *Avant, j'étais radin.*
>
> She used to smoke. [~~She would smoke.~~]
> *Elle fumait autrefois.*

LE CONSEIL

133 *Ought to* (« devrais/devrait/devrions... »)

Ought to présente certaines caractéristiques d'un modal :
- pas de -s à la troisième personne du singulier ;
- jamais de forme à l'infinitif ;
- conjugaison sans auxiliaire aux formes interrogative et négative.

- Mais, comme ought est suivi de to, ce n'est pas un modal.
- À la forme négative ought not peut être contracté en oughtn't to.

  Oughtn't you **to** leave? *Ne devriez-vous pas partir ?*

  He **ought not to** tell you. *Il ne devrait pas vous le dire.*

Ought to ou should ?

- Ought to est beaucoup moins fréquent que should. Avec ought to, on se réfère plutôt à l'usage, au code social, au sens commun.

  You **ought to** finish your assignment before going out.
  Tu devrais finir ton devoir avant de sortir.

- Avec should, le conseil émane souvent directement du locuteur.

  Let me tell you how I feel about it: you **should** definitely dump him.
  Je vais te dire ce que j'en pense : tu devrais vraiment le plaquer.

- Cette distinction (ought to : code social ; should : conseil du locuteur) est une tendance, non une règle absolue.

Comme pour should (→ 116), le conseil n'est jamais loin du reproche, surtout à la forme négative et avec you. Comparez :

  You oughtn't to stay here. It's warmer inside. [conseil]
  Vous ne devriez pas rester ici. Il fait meilleur à l'intérieur.

  You oughtn't to stay here. It's my property. [reproche]
  Vous ne devriez pas rester ici. C'est ma propriété.

Ought to have + **participe passé** correspond à *aurais/aurait dû* et exprime un reproche.

  It **ought to** have been done long ago.
  Cela aurait dû être fait il y a longtemps.

134 *Had better* + V (« ferait mieux de... », « il vaudrait mieux... »)

Formes de had better

- **Forme négative :** had better not + V

  You **had better not go**.
  Tu ferais mieux de ne pas y aller.

- **Forme interronégative**

  Hadn't we better go?
  Il vaudrait mieux qu'on parte, non ?

La forme **interrogative** sans not s'emploie peu.

- **Forme contractée :** 'd better + V.

Cette expression composée de had (prétérit du non-réel) + better (comparatif de well) est utilisée pour exprimer un conseil, parfois une mise en garde.

"I'm ready." "You'**d better** (be)!"
« Je suis prêt. – Il vaudrait mieux ! ou T'as intérêt ! »

Had better exprime davantage un sentiment d'urgence que should ou ought to.

"Don't you think we **should** be leaving?" "Well, we'**d better** leave right now."
« Tu ne penses pas qu'on devrait partir ? – Oui, je crois que ça vaudrait mieux ou qu'on aurait intérêt. »

De manière très informelle, certains locuteurs ne prononcent pas had : I better go...

L'OBLIGATION

135 *Have to*

Formes de have to

Have to n'est pas un modal. Il se conjugue comme un verbe lexical. Les formes interrogative et négative comportent donc l'auxiliaire do (did).

INTERROGATION	NÉGATION
Does he have to?	He doesn't have to.
Did they have to?	They didn't have to.

• On rencontre parfois **have to sans do.**

When have you to hand in your essay?
Quand dois-tu rendre ta dissertation ?

Formes plus courantes : When **do you have to** hand in... ou When **have you got to** hand in...

Have got to

• On trouve have got to à la place de have to (uniquement au présent).

I'**ve got to** speak to you. ou I have to speak to you.
Il faut que je te parle.

Have you really **got to** go? ou Do you really have to go?
Faut-il vraiment que vous partiez ?

I **haven't got to** do it. ou I don't have to do it.
Je ne suis pas obligée de le faire.

• On n'emploie pas have got to pour les obligations répétées.

They usually have to get up at five. [~~They've usually got to...~~]
Habituellement, ils doivent se lever à 5 heures.

• Have to peut se combiner avec be + -ing, mais pas have got to.

I'm having to revise for exams at the moment. [~~I'm having got...~~]
Je dois réviser pour des examens en ce moment.

Prononciation de have to

Have to se prononce souvent ['hæftə]. En anglais familier, have got to se prononce ['gɒtə], et s'écrit gotta. I('ve) gotta/He('s) gotta speak to you.

Emplois de have to

Have to est utilisé, entre autres, là où must est impossible.

– **après will et would :**

The letter **will have to** be written tomorrow.
Il faudra que la lettre soit écrite demain. [emploi « futur »]

If you wanted to arrive before him, you **would have to** get up early.
Si vous vouliez arriver avant lui, il vous faudrait vous lever tôt. [emploi « conditionnel »]

– **au prétérit** (temps de la narration passée) **:**

He **had to** pay a parking fine. *Il a dû payer une contravention.*

(must n'a pas de prétérit.)

– **au *present perfect* et au *past perfect* :**

Have you ever **had** to go to the police station?
Avez-vous déjà eu à vous rendre au commissariat de police ?

136 *Have to ou must ?*

Au présent, on a le choix entre have (got) to et must. Avec have to, l'obligation est souvent due à des circonstances extérieures (ordre des choses, ordre d'une tierce personne...). Avec must, l'obligation émane souvent du locuteur.

You **have to** rehearse more to win a title.
Tu dois t'entraîner plus pour remporter un titre.

Her eyes are not very good. She **has (got) to** wear glasses.
Elle n'y voit pas très bien. Elle est obligée de porter des lunettes.

I'll help you revise but you **must** promise me to work harder.
Je vais t'aider à réviser, mais tu dois me promettre de travailler plus.

ATTENTION Cette différence vaut surtout pour l'anglais britannique. En anglais américain, on utilise assez peu must d'obligation et donc have (got) to s'emploie, que l'obligation soit extérieure au locuteur ou non.

Remarquez qu'en français, dans un registre de langue orale, *avoir à* peut également s'employer dans le sens d'une obligation.
*Je vais rentrer tard, j'**ai à** faire des courses.*

Have to ou **must** à la forme **négative**

La différence entre don't have to et must not (mustn't) est très nette.
- **interdiction** : You **must not** tell me. *Tu ne dois pas me le dire.*
- **absence d'obligation** : You **don't have to** tell me. *Tu n'es pas obligé de me le dire.*

Didn't have to + V exprime l'absence d'obligation dans le passé.

It was my day off, so I **didn't have to** take the car.
C'était mon jour de congé, je n'étais donc pas obligé de prendre la voiture.

On peut analyser must not et do not have to de la façon suivante :

Obligation de ne pas dire	**Pas obligation de dire**
You must **not tell** me.	You **don't have to** tell me.
must not : *obligation de* ***ne pas***	You : *n'a* ***pas*** *l'obligation de*
not porte sur tell me	not porte sur have to
(you must not-tell-me)	

137 Tableau récapitulatif de *must* et *have to*

	MUST	HAVE TO
FORME AFFIRMATIVE		
PRÉSENT	Obligation imposée par le locuteur He must go now. *Il doit...*	Obligation qui ne dépend pas du locuteur He has (got) to go now. *Il faut que...*
PRÉTÉRIT	Discours indirect He said he must go. *Il a dit qu'il devait...*	Narration He had to go. *Il devait/a dû...*
FORME INTERROGATIVE		
PRÉSENT	What must I do? *Que dois-je... ?*	Does he have to work on Sundays? *Doit-il... ? Faut-il qu'il... ?*
PRÉTÉRIT	pas de prétérit	Did he have to work on Sundays? *Devait-il... ? Fallait-il qu'il... ?*
FORME NÉGATIVE		
PRÉSENT	Interdiction I must not be late. *Je ne dois pas...*	Absence d'obligation I don't have to work. *Je ne suis pas obligé de...*
PRÉTÉRIT	Discours indirect : interdiction She thought she must not be late. *... qu'elle ne devait pas...*	Absence d'obligation dans le passé They didn't have to come ... *Ils n'étaient pas obligés...*

138 *Need*

Le verbe need se conjugue de deux façons : comme un verbe lexical ou comme un modal.

▶ **Le verbe lexical** need signifie *avoir besoin de*. Aux formes interrogative et négative, il se conjugue avec do au présent et avec did au prétérit. Il est suivi de to + V ou d'un groupe nominal.

> **Do** we **need to** make reservations?
> *Avons-nous besoin de faire des réservations ?*

▶ Need comme **modal**

- On trouve need comme modal à toutes les personnes. Il n'est pas suivi de to.

> She need not write. [ni -s ni to]
> *Elle n'a pas besoin d'écrire.*

- Need modal s'emploie aux formes négative et interrogative, et après if.

  Need I put my name down? *Dois-je écrire mon nom ?*

  I don't know **if we need** fill this in.
  Je ne sais pas si nous devons remplir ceci.

La tournure modale need not signale l'absence de nécessité. La différence entre she needn't write (Il n'est pas nécessaire qu'elle écrive) et she does not need to write est à peine perceptible. Dans les deux cas, on peut traduire par *avoir besoin de.*

Cet emploi modal de need est surtout britannique. En anglais américain, on préfère utiliser (don't) have to.

Pour parler du passé, on emploie need not have + participe passé. Il existe une différence entre need not have et didn't need to.

We **needn't have** hurried.
(Sous-entendu : *Si on avait su on ne se serait pas dépêchés.*)
Ce n'était pas la peine de se dépêcher.

We **didn't need to** hurry.
Nous n'avons pas eu besoin de nous dépêcher.

- Dans le premier énoncé, l'action a été accomplie mais est jugée non nécessaire (il n'était pas nécessaire qu'on se dépêche). Le locuteur porte un jugement (utilisation d'un modal) : ce fut une perte de temps.
- Dans le deuxième énoncé, on fait un simple constat : se dépêcher était inutile. L'action n'a pas forcément été accomplie.

139 *Is to (are to)/Was to (were to)*

La tournure is to se veut l'expression d'une autorité abstraite, impersonnelle. Elle est donc employée dans les instructions et les modes d'emploi (par nature impersonnels). Elle est souvent suivie d'un passif.

No bicycle **is to** be left on these grounds.
Défense de laisser sa bicyclette ici.

This medecine **is to** be taken every day.
Prendre ce médicament tous les jours.

On l'emploie notamment pour donner un ordre à un enfant.

You **are to** go to bed at once.
Il faut que tu ailles au lit immédiatement.

You **are not to** play by the river.
Tu ne dois pas jouer près de la rivière.

Cette tournure peut se traduire par *vouloir* après if.

Time is against us if we are to avoid power shortages.
Le temps joue contre nous si nous voulons éviter des coupures d'électricité.

→ Is/Are to expression d'un projet officiel 87, 91.

140 Comment traduire « devoir » ?

Le verbe *devoir* en français est source de confusions. Il peut exprimer :

- **Une grande certitude :** traduction fréquente à l'aide de must.

  He must be watching TV. *Il doit regarder la télévision.* → 106

  Autres traductions possibles : He's got to be watching TV.
  ou He's probably watching TV.

- **L'obligation** : traduction à l'aide de must + V, have to + V, is to + V.

  I don't want to see him any more. He **must** go.
  Je ne veux plus le voir. Il doit s'en aller. → 116

  You **have to** go now if you want to catch your train.
  Tu dois partir maintenant si tu veux attraper ton train. → 135

  You **are not** to play by the river.
  Tu ne dois pas jouer près de la rivière. → 139

- **L'idée** *il est prévu que...* : traduction par is to.

  The Queen **is to visit** the USA in September.
  La reine doit se rendre aux États-Unis en septembre.

→ Pour cet emploi de am/is/are to 87, 91.

L'AUTORISATION

141 *Be allowed to* + base verbale (avoir le droit de)

La forme passive du verbe allow [əˈlaʊ] (*autoriser*) s'emploie, entre autres, là où may de permission est impossible.

Après will et would (emploi « futur »)

They will not **be allowed to** use a map.
Ils n'auront pas le droit/ne seront pas autorisés à utiliser une carte.

Au prétérit de narration (may n'ayant pas de prétérit)

He **was not allowed to** come. *Il n'a pas été autorisé à venir.*

- **Au *present perfect* et au *past perfect***

  He **hasn't been allowed to** drive since his accident.
  Depuis son accident, il n'a plus le droit de conduire.

- Au présent, may est plus fréquent à la forme interrogative que be allowed to.

  May I go? *Puis-je partir ?* (plutôt que Am I allowed to go?)

→ Comparaison can/may de permission 118.
→ Différence entre could et was/were allowed to 118.

142 *Be supposed to*

Be supposed to (*être censé...*) est souvent utilisé pour atténuer l'idée d'autorisation contenue dans be allowed to, notamment à la forme négative.

You **are not supposed to** park on a double yellow line.
Vous n'êtes pas censé vous garer sur une double ligne jaune.

143 *Let, permit to*

Les verbes lexicaux let (+ base verbale) et permit (+ to + base verbale) sont aussi employés pour exprimer la permission.

They'll never let you go. *Ils ne te laisseront jamais partir.*

Sash was permitted to leave. *On a autorisé Sash à partir.*

To apparaît dans nombre de tournures permettant d'exprimer la modalité : have **to**/is **to**/ought **to**/able **to**/allowed **to**... À chaque fois, to signale qu'un événement est envisagé dans un moment à venir.

Dans We have **to** leave/We ought **to** leave, l'événement we leave est envisagé dans un moment à venir par rapport au présent.

Le subjonctif et l'impératif

LE SUBJONCTIF

Le subjonctif est un mode que l'on oppose généralement à l'indicatif. En français, le subjonctif est le mode du **non-certain** : *Il est possible qu'il* ***revienne*** *bientôt.*

Il sert aussi à exprimer un **jugement** : *Je suis content que tu* ***sois*** *là.*

En anglais, ce mode est beaucoup moins fréquent qu'en français et se limite au subjonctif présent. Seul be possède un subjonctif passé : were.

144 Le subjonctif présent

Formes du subjonctif présent

- On emploie la **base verbale** à toutes les personnes.

I/he/she/it/we/you/they **be**

I/he/she/it/we/you/they **write**

> I recommended that he **write** to them.
> *J'ai recommandé qu'il leur écrive.*

Remarquez l'absence de -s dans he **write**.

- La **forme négative** s'obtient en faisant précéder la base verbale de not.

> She had insisted that he **not come**.
> *Elle avait insisté pour qu'il ne vienne pas.*

Emplois du subjonctif présent

Le subjonctif présent peut s'employer dans les cas suivants.

- Après un **adjectif** ou un **verbe** exprimant une **demande**, un **ordre**, une **suggestion**...
  - **adjectifs** : (It is) essential, important, necessary, vital, (I'm) anxious...
  - **verbes** : ask : *demander* ; demand : *exiger* ; insist : *insister* ; propose : *proposer* ; recommend : *recommander* ; request : *exiger* ; suggest : *suggérer*...

> It is important that she **be** present at the meeting.
> *Il est important qu'elle soit présente à la réunion.*

> She requested that she **not be** disturbed.
> *Elle a demandé qu'on ne la dérange pas.*

Ces tournures sont plus fréquentes en américain qu'en anglais britannique. En anglais britannique, on emploie plutôt should +V ou le présent simple dans la subordonnée.

It is important that she **should** be present at the meeting. (GB)

It is important that she **is** present at the meeting. (GB)

Sous l'influence de l'américain, le subjonctif est de plus en plus utilisé en anglais britannique, notamment dans la presse.

→ Emploi de should et du présent dans ces subordonnées 124.

- Dans les **propositions conditionnelles**

Il s'agit là d'un registre de langue soutenu.

If that **be** the case, our position is indefensible. ou (plus courant) If that is the case...
Si tel est le cas, notre position est indéfendable.

- Dans certaines tournures figées exprimant un **souhait**

Long **live** the Queen! *Vive la reine !*

Heaven **forbid**! *Dieu m'en préserve !*

God **bless** America! *Que Dieu bénisse l'Amérique !*

- Notez un certain nombre d'expressions figées incluant un subjonctif présent. Elles sont d'un emploi courant :

If need **be**... *Si nécessaire...*

Come what may... *Quoi qu'il advienne...*

Be that as it may... *Quoi qu'il en soit...*

Suffice it to say that... *Je me contenterai de dire que...*

145 Le subjonctif passé

Le subjonctif passé n'existe que pour le verbe be. Sa forme est were à toutes les personnes. Were **ne renvoie pas au passé** dans ce cas, mais signale que quelque chose n'est pas vrai au moment où l'on parle.

If I **were** you I would keep it secret.
Si j'étais vous ou À votre place, je le garderais secret.
(I n'est pas you !)

If Liz **were** to come tomorrow, you would be able to tell her.
Si jamais Liz devait venir demain, vous pourriez lui dire.
Il est très peu probable que Liz vienne demain.

En anglais contemporain, on emploie de plus en plus was au singulier : If Liz was to come tomorrow...

Notez également les expressions : as it were (*pour ainsi dire*), were it only because... (*ne serait-ce que parce que...*). Dans ces expressions, was ne peut pas remplacer were.

Les grammaires utilisent l'étiquette **subjonctif passé** pour décrire cet emploi particulier de were. C'est pourquoi nous le présentons de cette manière. Il est en fait plus simple de le traiter comme un **prétérit du non-réel** (→ 53).

L'IMPÉRATIF

En français, l'impératif apparaît à la deuxième personne du singulier (*chant**e***) et du pluriel (*chant**ez***), et à la première personne du pluriel (*chant**ons***). C'est la terminaison (*-e*/*-ez*/*-ons*) qui indique la personne. **En anglais, l'impératif n'est pas marqué par une terminaison**.

L'impératif, en anglais comme en français, peut exprimer un **ordre**, une **suggestion** ou une **consigne**.

146 La 2e personne (singulier et pluriel)

À la deuxième personne, l'impératif se forme en ayant recours à la forme verbale la plus élémentaire : la **base verbale**.

Forme affirmative : base verbale

Hurry up! *Dépêche-toi !/Dépêchez-vous !*

Be quiet! *Tais-toi !/Taisez-vous !*

La reprise interrogative se fait à l'aide de will you? → 155

Hurry up, **will you**?
Tu veux bien te dépêcher ?

Forme négative : do not (don't) + V

Come on, **don't** be jealous!
Allons, ne sois pas jaloux !

Le pronom you est parfois utilisé avant la base verbale.

You sit down! (Plus menaçant que Sit down.)
Vous, asseyez-vous !

Don't **you** dare!
Ose donc ! ou Je te déconseille d'essayer !

L'impératif est également utilisé pour exprimer une **suggestion** ou donner une **consigne**.

Put it in the fridge if you want. *Mets-le dans le frigo si tu veux.*

Put the verbs in brackets into the correct tense.
Mettez/Mettre le verbe entre parenthèses au temps qui convient.

147 La 1re personne du pluriel

Forme affirmative

- À la première personne du pluriel, l'impératif se forme à l'aide de let's (let us) + V.

  Let's go. *Allons-y.*

- La reprise interrogative se fait à l'aide de shall we? qui reprend let's.

  Let's go, shall we? *On y va ! D'accord ?*

  Si la réponse est positive, elle peut être formulée en reprenant let's :

  "**Let's** go, shall we?" "Yes, let's."

Forme négative

- La structure est : let's not + V ou don't let's + V.

  Let's not quarrel about it. ou **Don't let's** quarrel about it.
  Ne nous disputons pas pour ça.

  La seconde structure est plus familière et moins courante que la première.

- La forme abrégée (let's) est bien plus fréquente que la forme pleine (let us), d'autant qu'un énoncé tel que let us go peut être ambigu : *partons* ou *laissez-nous partir*. Let's go, forme abrégée, ne peut signifier que *partons*.

148 La 1re personne du singulier et la 3e personne (singulier et pluriel)

Let est utilisé dans un emploi impératif avec la première personne du singulier (let me) et surtout avec la troisième personne.

Let me see. *Voyons.*

Let me think. *Laisse-moi réfléchir.*

Let him wait. *Qu'il attende.*

Let the children go to bed. *Que les enfants aillent au lit.*

Let there be light. *Que la lumière soit.*

Hors contexte, ces énoncés sont ambigus. Let the children go to bed peut en effet signifier :

Que les enfants aillent au lit. [let de l'impératif]
ou *Laisse les enfants aller au lit.* [let verbe lexical : *permettre*]

C'est le contexte qui lève toute ambiguïté.

The children look tired. Let them go to bed.
Les enfants ont l'air fatigué. Qu'ils aillent ou *Il faut qu'ils aillent se coucher.*

À la forme négative, on trouve : don't let + V

Don't let them wait. *Qu'ils n'attendent pas.*

Don't let me keep you.
Que je ne vous retienne pas. ou *Je ne veux pas vous retenir.*

149 Emploi de *do* aux formes affirmatives

Do peut être utilisé avant la base verbale ou avant let.

Do help yourself to some more!
Resservez-vous, ***je vous en prie*** *!*

Do tell him I'll be glad to meet him.
Dites-lui ***bien*** *que je serai heureux de le rencontrer.*

Do let's go now! *Maintenant,* ***vraiment*** *on y va !*

Cette forme est parfois appelée **impératif emphatique**. Do a ici une valeur d'**insistance**, comme en français l'emploi de *je vous en prie.*

→ Do dit emphatique 33.

À l'impératif, do peut s'employer avec be verbe lexical :

Do be careful. *Fais bien attention.*

L'insistance exprimée par do se traduit en français de différentes façons : par un adverbe (*vraiment, bien*) ou une locution (*je vous en prie*).

Les reprises elliptiques

POUR COMMENCER

- Les reprises elliptiques servent à reprendre un énoncé qui précède. Elles le font à l'aide d'un sujet et d'un auxiliaire (be, have, do ou **modal**).

  "Did he borrow John's car?" "Yes, he did." [he sujet, did auxiliaire]
  « Est-ce qu'il a emprunté la voiture de John ? – Oui. »

  He did représente he borrowed John's car. Dans les reprises elliptiques, le verbe lexical (ici borrow) et les compléments éventuels (John's car) sont omis. Rappelons qu'ellipse signifie « omission ».

- Il existe cinq types de reprises elliptiques :
  - les réponses brèves (*Oui, Non, Je crois...*) → 151 ;
  - les questions brèves (*Ah oui ? Ah bon ?...*) → 152 ;
  - les réactions brèves (*C'est vrai, Eh oui ! Bien sûr que oui*) → 153 ;
  - les énoncés repris par so, neither, but... (*Moi aussi, Toi non plus...*) → 154 ;
  - les *question tags* (*n'est-ce pas ? hein ? pas vrai ?*) → 155.

150 Structure des reprises elliptiques

On emploie les **auxiliaires** be, have, do et les **modaux** dans ces reprises.

- **Be** dans la première phrase, be dans la reprise

  "**Are** you hungry?" "Yes, **I am.**" (Yes, I am hungry) ou "No, **I am not.**" (No, I am not hungry.)
  « Tu as faim ? – Oui./Non. »

  Be apparaît dans la reprise parce qu'il se trouve dans le premier énoncé.

- **Have** auxiliaire dans la première phrase, have dans la reprise

  "**Have** you ever been to Canada?" "Yes, I **have.**" (Yes, I have been to Canada.)/"No, I **haven't.**" (No, I have not been to Canada.)
  « Êtes-vous déjà allé au Canada ? – Oui./Non. »

  Ici aussi, on trouve le même auxiliaire dans la reprise (I have) que dans le premier énoncé.

Modal dans la première phrase, **modal** dans la reprise

"**Will** you help me?" "Yes, I **will**."/"No, I **won't** (I will not)."
« Tu veux bien m'aider ? – Oui./Non. »

Le modal dans la reprise est le même que dans le premier énoncé.

Do dans la première phrase, do dans la reprise

"**Do** you like it here?" "Yes, I **do**." (Yes, I like it here.)/"No, I **don't**." (No, I don't like it here.)
« Ça vous plaît ici ? – Oui./Non. »

ATTENTION S'il n'y a pas d'auxiliaire dans la première phrase, la reprise se fait à l'aide de do.

"I like it here." "Do you? I don't."
« Ça me plaît ici. – Ah bon ? Pas à moi. »

(Do you? : Do you like it here?/I don't : I don't like it here.)

Les **formes contractées** sont extrêmement fréquentes dans les reprises elliptiques.

151 Réponses brèves : « Oui », « Non », « Je crois », « Si tu veux »...

Répondre Oui, Non

- On peut répondre simplement Yes ou No à une question, mais on préfère souvent la structure Yes/No + **sujet** + **auxiliaire**.

"Is she American?" "Yes, she **is**."/"No, she **is not**."
« Elle est américaine ? – Oui./Non. »

"You liked him?" "Yes I **did**, very much."
« Tu l'as apprécié ? – Oui, beaucoup. »

- On peut bien sûr confirmer ou infirmer par autre chose que Yes ou No : Why not? (*Pourquoi pas ?*) Definitely! (*Tout à fait !*) That would be great! (*Ce serait génial !*) Certainly not (*Certainement pas*) Never! (*Jamais !*) You're kidding? (*Vous plaisantez ?*)...

Confirmer un énoncé à l'aide de so **:** *Je pense, J'espère...*

- On trouve so immédiatement après des verbes exprimant la croyance, tels que appear : *paraître* ; believe : *croire* ; guess : *supposer* ; imagine : *imaginer* ; suppose : *supposer* ; seem : *sembler* ; think : *penser* ; hope : *espérer* ; expect : *s'attendre à* ; be afraid : *avoir bien peur* [regret]...

"Will he come?" "**I expect so.**"
« Viendra-t-il ? – Je m'y attends. » ou *« Oui, je pense. »*

"Will he come?" "**I'm afraid so.**"
« Viendra-t-il ? – Hélas oui. » ou « J'en ai bien peur. »

- *À ce qu'il paraît, Il paraît que oui* se dit soit It seems/appears **so**, soit **So** it seems/appears.
- Avec **verbe** + so, on trouve **deux formes négatives**.
  – don't + V + so : I don't expect so. *Je ne pense pas.*
  – V + not : I expect not. *Je ne pense pas.*

  Toutefois, avec hope et be afraid, on ne trouve que **verbe** + not.

  I hope not. *J'espère que non.*

  I'm afraid not. *J'ai bien peur que non.*

Répondre à l'aide d'un verbe suivi de to

La réponse à l'aide d'un verbe suivi de to est fréquente.

"Will you go to her party?"
« Tu vas à sa soirée ? »

"I'd love **to**."
« Ça me ferait vraiment plaisir. »

"If you want me **to**."
« Si vous voulez. »

"I'm not supposed **to**."
« Je ne suis pas censé y aller. »

"I'm not allowed **to**."
« Je n'ai pas l'autorisation d'y aller. »

"I'd prefer not **to**."
« J'aimerais mieux pas. »

To est elliptique et sous-entend : go to her party.

Notez qu'on dit If you want ou If you want to, mais If you like (sans to).

Répondre à une question en who? (ou which?)

Ces reprises elliptiques permettent aussi de répondre à une question en who? (ou which?).

"**Who** can help me?" "**I can./I can't.**"
« Qui peut m'aider ? – Moi./Pas moi. »

Si l'on répond par un nom propre, l'auxiliaire n'est pas obligatoire.

"**Who** came first?" "Lola." ou "Lola **did**."
« Qui est arrivé en premier ? – Lola. »

152 Questions brèves : « Ah oui ? » « Ah bon ? »...

- Elles servent à manifester un certain intérêt, l'étonnement, la colère...

  "I'm living in London now." "**Are** you?"
  « *Je vis à Londres actuellement. – Ah oui ?* »

  "I borrowed your mobile." "Oh, **did you**?"
  « *J'ai emprunté ton portable. – Ah bon ?* »

  "I have received a letter from Nick." "Oh, **have** you?"
  « *J'ai reçu une lettre de Nick. – Ah bon ?* »

- Le locuteur peut aussi reprendre ce qu'il a entendu, suivi d'une question brève (pour manifester l'étonnement, la colère...) :

  So you're getting married, **are you**?
  Alors comme ça, vous vous mariez ?

Ah oui ? Ah bon ? peut aussi se traduire par Really? ou Is that so?

153 Réactions brèves : « C'est vrai. » « Eh oui ! » « Bien sûr que oui »...

- **J'approuve un énoncé affirmatif.**

La structure est alors : Yes/Of course/So + **sujet** + **auxiliaire**.

  "He could work more." "**Of course he could.**"
  « *Il pourrait travailler davantage. – Bien sûr que oui.* »

On aurait pu dire : Yes, he could (*Oui.*)/He could indeed (*En effet.*)/You're right, he could (*Tu as raison.*)/I know he could (*Je sais.*)

  "They were very lucky." "**So they were.**"
  « *Ils ont eu beaucoup de chance. – Ma foi, c'est vrai./C'est bien vrai./Eh oui !* »

ATTENTION Ne pas confondre So they were et So were they : *Eux aussi* (→ 154).

- **J'approuve un énoncé négatif.**

La structure est alors : No + **sujet** + **auxiliaire**.

  "His parents didn't like it." "**No, they didn't.**"
  « *Ses parents n'ont pas apprécié. – C'est vrai./Effectivement.* »

La réponse "Yes, they did" aurait contredit "His parents didn't like it" et se traduirait par « *Mais* **si**, *ils ont apprécié.* »

154 Énoncés repris par *so/neither/but...* (« Moi aussi », « Toi non plus », « Pas les voisins »...)

Avec les reprises en so, neither, but..., on compare avec ce qui précède.

Comparaison positive

So + **auxiliaire + sujet**

OK, you read *The Economist*, **so does Pat**.
D'accord, tu lis « The Economist », Pat aussi.

"I passed with flying colours!" "**So did Helen.**"
« J'ai été reçue haut la main ! – Helen aussi. »

On aurait aussi pu dire : Pat does too./Helen did too.

- À l'oral, *Moi aussi* se dit souvent Me too.
- Après une formule de politesse comme Have a nice day! (*Bonne journée !*) on répond You too! (*Vous aussi !*)

Comparaison négative

Neither **ou** Nor **+ auxiliaire + sujet**

"I haven't got much time." **"Neither have they."** ou "Nor have they."
« Je n'ai pas beaucoup de temps. – Eux non plus. »

"I'm not going." **"Neither am I."** ou "Nor am I."
« Je n'y vais pas. – Moi non plus. »

On peut aussi employer not... either : they haven't either ; I'm not either (→ 208).

À l'oral, *Moi non plus* se dit souvent Me neither ou Nor me.

Neither se prononce ['naɪðə] (surtout GB) ou ['ni:ðə].

Comparaison qui contredit l'énoncé précédent

– énoncé **positif** : but + sujet + auxiliaire **négatif** ;
– énoncé **négatif** : but + sujet + auxiliaire **positif**.

The Smiths will accept (positif) **but their neighbours won't** (négatif).
Les Smith vont accepter mais pas leurs voisins.

He doesn't like strong drinks **but I do**.
Il n'aime pas les boissons fortes mais moi oui ou moi j'aime ça.

But est facultatif : The Smiths will accept. Their neighbours won't.

155 Les *question tags* : « n'est-ce pas ? » « hein ? » « non ? » « pas vrai ? »

On dit les question tags ou simplement les tags. Tag signifie *étiquette, marque*. En général, les tags sont des marques qui correspondent à une demande de confirmation. Ils sont plus fréquents en anglais qu'en français.

Structure des tags

La structure est : **auxiliaire** (n't) **+ pronom sujet**.

Le **sujet** d'un tag est toujours un **pronom**.

- **Énoncé affirmatif → tag négatif**

  This is Jerry, isn't it? *C'est Jerry, non ?*

  He helped her, didn't he? *Il l'a aidée, non ?*

- **Énoncé négatif → tag positif**

  You haven't seen that film, have you? *Tu n'as pas vu ce film, si ?*

  The foreigners couldn't understand, could they?
  Les étrangers n'ont pas pu comprendre, n'est-ce pas ?

ATTENTION "I am" est repris par "aren't I?"

"I am late, aren't I?" *« Je suis en retard, non ? »*

N'est-ce pas ? est assez peu employé en français. Les question tags correspondent beaucoup plus souvent à des interjections familières, telles que *non ? par hasard ? hein ? pas vrai ?* On trouve aussi des expressions comme : by any chance *(par hasard)* ou I suppose, I guess *(je suppose, je pense)* à la place d'un tag.

Particularités d'emploi

- Si un seul mot est négatif, le tag est positif.

  Les mots suivants sont négatifs : no, none, no one, nobody, nothing, scarcely, barely, hardly, ever, seldom.

  She **hardly ever** goes to the cinema, **does she**?
  Elle ne va presque jamais au cinéma, non ?

- Anybody, anyone, neither, none, no one, everybody, everyone, somebody, someone sujets sont repris par le pronom they.

  Neither of them complained, did **they**?
  Ni l'un ni l'autre ne s'est plaint, n'est-ce pas ?

  Everybody is here, aren't **they**? *Tout le monde est là, non ?*

→ Neither **241** ; → Everybody **212**.

• Les énoncés commençant par let's + V sont repris par shall we? (→ 147).

Let's start, **shall we**?
Commençons, vous voulez bien ?

Notez la reprise de l'impératif (2e personne) par will you? ou won't you? (→ 146).

Sit down, **will** you? *Asseyez-vous, je vous prie.*

Sit down, **won't** you? *Vous ne voulez pas vous asseoir ?*

• Les énoncés en there is/there are... sont repris par : **auxiliaire** + there.

There were too many people around, **weren't there**?
Il y avait trop de monde, tu ne trouves pas ?

• Les démonstratifs sont repris par it ou they.

That's nice, isn't **it**? *C'est sympathique, non ?*

Those are better, aren't **they**? *Ceux-là sont mieux, non ?*

L'intonation des question tags

• En général, avec un tag, on ne pose pas une véritable question. L'intonation est alors **descendante**.

She's got three kids, hasn't she? *Elle a trois enfants, hein ?*

• Le tag peut avoir une valeur interrogative, quand on n'est pas sûr de la réponse. On attend alors une vraie réponse ; l'intonation est **montante**.

The plane takes off at 4, **doesn't it**?
L'avion décolle à 4 heures ou non ?

La traduction du tag par *ou non ?* signale qu'on attend une vraie réponse. Mais, avec le même énoncé, on pourrait avoir une intonation descendante et on traduirait alors plutôt par *L'avion décolle à 4 heures, hein ?*

On peut aussi trouver la structure suivante : They are inside, **are they**? Le tag n'est pas interronégatif. They are inside correspond à une supposition et le tag (intonation montante) sert à demander si l'on a raison. Cette structure s'emploie aussi pour répéter ce qui vient d'être dit afin d'exprimer la surprise ou un certain intérêt.

So you like rap, do you? *Et ainsi donc tu aimes le rap ?*

Le groupe nominal

Bescherelle ANGLAIS

Les numéros renvoient aux paragraphes.

Notions de base

Un groupe nominal se compose d'un déterminant suivi d'un **nom**. Le noyau du groupe nominal est un **nom**.

Ce nom peut être modifié par :

- des adjectifs (these **rare** books : *ces livres rares*) ;
- des compléments prépositionnels (a flock **of sheep** : *un troupeau de moutons*) ;
- des propositions relatives (An express is a train **which travels** at a high rate of speed : *Un express est un train qui circule à grande vitesse*).

156 Les fonctions du groupe nominal dans la phrase

Le groupe nominal remplit les fonctions suivantes.

Sujet

These books belong to him. *Ces livres lui appartiennent.*

These books est sujet du verbe belong.

Attribut du sujet

She is **a nurse**. *C'est une infirmière.*

L'attribut (a nurse) est relié – littéralement attribué – au sujet par un verbe d'état.

Complément d'objet direct

They bought **this wine** in France. *Ils ont acheté ce vin en France.*
COD

This wine est dit **complément** car il complète le sens de bought ; il est dit **objet** car il est ce sur quoi porte l'action du verbe ; il est direct car il est relié **directement** au verbe (sans préposition).

Complément d'objet indirect (introduit par une préposition)

Look **at the moon**. *Regarde la lune.*
prép. COI

157 Les déterminants

Déterminer signifie littéralement *marquer les limites de...*

Les déterminants précèdent toujours un nom. Ils constituent un groupe d'outils grammaticaux qui permettent de délimiter le concept exprimé par le nom, d'apporter un plus ou moins grand degré de détermination au nom qui suit.

That man was a prince. *Cet homme était un prince.*

Le nom man en lui-même n'a aucune limite ; c'est une notion générale définie comme tout être humain adulte masculin. Dire **That** man... impose une limite au nom man et permet de désigner un individu particulier, dans une situation particulière.

Les déterminants comprennent :

- les articles (Ø, a, the) → 175-195 ;
- les possessifs (my, your...) → 196-198 ;
- les démonstratifs (this, that) → 199-205 ;
- les quantifieurs (all, each, every, some, any...) → 206-247.

158 Noms dénombrables et noms indénombrables

Cette distinction est **fondamentale** en anglais.

Les noms **dénombrables** peuvent être quantifiés à l'aide de numéraux (one, two, three...). Ils peuvent être précédés de l'article a. Ils peuvent porter la marque du pluriel.

dog : **one** dog ; **a** dog possible ; pluriel : dogs

Les noms **indénombrables** ne peuvent pas être quantifiés directement à l'aide de numéraux. Ils ne sont pas précédés de l'article a (→ 185).

tennis : ~~one tennis~~ ; ~~a tennis~~ information : ~~an information~~
courage : ~~a courage~~ milk : ~~one milk~~

ATTENTION Cette classification en noms dénombrables et noms indénombrables est **grammaticale**. Les noms fruit, furniture, luggage évoquent des objets qui peuvent être comptés dans la réalité, et pourtant on ne peut pas dire ~~a fruit~~, ~~a furniture~~, ~~a luggage~~. D'autre part, les noms ~~furnitures~~ ou ~~luggages~~ n'existent pas !
Il n'est pas toujours facile de savoir si un nom est dénombrable ou pas. Pour cela, il faut consulter un dictionnaire.

159 Catégories de noms indénombrables

- La plupart des noms de **matières** : glass (verre), ice (glace), paper (papier), steel (acier), wool (laine)...

- De nombreux **aliments** : bread (pain), chicken (poulet), milk (lait), fruit (fruits), rice (riz), spaghetti (les spaghettis) et tous les noms de pâtes ; sugar (sucre)...

  Mais bean (haricot), grapes (raisins), pea (petit pois), vegetable (légume)... sont **dénombrables** : a vegetable, two vegetables.

- Baggage (bagages), furniture (meubles), information (les renseignements), luggage (bagages), rubbish (ordures)...
  News (nouvelles/informations) → 172

- La plupart des noms **abstraits** désignant des notions, des qualités, des défauts, des sentiments... : beauty (beauté), courage (courage), joy (joie), literature (littérature), love (amour), mathematics (mathématiques), music (musique), sadness (tristesse), wisdom (sagesse)...

- Les noms décrivant une **activité humaine** (notamment les sports) : cricket, darts (fléchettes), cooking (cuisine), travel (voyages)...

- Les noms de **langues** : Spanish (l'espagnol), French (le français)...

- La plupart des noms de **maladies** : tuberculosis, chicken-pox (varicelle)...

- Les noms de **couleur** : yellow (le jaune), red (le rouge)...

- Les noms désignant un ensemble d'éléments :
  - **vêtements** dans le cas de noms formés à l'aide de -wear : sportswear (les vêtements de sport) ;
  - **articles de consommation** dans le cas de noms formés à l'aide de -ware : software (les logiciels)...

- Les noms de **denrées** ou de **matières** telles que beer, cereal, cheese, coffee, fruit, tea, wood... peuvent avoir un fonctionnement dénombrable lorsque l'on désigne des espèces ou des variétés (→ fishes 167).

  Many fruits taste sweet.
  De nombreuses variétés de fruits ont un goût sucré.

160 Indénombrables ou dénombrables ?

Des noms indénombrables peuvent, dans certains contextes, avoir un fonctionnement dénombrable, assez souvent avec un sens différent.

FONCTIONNEMENT INDÉNOMBRABLE	FONCTIONNEMENT DÉNOMBRABLE
beer *(la bière)*	a beer *(une bière)*
business *(les affaires)*	a business *(une entreprise)*
cloth *(de la toile)*	a cloth *(une nappe)*
clothes *(des vêtements)*	cloths *(des nappes)*
coffee *(du café)*	a coffee *(un café)*
country *(la campagne)*	a country *(un pays)*
glass *(du verre)*	a glass *(un verre)*
hair *(les cheveux, les poils)*	a hair *(un cheveu, un poil)*
paper *(du papier)*	a paper *(un journal)*
stone *(la pierre)*	a stone *(une pierre)*
work *(le travail)*	a work *(une œuvre)*

Business is good at the moment.
Les affaires vont bien en ce moment.

We have a little business in the country.
Nous avons une petite affaire à la campagne.

I love coffee but I've just drunk four coffees.
J'adore le café, mais je viens de boire quatre cafés.

I live in the country.
J'habite à la campagne.

It's a beautiful country.
C'est un beau pays.

Quand on parle des cheveux de quelqu'un, hair est indénombrable (toujours au singulier).

His **hair is** dark.
*Ses **cheveux sont** noirs.*

Hairs (dénombrable) ne s'emploie que lorsqu'on compte quelques cheveux (ou quelques poils).

There were three grey hairs on my pillow.
Il y avait trois cheveux gris sur mon oreiller.

161 Référence générique et référence spécifique

Un nom peut avoir, selon le contexte :
- **une référence générique** (référence au général, à l'universel) ;
- **une référence spécifique** (référence au particulier).

Who invented **the wheel**?
Qui a inventé la roue ?

Référence **générique** : the wheel (*la roue* en général)

The man behind **the wheel** was chewing gum loudly.
L'homme qui était au volant mâchait bruyamment du chewing-gum.

Référence **spécifique** : the wheel (Le volant de la voiture qu'il conduisait.)

162 Déterminant ou pronom ?

Les **déterminants** précèdent un nom (**the** house, **that** man) ; les **pronoms** renvoient le plus souvent à un autre groupe de mots.

Give me **that** book. **It**'s mine.
Donne-moi ce livre. Il est à moi.

It renvoie à that book. C'est un pronom.

Certains termes ne sont **que déterminants** : les articles. D'autres sont **soit déterminants**, **soit pronoms** : les démonstratifs et les quantifieurs.

Give me that book. *Donne-moi ce livre*
déterminant

Give me that. *Donne-moi ça.*
pronom

Ici, that n'est pas suivi d'un nom : c'est un pronom, qui désigne un objet.

Some people never learn but some can.
déterminant **pronom : renvoie à some people**
Certaines personnes n'apprennent jamais, mais certaines peuvent apprendre.

On distingue les **déterminants** possessifs (my, your...) et les **pronoms** possessifs (mine, yours...).

Le genre et le nombre du nom

LE GENRE DU NOM

Il existe trois genres : le masculin, le féminin et le neutre. La notion de genre concerne l'emploi :
- des pronoms sujets (he, she, it) et compléments (him, her, it) ;
- des pronoms possessifs (his, hers, its) ;
- des déterminants possessifs de troisième personne (his, her, its) ;
- de certains noms.

Le nom peut prendre des formes différentes ou semblables au masculin et au féminin.

163 Formes différentes au masculin et au féminin

Certains noms prennent des **formes différentes** au masculin et au féminin, notamment :

man/woman : *homme/femme*
father/mother : *père/mère*
uncle/aunt : *oncle/tante*
brother/sister : *frère/sœur*
girl/boy : *fille/garçon*
actor/actress : *acteur/actrice*
lion/lioness : *lion/lionne*
cow/bull : *vache/taureau*

Un certain nombre de noms formés à l'aide de -man ou de -woman ont été transformés ces dernières années en noms formés à l'aide de -person afin de ne pas marquer de discrimination sexiste.

a chairperson : *un(e) président(e)*
a spokesperson : *un(e) porte-parole*

On trouve encore chairman et spokesman.

164 Formes semblables au masculin et au féminin

- La plupart des noms anglais s'appliquant à une personne ou à un animal sont **indifféremment** masculins ou féminins.

  friend : *ami/amie*
  nurse : *infirmier/infirmière*
  judge : *un juge/une juge*
  cat : *chat/chatte*

Le contexte lève généralement toute ambiguïté.

  She is a nurse. *Elle est infirmière.*

- Si l'on tient à marquer qu'il s'agit d'un **homme** ou d'une **femme**, on fait précéder le nom de male/female ou de man/woman.

  Women often prefer **women (female) doctors**.
  Les femmes préfèrent souvent les médecins femmes.

L'adjectif female appliquée à une femme n'est pas péjoratif.

- Si l'on tient à marquer qu'il s'agit d'un **mâle** ou d'une **femelle**, on fait précéder le nom de he/she (parfois d'un autre nom).

  a he-bear : *un ours* ; a she-bear : *une ourse*
  a he-goat : *un bouc* ; a she-goat (ou nanny goat) : *une chèvre*
  a female cat : *une chatte* ; a tom cat : *un matou*

- **Cas particuliers**

  - Un nom est traditionnellement féminin : ship (lorsqu'il s'agit de bateaux d'une certaine importance), surtout en anglais britannique.

    The ship *Victory*. **She** is the oldest ship still in commission.
    Le navire « Victory ». C'est le plus vieux navire encore en service.

  - Pour parler d'un animal familier, on emploie souvent he ou she selon le sexe de l'animal.

    Who wants to walk the dog? **He** hasn't been out all day.
    Qui veut aller promener le chien ? Il n'est pas sorti de la journée.

  - Les noms de véhicules ainsi que les noms de pays, lorsqu'ils sont utilisés avec une nuance affective, peuvent être féminins.

    Fill it ou **her** up, please. *Faites le plein, s'il vous plaît.*

    I enjoyed travelling around Britain. I loved **her** southern cities.
    J'ai aimé parcourir la Grande-Bretagne. J'ai adoré ses villes du Sud.

  L'emploi de it/its est plus fréquent ici que she/her, surtout en anglais américain.

• Baby est repris à l'aide du pronom it ou du déterminant possessif its, quand on ne connaît pas le sexe du bébé.

There's a new baby in the building. It never stops crying.
Il y a un nouveau bébé dans l'immeuble. Il n'arrête pas de pleurer.

LE NOMBRE DU NOM

Quand on parle de nombre, on s'intéresse à **l'opposition singulier/pluriel**. La notion de nombre affecte :
– la forme du nom (singulier : a girl, pluriel : girl**s**) ;
– les accords, en particulier l'accord sujet/verbe.

Maria speaks very good English. [sujet singulier : verbe singulier]
Maria parle très bien anglais.

Maria and Tim speak very good English. [sujet pluriel : verbe pluriel]
Maria et Tim parlent très bien anglais.

ATTENTION L'accord en nombre est obligatoire lorsque, à plusieurs possesseurs, correspondent plusieurs « choses » possédées (→ 197).

What are the name**s** of the victims?
*Quel est **le** nom des victimes ?*

The neighbours decided to walk their dog**s** at the same time.
*Les voisins ont décidé de promener **leur** chien à la même heure.*

165 Les pluriels réguliers

La plupart des noms dénombrables font leur pluriel en -s.

a dog → dog**s** : *un chien/des chiens*

Cas particuliers

• Les noms se terminant par -ch/-s/-sh/-x/-z ont un pluriel en -es, prononcé [ɪz].

peach → peach**es** boss → boss**es** flash → flash**es**
box → box**es** quiz → quiz**zes**

• La plupart des noms se terminant par -o ont un pluriel en -es.

tomato → tomato**es**

Mais les noms d'origine étrangère ou les noms abrégés se terminant par -o ont un pluriel en -s.

piano → pianos　　photo → photos
concerto → concertos　　kilo → kilos

Les terminaisons -os et -oes se prononcent de la même façon [əʊz].

- Les noms se terminant par une consonne + -y ont un pluriel en -es.

lady → ladies [y devient i]
mais boy → boys

Penny a deux pluriels : pennies (two pennies : *deux pièces d'un penny*) et pence lorsqu'il s'agit de la valeur.

"How much is it?" "Fifty **pence**."
« Combien ça coûte ? – 50 pence. »

- Certains noms se terminant par -f ou -fe ont un pluriel en -ves.

calf (*veau*) ; half (*moitié*) ; knife (*couteau*) ; leaf (*feuille*) ; life (*vie*) ; loaf (*miche de pain*) ; self (*personnalité/le moi*) ; sheaf (*gerbe*) ; shelf (*étagère*) ; thief (*voleur*) ; wife (*femme/épouse*) ; wolf (*loup*)

thief → thieves　　knife → knives

Hoof (*sabot*), scarf (*écharpe*), wharf (*quai*) ont un pluriel en -ves ou -s.

scarf → scarfs ou scarves

- Les autres noms se terminant par -f ou -fe ont un pluriel en -s.

cliff (*falaise*) → cliffs　　handkerchief (*mouchoir*) → handkerchiefs

Prononciation du -s marque du pluriel

Le -s (ou -es) du pluriel est **toujours prononcé**. Les règles de prononciation sont les mêmes que pour la 3e personne du singulier du présent (→ 35).

Le -s du pluriel se prononce :

- [s] après les consonnes sourdes [f], [k], [p], [t] : laughs, cooks, groups, lights ;
- [ɪz] après [s], [ʃ], [z], [ʒ] : kisses, wishes, quizzes, badges ;
- [z] après toutes les autres consonnes et les voyelles : bells, cars, ideas, tomatoes.

166 Les pluriels irréguliers

Un certain nombre de noms ont un pluriel irrégulier.

child [tʃaɪld] (*enfant*) → children ['tʃɪldrən]

foot (*pied*) → feet　　goose (*oie*) → geese　　tooth (*dent*) → teeth

louse (*pou*) → lice
mouse (*souris*) → mice
ox (*bœuf*) → oxen
man (*homme*) → men
woman ['wʊmən] (*femme*) → women ['wɪmɪn]

- C'est également le cas de certains noms d'**origine étrangère**.

SINGULIER	PLURIEL
-is	**-es**
cris**is** (*crise*) analys**is** (*analyse*) bas**is** (*base*) hypothes**is** (*hypothèse*) oas**is**	cris**es** analys**es** bas**es** hypothes**es** oas**es**
Le singulier en -is se prononce [ɪs] ; le pluriel en -es [iːz]	
-on	**-a**
criteri**on** (*critère*) phenomen**on** (*phénomène*)	criteri**a** phenomen**a**
-us	**-i**
cact**us** nucle**us** [sciences] (*noyau, nucléus*) stimul**us**	cact**i** (cactuses est moins fréquent) nucle**i** stimul**i**
Le pluriel en -i se prononce [aɪ] (moins souvent [iː]).	
-a	**-ae**
formul**a** (*formule*) vertebr**a** (*vertèbre*)	formul**ae** (aussi formulas) vertebr**ae**
Le pluriel en -ae peut se prononcer [iː]	

167 Les noms invariables

Certains noms dénombrables ne changent pas de forme au pluriel.

- Noms désignant des **animaux** que l'on **chasse** ou que l'on **pêche** :

bison, buffalo : *buffle* (pluriel buffalo ou buffaloes) ; deer : *daim* ; bear : *ours* (pluriel bear ou bears) ; fish : *poisson*, et la plupart des noms de poissons.

In his dream he caught several **fish**: two **trout** and five **cod**.
Dans son rêve, il a pris plusieurs poissons : deux truites et cinq cabillauds.

Le pluriel fish**es** existe. Il désigne des espèces de poissons.

Ichthyology is the study of fishes.
L'ichtyologie est l'étude des (espèces de) poissons.

- Sheep *(mouton)* et swine *(pourceau)*

a sheep : *un mouton* ; a flock of **sheep** : *un troupeau de moutons*
cast pearls before **swine** : *jeter des perles aux pourceaux*

- Aircraft *(avion)*, craft *(embarcation/avion)*

Three aircraft **were** missing. *Trois avions manquaient.*

- Foot au sens de *soldats d'infanterie* : five thousand **foot** *(5 000 fantassins)*.

Dans les mesures on emploie souvent foot à la place de feet : I'm **six foot** tall (plus fréquent que I'm six feet tall). *Je mesure 1,82 m.*

- Pound *(la livre)*

£5 se dit five pounds mais five pound ou five quid en anglais très familier. Pour toutes les autres monnaies, le -s du pluriel est obligatoire.

- Data

This data is wrong. *Cette donnée est fausse.*
These data are wrong. *Ces données sont fausses.*

- ATTENTION Certains noms ont un -s au singulier. Ils ne changent pas au pluriel.

barracks *(caserne)*, crossroads *(carrefour)*, headquarters *(siège)*, means *(moyen)*, series *(série)*, species *(espèce)*, works *(usine)*.

He has found **a** good **means** to do it.
Il a trouvé un bon moyen de le faire.

His financial **means are** small.
Ses ressources financières sont maigres.

168 Les noms collectifs : singulier ou pluriel ?

Avec les noms collectifs, on s'intéresse soit à un **groupe**, soit à un **ensemble d'individus**. Noms collectifs les plus importants :
army *(armée)* ; audience *(spectateurs)* ; cast *(distribution des acteurs)* ; cattle *(bétail)* ; company *(société, entreprise)* ; crew *(équipage)* ; crowd *(foule)* ; family *(famille)* ; government *(gouvernement)* ; group *(groupe)* ; public *(public)* ; press *(presse)* ; staff *(personnel)* ; team *(équipe)*...

169 Noms collectifs représentant le groupe

Quand les noms collectifs représentent le groupe, l'accord se fait au singulier. Ils sont repris par it ou which et peuvent être déterminés par its.

The government, **which is** controlled by right-wing ministers, wants to reduce its expenses.
Le gouvernement, qui est dirigé par des ministres de droite, veut réduire ses dépenses.

170 Noms collectifs désignant un ensemble d'individus

- Lorsque les noms collectifs désignent un ensemble d'individus, l'accord se fait au pluriel. Le nom est alors repris par they ou who et peut être déterminé par their.

The government, **who are** controlled by right-wing ministers, **want** to reduce **their** expenses.
Le gouvernement, qui est dirigé par des ministres de droite, veut réduire ses dépenses.

The staff **aren't** happy with **their** working conditions.
Le personnel n'est pas satisfait de ses conditions de travail.

- Lorsqu'un nom de pays désigne une équipe nationale, le verbe peut s'accorder au pluriel.

[titre de journal] England win world cup.
L'Angleterre gagne la coupe du monde.

- En anglais américain, si le nom est au singulier, on emploie généralement un verbe au singulier, sauf family qui peut être suivi d'un verbe au pluriel.

The team is in Florida. (US ou GB)
ou The team are in Florida. (GB)
L'équipe est en Floride.

My family **are** all tall and **they** don't complain about it.
Tous les membres de ma famille sont grands et ils ne s'en plaignent pas.

- Lorsque les noms collectifs désignent **plusieurs groupes**, ils portent la marque du pluriel.

The successive governments have done nothing about it.
Les gouvernements successifs n'ont rien fait pour que ça s'améliore.

171 Noms collectifs s'accordant toujours au pluriel

Certains noms collectifs s'accordent **toujours** au pluriel, y compris en anglais américain.

cattle **(le bétail)** ; management **(la direction)** ; people **(les gens)** ; police **(la police)** ; vermin **(les animaux nuisibles)**

The police **have** arrested the murderer. [~~The police has...~~]
La police a arrêté le meurtrier.

Do **many** people agree?
Y a-t-il beaucoup de gens qui sont d'accord ?

Ces noms collectifs peuvent être comptés.

Over **two thousand people** were present.
Plus de deux mille personnes étaient présentes.

Ten police were injured.
Dix policiers ont été blessés.

200,000 cattle will be put down.
200 000 têtes de bétail seront abattues.

On dit aussi fifty head of cattle : **cinquante têtes de bétail** ou fifty head of oxen : **cinquante bœufs, sans** -s **à** head !

People peut porter la marque -s du pluriel lorsqu'il signifie **peuple**. Cet emploi est rare.

the peoples of the East : **les peuples de l'Orient**

172 Les noms indénombrables : singulier ou pluriel ?

Rappelons que les noms indénombrables ne peuvent pas être quantifiés à l'aide de one, two, three.

Ils ne sont pas précédés de l'article a (an). → 158

Noms indénombrables singuliers

Ils s'accordent toujours au singulier.

All luggage that **is** left unattended will be destroyed.
Tous les bagages abandonnés seront détruits.

Fruit **is** better for your health than chocolate!
Les fruits sont meilleurs pour ta santé que le chocolat !

No evidence was found.
On n'a pas trouvé de preuves.

Certains indénombrables correspondent à des pluriels en français (*les bagages, les renseignements, les meubles, les fruits...*). En anglais, on ne peut pas leur ajouter le -s du pluriel : ~~luggages~~, ~~informations~~, ~~furnitures~~.

Certains indénombrables étaient des pluriels à l'origine, mais ils sont singuliers en anglais contemporain.

> Darts **is** a predominantly British game.
> *Les fléchettes sont essentiellement un jeu britannique.*
>
> The news **was** devastating.
> *Cette nouvelle a fait l'effet d'une bombe.*

Noms indénombrables pluriels

Ils s'accordent toujours au pluriel.

- Les noms qui désignent des objets doubles sont souvent des indénombrables pluriels.

  bermudas *(un bermuda)* ; binoculars *(des jumelles)* ; compasses *(un compas)* ; glasses *(des lunettes)* ; jeans *(un jean)* ; pyjamas (GB), pajamas (US) *(un pyjama)* ; scales, a scale (US) *(une balance)* ; scissors *(des ciseaux)* ; shorts *(un short)* ; trousers (GB), pants (US) *(un pantalon)*...

  > His jeans **were** torn.
  > ***Son** jean **était** déchiré.*
  > *ou Ses jeans étaient déchirés.*

  Ces noms peuvent être précédés de a pair of.

  > a pair of trousers : *un pantalon*
  >
  > a pair of jeans : *un jean* (et non ~~a jeans~~)
  >
  > a pair of scissors : *une paire de ciseaux*

- Autres noms indénombrables pluriels : brains *(l'intelligence)* ; clothes *(les habits)* ; contents *(le contenu)* ; customs *(la douane)* ; goods *(les biens)* ; looks *(l'apparence)* ; manners *(la conduite, les manières)* ; the Middle Ages *(le Moyen Âge)* ; outskirts *(la banlieue)* ; remains *(les restes, la dépouille)* ; savings *(des économies)* ; stairs *(l'escalier)* ; surroundings *(les alentours)* ; wages *(le salaire)*...

  > Her looks **are** stunning. Her brains **are** impressive. But her manners **are** terrible.
  > *Sa beauté est stupéfiante. Son intelligence impressionne. Mais elle n'a aucun savoir-vivre.*

  Ne pas confondre a brain *(un cerveau)* et brains *(l'intelligence)*.

Noms indénombrables en -ics : singulier ou pluriel ?

- Ces noms s'accordent au **singulier** s'ils désignent la discipline.

  Mathematics **is** an exact science. Politics **is** not.
  Les mathématiques sont une science exacte. Pas la politique.

- Ils s'accordent au **pluriel** s'ils désignent quelque chose de particulier.

  What **are** your politics? *Quelles sont vos opinions politiques ?*

  The acoustics in this room **are** appalling.
  *L'acoustique de cette pièce **est** épouvantable.*

173 Les noms propres : abréviations et pluriel

Les **noms de pays au pluriel** s'accordent au singulier.

The United States **is** seventeen times as big as France.
Les États-Unis sont 17 fois plus grands que la France.

The Netherlands **was** occupied during World War Two.
Les Pays-Bas ont été occupés pendant la Seconde Guerre mondiale.

Les **noms de famille** portent la marque du pluriel.

I've invited the Smith**s** and the Jones**es**.
J'ai invité les Smith et les Jones.

Les **abréviations** peuvent porter la marque du pluriel.

an MP : a Member of Parliament (*un député*) → four MPs

a VIP : a very important person (*une personnalité*) → ten VIPs

174 Les noms composés au pluriel

Les noms composés sont des noms qui comportent plus d'un élément.

→ Formation des noms composés 258.

En règle générale, seul le **second** élément du nom composé porte **la marque du pluriel**.

a tea-cup → tea-cup**s** : *des tasses à thé*

a horse-race → horse-race**s** : *des courses de chevaux*

a grown-up → grown-up**s** : *des adultes*

Si le premier élément finit en -er, c'est lui qui porte la marque du pluriel.

passer-by → passers-by (*passant*)

hanger-on → hangers-on (*parasite, profiteur*).

Quand le premier élément est man ou woman, il porte la marque du pluriel s'il a un rôle de **sujet**.

a woman pilot → women pilots : *des femmes pilotes*

S'il a un rôle de **complément**, il ne prend pas la marque du pluriel.

a man-eater → man-eaters : *des anthropophages*

a woman hater → woman-haters : *des misogynes*

Comparez de même : women doctors (*femmes médecins*) et woman doctors (*gynécologues*).

Dans women doctors l'accent principal tombe sur doctors. Dans woman doctors, il tombe sur woman.

→ Accentuation des noms composés 259.

Les déterminants Ø, a et the
Les déterminants possessifs

L'ARTICLE ZÉRO (Ø)

L'article zéro (Ø) symbolise l'absence d'article devant un groupe nominal, là où aurait pu se trouver un déterminant (a, the, some...).
Il correspond à un degré minimal de détermination. Il est beaucoup plus employé en anglais qu'en français.

175 L'article zéro (Ø) dans un contexte générique

L'article zéro permet d'exprimer une **généralité** avec les indénombrables singuliers et les dénombrables pluriels.

INDÉNOMBRABLE SINGULIER	DÉNOMBRABLE PLURIEL
I prefer Ø tea to Ø coffee.	I like Ø sports cars.
J'aime mieux le thé que le café.	*J'aime les voitures de sport.*
Ø Life begins at forty.	Ø Children no longer know how to behave.
La vie commence à quarante ans.	*Les enfants ne savent plus se tenir.*

On sous-entend : tea, coffee, sports cars, life, children **in general**.

Le français traduit Ø par le/la/les dans un contexte générique.

*J'aime mieux **le** thé que **le** café. J'aime **les** voitures de sport.*

176 L'article Ø + nom dénombrable pluriel

- **Tous les noms dénombrables au pluriel** peuvent être employés dans un sens générique.

  Ø Books should be cheaper.
  Les livres (en général) devraient être moins chers.

- **L'adjonction d'un adjectif n'implique pas l'utilisation de the.**

  Ø Imported books should be cheaper. [imported books in general]
  Les livres importés devraient être moins chers.

  I like Ø fast cars.
  J'aime les voitures rapides.

ATTENTION Les noms man et woman ont un fonctionnement particulier : si l'on parle de l'homme ou de la femme en général, on peut utiliser Ø man ou Ø woman, bien qu'ils soient dénombrables (a man, a woman).

Man often fails where woman sometimes wins.
L'homme échoue souvent là où la femme réussit parfois.

On peut aussi dire Men often fail... (Ø + nom dénombrable au pluriel) ou **A man** often fails... → 183

177 L'article Ø + nom indénombrable

Les indénombrables s'emploient avec Ø pour désigner une **généralité**. Les noms de repas et de saison s'utilisent de la même façon.

Love is blind.
L'amour est aveugle.

Winter always seems to last longer than spring.
L'hiver semble toujours plus long que le printemps.

ATTENTION Les noms nature, society et space s'emploient avec Ø.

Some people prefer Ø nature to Ø society. To me, there's nothing like Ø space.
Certains préfèrent la nature à la société. Pour moi, rien ne vaut l'espace.

178 L'article Ø dans un contexte spécifique

Dans un contexte particulier, l'article zéro peut s'employer là où en français on utilise *du, de, la, des* :

- avec les noms indénombrables ;
- avec les noms dénombrables au pluriel.

179 L'article Ø, là où le français emploie « du, de la, des »

Avec les noms indénombrables

Do you still feel Ø love for me?
Éprouvez-vous toujours ***de*** *l'amour pour moi ?*

This table is Ø solid wood. *Cette table, c'est* ***du*** *bois massif.*

What do you want to drink: Ø tea or Ø coffee?
Que désirez-vous boire : ***du*** *thé ou* ***du*** *café ?*

Look at that stain. It's Ø blood!
Regarde cette tache. C'est ***du*** *sang !*

Avec les noms dénombrables au pluriel

There are Ø children playing in the street.
Des *enfants jouent dans la rue.*

(Il s'agit d'enfants en particulier et non de tous les enfants possibles.)

I turned round and saw Ø bees coming towards me.
Je me suis retourné et j'ai vu **des** *abeilles qui venaient vers moi.*

These trees are Ø oaks. *Ces arbres sont* **des** *chênes.*

His parents are Ø very nice people.
Ses parents sont **des** *gens très gentils.*

Les gens se traduit par Ø people, même pour parler d'un groupe de personnes spécifique.

Ø People began to wonder if he had gone mad.
Les gens *commencèrent à se demander s'il était devenu fou.*

Contexte spécifique : les gens sont dans une situation précise et pourtant on ne dit pas ~~The people began...~~ Mais on aurait pu dire The people around him began...

Du, de la, des se traduisent par Ø + nom ou par some + nom (→ 227).

On utilise Ø quand on se réfère à la notion exprimée par le nom et non à la quantité ou au nombre. Dans Do you like Ø tea, Sue? le locuteur s'intéresse à la **qualité** exprimée par le nom. Il demande à Sue si elle aime tout ce qui se définit comme thé.

Dans Would you like **some** tea? il ajoute un commentaire d'ordre **quantitatif** (*Veux-tu une quantité non spécifiée de thé ?*).

180 Choix de l'article selon le type de nom : Ø en concurrence avec *a* et *the*

Noms de repas non précédés d'un adjectif : **Ø**

I had Ø lunch with her yesterday.
J'ai déjeuné avec elle hier.

Mais : I had **a good** lunch. *J'ai bien déjeuné.*

Noms de langue : Ø

Do you speak Ø Chinese? *Tu parles (le) chinois ?*

Noms de maladie : Ø

She survived Ø cancer. *Elle a survécu au cancer.*

Les maladies ou maux sans gravité sont dénombrables : a cold (un rhume), a fever (de la fièvre), a sore throat (un mal de gorge), a temperature (de la température). On dit have flu ou have the flu mais have Ø influenza (avoir la grippe).

Notez have (the) measles (la rougeole) ; have (the) mumps (les oreillons).

Les noms en **-ache** n'ont pas le même fonctionnement en anglais britannique et américain.

have backache, earache, stomachache, toothache (GB)

have **a** backache, **an** earache, **a** stomachache, **a** toothache (US)
(avoir mal au dos, aux oreilles, à l'estomac, aux dents)

Mais have **a** headache *(avoir mal à la tête)* (GB et US).

- **Noms de saison :** le plus souvent the dans un contexte spécifique.

I'll spend the summer in Australia.
Je vais passer l'été en Australie.

• Mais on a le choix entre Ø et the dans les phrases du type :

This garden is lovely in (the) spring.
Ce jardin est magnifique au printemps.

I like (the) summer best.
L'été est ma saison préférée.

• Notez l'emploi du mot weather

Ø + adjectif weather

We're having Ø terrible weather. *Il fait un temps affreux.*

Mais : What's **the** weather like? *Quel temps fait-il ?*

- **Noms de couleurs :** le plus souvent some dans un contexte spécifique (Ø possible).

Why don't you add some blue to your painting?
Pourquoi n'ajoutes-tu pas un peu de bleu à ta peinture ?

- **Noms d'instruments de musique :** généralement the, mais Ø dans un contexte de jazz ou de musique pop.

She plays the violin. *Elle joue **du** violon.*

I play Ø electric guitar. *Je joue **de la** guitare électrique.*

- **Noms de lieux :** Ø + school, bed, hospital, market, prison, university...

He went to Ø bed early. *Il est allé au lit de bonne heure.*

I left Ø school at sixteen. *J'ai quitté l'école à seize ans.*

• The + **nom** renvoie à un objet ou un bâtiment précis.

He went to **the** bed. ***Il se dirigea vers le lit.***

The school is near the station. ***L'école est près de la gare.***

• Avec hospital, on a le choix : be in (the) hospital **(être à l'hôpital)**, go to (the) hospital **(aller à l'hôpital)**, be taken to (the) hospital **(être hospitalisé)**.

L'emploi de the est plutôt américain.

• Notez : go to **the** cinema (US the movies), go to **the** theatre.

• Ø + home lorsque home n'est ni précédé ni suivi d'une expression qui en délimite le sens.

They got Ø home late.
Ils sont rentrés tard chez eux.

This was **the** only home he had ever known.
C'est la seule maison qu'il ait jamais connue.

On dit be at home ou be home : ***être à la maison.***

Noms de moyens de transport et de transmission

• **by** + Ø + nom : by train, by bus, by car...

I went there by Ø bus. ***J'y suis allé en autobus.***

• Ø + television lorsqu'il est fait allusion au moyen de transmission.

I often watch Ø television. ***Je regarde souvent la télévision.***

Mais : Could you turn off **the** television, please?
Pourriez-vous éteindre la télévision ? [le poste allumé]

On dit watch Ø television mais listen to **the** radio.

181 Ø et *the* devant les noms propres

Noms de personnes

Les noms propres renvoient à des personnes supposées connues. Il est donc inutile de les déterminer en employant the. C'est pourquoi on dit :

Ø John, Ø Mary, Ø Mrs Smith...

C'est également le cas pour un titre suivi d'un nom.

Ø Queen Elizabeth : ***la reine Elizabeth*** ;
Ø President Bush : ***le président Bush***

Mais on dira :

the Queen has just given a speech.
La reine vient de faire un discours.

Noms de lieux : pays, États, continents, comtés...

- Article Ø sauf s'ils sont formés à partir d'un nom commun.

  Ø France/Ø England/Ø Africa/Ø Texas/Ø Quebec/Ø Kent

  Mais **the U.S.A.** (the United **States** of America), **the Republic** of Ireland, **the** United **Kingdom**, **the** Nether**lands**...

- Ø est également utilisé devant East/West/North/South suivis immédiatement d'un nom propre.

  NY is in Ø North America. *New York est en Amérique du Nord.*

Noms d'entités géographiques

- Seuls les noms de sommets et de lacs s'emploient avec Ø.

  Ø Mount Everest : *l'Everest* ; Ø Lake Erie : *le lac Érié*

- Les noms d'entités géographiques construits à partir d'un nom commun (river, sea, ocean...) sont employés avec the.

  the (river) Thames : *la Tamise* ; the Atlantic (ocean) : *l'Atlantique* ; the Alps : *les Alpes* ; the Sahara (desert) : *le Sahara...*

Noms de rues, de bâtiments

- À l'exception de the Mall (célèbre avenue de Londres), on utilise Ø + nom de rue, de place : Ø Regent Street ; Ø Piccadilly Circus...

- On utilise Ø devant les noms de lieu composés de **nom propre + nom de bâtiment**.

  Ø Westminster Abbey : *l'abbaye de Westminster* ; Ø Buckingham Palace : *le palais de Buckingham* ; Ø Gatwick airport : *l'aéroport de Gatwick* ; Ø Oxford University : *l'université d'Oxford* ; Ø Bristol Station : *la gare de Bristol...*

- Cependant, on emploie the devant les noms de cinémas, d'hôtels et de musées.

  The Odeon ; The Ritz ; The British Museum...

Noms de jours et de mois

Les noms de jours et de mois sont traités comme des noms propres en anglais. Ils s'emploient toujours avec des majuscules et avec Ø.

I'm leaving (on) Ø Friday. *Je pars vendredi.*

He'll spend Ø September away. *Il ne sera pas ici en septembre.*

Le lundi, le mardi... se traduit par Ø + nom au pluriel.

Je déteste le lundi. I hate Ø Mondays.

L'ARTICLE A

L'article a s'appelle traditionnellement article « indéfini », ce qui sous-entend que l'identité du nom n'est pas (complètement) connue, déterminée. A n'a **pas de forme au pluriel** : an apple (*une pomme*) → apples (*des pommes*).

Le pluriel de un en français est *des*. L'article *des* se traduit soit à l'aide de Ø, soit à l'aide de some.

Il a apporté ***des*** *fleurs.*
He has brought **some** flowers. (quelques fleurs)
He has brought Ø flowers. (C'est le fait que ce soit des fleurs et non des gâteaux qui importe.)

→ Traduction de *du, de la, des* 227.

→ Différence entre little et a little 240.

182 *A* ou *an* ?

- A s'emploie devant tout mot commençant par un **son** de consonne (y compris u et eu prononcés comme le pronom you).

a house, a yacht, a university, a Eurocheque, a yellow armchair...

Ne pas oublier que **h se prononce en anglais**. Comme h est une consonne, on dit **a** house.

- An s'emploie devant tout mot qui commence par un **son** de voyelle.

an elephant, an elegant person

ATTENTION Dans de rares mots, le **h** ne se prononce pas : heir (*héritier*), honest, honour, hour. Ils commencent donc par un son de voyelle.

an hour, an honest man

- Une certaine ambiguïté existe devant les mots commençant par h et qui ne sont pas accentués sur la première syllabe.

On rencontre soit **a** historical event, soit **an** historical event, parce que le h est à peine prononcé. A historical... est plus fréquent.

- **Prononciation** : a se prononce [ə] et **an** [ən].

Quand a est accentué ou quand on hésite, il se prononce [eɪ].

It's a [eɪ] problem – not the only one.
C'est un des problèmes. Pas le seul.

I'll have a [eɪ] um... a [ə] triple scotch.
Je vais prendre un euh... un triple scotch.

183 À quoi sert *a* ?

L'article a permet de présenter **un élément nouveau**, de donner une information nouvelle. A est présentatif.

L'article *un* en français fonctionne de la même manière.

- Ce qui est nouveau peut être ce à quoi renvoie le nom.

For lunch, I had **a** sandwich and **an** apple.
Pour mon déjeuner, j'ai mangé un sandwich et une pomme.

a sandwich, an apple n'ont pas été mentionnés auparavant.

Celui qui m'écoute ne connaît pas la composition de mon déjeuner. Dans cet exemple, on pourrait remplacer a/an par one (I had one sandwich and one apple). On parle parfois d'emploi **quantitatif** de a dans ce cas.

On emploie aussi a + **nom** pour introduire un nom auquel on donne une valeur **générique** (il représente l'ensemble d'une classe).

A car must be insured. *Une voiture, il faut l'assurer.*

On pourrait aussi dire : All cars/Any car must be insured.

A dog is a faithful animal. *Un chien, c'est fidèle.*

→ Comparaison avec Dogs are... The dog is... 195.

- Ce qui est nouveau peut être la description que l'on fait du nom.

That was **a** wonderful evening. *Ce fut une soirée merveilleuse.*

L'existence de la soirée en question n'est pas nouvelle, puisqu'il s'agit de la soirée où nous nous situons. Ce qui est nouveau, en revanche, c'est la description à l'aide de l'adjectif wonderful. On ne peut pas, dans cet emploi appelé parfois **qualitatif**, remplacer a par one.

- Ce qui est nouveau peut être l'appartenance à un groupe.

Callie is **a** doctor. *Callie est médecin.*

Le fait que Callie soit médecin est nouveau pour celui à qui l'on parle. **A** doctor signale que Callie appartient à la catégorie des médecins. On parle parfois d'emploi **classifiant** dans ce cas, car un élément (Callie) est classé dans une catégorie (doctors).

Tout emploi de a suppose un lien entre du particulier et du général. Si je dis She is a doctor, je renvoie à une personne en particulier, mais j'établis parallèlement un lien avec un groupe, celui des doctors. L'article a me permet de **dissocier**, d'extraire un élément d'un groupe.

184 Règles d'emploi : différences entre *a/an* et « un »

A + nom se traduit souvent par **un + nom**. Il existe toutefois quelques différences entre le français et l'anglais.

- **Devant un nom de métier ou de fonction**

  She is **a doctor**. *Elle est **Ø médecin**.*

  Si la fonction décrite par le nom ne peut être occupée que par une seule personne à un moment donné, on emploie Ø.

  Dr Arnold was **Ø headmaster** of that school in 1990.
  *Le Docteur Arnold était **Ø directeur** de cette école en 1990.*

- **Dans les appositions**

  E. Hopper, **a famous American painter**, came to Paris in 1907.
  *E. Hopper, **Ø célèbre peintre américain**, est venu à Paris en 1907.*

  Si la description ne s'applique qu'à une personne, on emploie Ø ou the.
  Mr Lee, (the) Secretary General of the board, has signed the deal.
  M. Lee, le secrétaire général du comité, a signé l'accord.

- **Après une préposition** lorsque le nom est dénombrable singulier.
  as a teacher : *en tant que professeur*
  in a bad mood : *de mauvaise humeur*

  Don't go out **without an** umbrella. *Ne sors pas sans parapluie.*

  Mais as **Ø president** of this committee... car il n'y a qu'un seul président.

- **Après what et such** lorsque le nom est dénombrable singulier.

  What **a** beautiful day! *Quelle belle journée !*
  It's such **a** lovely trip! *C'est un si beau voyage !*

- Avec kind of, sort of, type of, on a le choix entre a et Ø.

  I've had a funny **sort of (a) day**. *J'ai eu une drôle de Ø journée.*

- **Devant une unité de temps, de mesure** pour donner une indication de **fréquence**, de **prix** ou de **vitesse**.
  twice **a** week : *deux fois par semaine* ; $5 a litre : *cinq dollars le litre* ; 60 miles **an** hour : *60 miles à l'heure*

  Mais on trouve by **the** + mesure.

  This is sold by **the** pound. *Ceci se vend à la livre.*

> Dans quelques expressions, a se traduit plutôt par *le, la, les* : smoke **a** pipe (*fumer **la** pipe*), set **an** example (*donner **l'**exemple*)...
> Notez aussi have a fever, a temperature (*avoir de **la** fièvre*) → 180.

185 L'article *a* et les noms indénombrables

- L'article a ne s'utilise pas directement devant les noms indénombrables. Pour désigner un élément particulier, on a souvent recours à a piece of (qui est un « dénombreur »).
Les noms ci-dessous en colonne de gauche ne sont **jamais directement** précédés de a/an. Ils ne portent **jamais** la marque du pluriel.

NOM INDÉNOMBRABLE	UN ÉLÉMENT DE L'ENSEMBLE
accommodation : *le logement*	a house/a flat...
advice : *des conseils*	a piece of advice : *un conseil*
chaos : *le chaos*	a state of chaos : *un chaos*
evidence : *des preuves*	a piece of evidence : *une preuve*
fruit : *les fruits*	a piece of fruit : *un fruit*
furniture : *les meubles*	a piece of furniture : *un meuble*
information : *des renseignements*	a piece of information : *un renseignement*
leisure : *le loisir*	a hobby/a leisure activity : *un loisir*
luck : *de la chance*	a stroke of luck : *une chance*
luggage : *des bagages*	a piece of luggage : *un bagage*
music : *la musique*	a piece of music : *un morceau de musique*
news : *des nouvelles*	a piece of news/a news item : *une nouvelle*
progress : *des progrès*	an improvement/an advance : *un progrès*
travel : *les voyages*	a trip/a journey : *un voyage*
work : *le travail*	a job : *un travail*

Comparez :

I usually have **fruit** for dessert.
Habituellement, je mange des fruits au dessert.

I'll just have **a piece of fruit**. *Je prendrai juste un fruit.*

- On trouve également some devant ces noms pour traduire un ou des.

some information : ***un*** *ou* ***des*** *renseignements*
some advice : ***un*** *ou* ***des*** *conseils*

- Il est possible d'utiliser a devant un nom indénombrable si ce nom est suivi d'une proposition relative.

They live in Ø harmony. *Ils vivent en harmonie.*

They live in Ø perfect harmony. *Ils vivent en parfaite harmonie.*

They live in **a** harmony that you have no idea of.
Ils vivent dans une harmonie dont vous n'avez pas idée.

On trouve parfois **a** + **adjectif** + nom indénombrable.

We all need **a good** sleep.
Nous avons tous besoin de bien dormir.

186 Structures particulières

Avec as, so, too et how, on trouve : **adverbe + adjectif + a + nom**.

It's **too/so difficult a** job. [~~It's a too/so difficult job.~~]
C'est un travail trop/si difficile.

How difficult an artist's life can be!
Comme la vie d'un artiste peut être difficile !

L'ordre est le même qu'en français si l'adjectif est attribut.

This job is **too/so** difficult. (Structure plus courante)
Ce travail est trop/si difficile.

Avec half, deux structures sont possibles : **a + half + nom** ou **half + a + nom**

a half pint of lager ou half a pint of lager : *une demi-pinte de bière*

a half hour ou half an hour : *une demi-heure*

Notez cependant : half a dozen (*une demi-douzaine*).

→ A friend of mine (*un de mes amis*) 338.

187 Différence entre *not a* + nom et *no* + nom

Comparez :

Ross is **not a** singer.	Ross is **no** singer.
Ross n'est pas chanteur.	*Ross n'est vraiment pas un chanteur.*

Dans le premier énoncé, c'est Ross is a singer qui est nié. Ross n'appartient pas à la catégorie des singers.
Dans Ross is no singer, no porte sur le nom singer : Ross n'a pas les qualités d'un chanteur. Notez également :

He's not much of a singer. *Ce n'est pas un très bon chanteur.*

Pas de + **nom** se traduit le plus souvent par not any + nom (→ 234). On trouve aussi no + nom, qui est plus empathique (→ 242). On emploie not a + nom si le pluriel est peu envisageable. Comparez :

I don't have any friends. ou I have no friends.
*Je n'ai **pas d'**amis.*

I don't have a passport. *Je n'ai **pas de** passeport.*

L'ARTICLE THE

L'article the s'appelle traditionnellement l'article défini parce que l'identité du nom est connue (définie). The peut être suivi d'un nom au singulier ou au pluriel : the dog/the dogs.

188 Prononciation de *the*

The se prononce [ðə] devant un son de consonne et [ði] devant un son de voyelle. La règle d'emploi est la même que pour a + consonne/ an + voyelle (→ 182).

- [ðə] devant house, yacht, university, Eurostar, yellow armchair (eu et u prononcés comme you) ;
- [ði] devant elephant, elegant person, heir, honest man, hour (h ne se prononce pas dans heir, honest, hour).

Quand on marque une hésitation, the peut se prononcer [ði].

I'd like the [ði] um... the [ðə] red one. *Je voudrais le euh... le rouge.*

The peut porter un accent d'insistance (il apparaîtra en italique ou souligné à l'écrit). Il se prononce alors [ðiː].

This is *the* book to read. *C'est LE livre à lire/le livre par excellence.*

189 À quoi sert *the* ?

Comme *le*, *la*, *les*, l'article the signale du **connu**, de l'**identifié**. The correspond à un grand degré de détermination.

The s'emploie moins que *le*, *la*, *les*.

Si the se traduit souvent par *le*, *la*, *les*, l'inverse n'est pas vrai. *Le*, *la*, *les* se traduit par Ø pour exprimer une **généralité** (→ 175).

Les livres devraient être moins chers. Ø Books should be cheaper.

The provient historiquement d'un démonstratif. Il a d'ailleurs gardé une valeur plus démonstrative que son homologue français *le*, *la*, *les*.

Look at **the** mess! *Regarde-moi* ***ce****/le désordre !*

Dans the, on trouve th- tout comme dans this, that, there, then, thus ; th- dans tous ces termes exprime **un lien au connu**.

Alors que a apporte une information, the fait appel à la mémoire. The exprime un lien au **déjà** : déjà dit, repéré, connu, pensé.

190 Règles d'emploi de *the*

L'article the s'emploie aussi bien avec des noms dénombrables que des noms indénombrables. Comme *le*, *la*, *les*, il renvoie :
- au déjà dit ;
- à un élément de la situation présente ;
- à du déjà connu culturel ;
- à une généralité.

191 *The* renvoie à du déjà dit

On emploie *le*, *la*, *les* de la même façon.

Le nom apparaît dans le contexte précédent.

I saw a film last night. **The** film was about a poor boy...
J'ai vu un film hier soir. ***Le*** *film parlait d'un pauvre garçon...*

Le nom renvoie indirectement à un nom qui apparaît dans le contexte précédent.

I bought a house on the coast. **The** door is made of mahogany.
J'ai acheté une maison sur la côte. ***La*** *porte est en acajou.*

The door renvoie à house. L'existence d'une porte est déduite culturellement de l'emploi de a house.

192 *The* renvoie à un élément de la situation présente

On emploie *le*, *la*, *les* de la même façon.

L'élément désigné par the + **nom** renvoie à la situation dans laquelle on se trouve.

Could you pass me **the** salt?
Pourrais-tu me passer ***le*** *sel ?* (Le sel qui est sur la table.)

Where is **the** dog? *Où est* ***le*** *chien ?* (Le chien de la maison dans laquelle je me trouve.)

La situation peut être plus large que l'espace réduit qui nous entoure.

Let's go out, I'd like to visit **the** Cathedral.
Sortons, j'aimerais visiter ***la*** *cathédrale.* (La cathédrale de la ville dans laquelle je me trouve.)

193 *The* renvoie à du déjà connu culturel

On emploie *le*, *la*, *les* de la même façon.

- **Le déjà connu culturel concerne des personnes.**

  The Pope and **the** Queen were to meet for the first time.
  Le *pape et* ***la*** *reine allaient se rencontrer pour la première fois.*

L'existence du pape et de la reine est culturellement connue. Je peux donc dire the Pope, the Queen sans avoir parlé précédemment d'un pape ou d'une reine.

- Le déjà connu culturel concerne aussi des noms **géographiques**, **historiques**, **spatiaux**.

the sun : *le Soleil* ; the moon : *la Lune* ; the earth : *la Terre* ; the world : *le monde* ; the air : *l'air* ; the Great War : *la Grande Guerre* ; the Republic : *la république* ; the mass media : *les médias*...

Cependant, on emploie Ø avec nature, society, space (→ 177).

194 *The* devant un nom déterminé par ce qui suit

On emploie *le*, *la*, *les* de la même façon.
The s'emploie devant tout nom déterminé par l'une des structures suivantes.

- **Un complément introduit par une préposition**

  The President **of** the US is in Japan.
  Le *président des États-Unis est au Japon.*

  I like **the** wines **in** this bar. *J'aime* ***les*** *vins de ce bar.*

- **Une proposition relative**

  I didn't like **the** oysters **we had for dinner**.
  Je n'ai pas aimé ***les*** *huîtres qu'on nous a servies au dîner.*

  The love **he felt for her** was unique.
  L'*amour qu'il ressentait pour elle était exceptionnel.*

- **Un superlatif placé à droite de the**

  To me, he's **the** greatest painter.
  Pour moi, c'est ***le*** *plus grand peintre.*

→ Emploi de Ø là où l'on utilise *le*, *la*, *les* 175, 180.

LE GROUPE NOMINAL

195 *The* renvoie à une généralité

On emploie *le, la, les* de la même façon.

- **The + nom dénombrable au singulier**

On parle dans ce cas de l'**emploi générique** de the. Il est assez limité et concerne the + nom d'animal au singulier, the + nom dénombrable utilisé en tant que concept.

> **The** dog is a faithful animal.
> ***Le** chien est un animal fidèle.*
>
> **The** computer has changed people's lives.
> ***L'**ordinateur a changé la vie des gens.*

- **The + adjectif substantivé** pour désigner une notion abstraite (→ 287).

the unknown : *l'inconnu* ; the unexpected : *l'inattendu* ; the sublime : *le sublime* ; the necessary : *le nécessaire...*

- **The + nom pluriel renvoyant à des groupes humains**

Il s'agit soit de noms de nationalité (**the** Germans, **the** Iraqis...), soit d'adjectifs utilisés en tant que noms pour désigner des groupes sociaux (**the** rich, **the** unemployed, **the** blind...) → 288-293.

Pour exprimer une généralité, on peut dire : **a dog** is a faithful animal ; **the dog** is a faithful animal ; **dogs** are faithful animals. Ces trois énoncés ne sont pas équivalents. Dans les deux premiers, le point de départ est l'individu alors que, dans le troisième, c'est l'ensemble indifférencié des chiens qui est envisagé **(tous les chiens)**. D'autre part, alors que a dog... sous-entend tout individu pouvant être défini comme chien **(n'importe quel chien)**, the dog implique davantage **le chien typique**, le chien par excellence.

On peut dire **The** tiger is becoming extinct (*Le tigre est en voie d'extinction*) mais pas ~~A tiger is becoming extinct~~ qui signifierait *N'importe quel tigre est en voie d'extinction.*

LES DÉTERMINANTS POSSESSIFS

196 Forme des déterminants possessifs

- Les déterminants possessifs sont issus des pronoms personnels. Nous les présentons donc ensemble.

SINGULIER		PLURIEL	
PRONOM PERSONNEL	DÉTERMINANT POSSESSIF	PRONOM PERSONNEL	DÉTERMINANT POSSESSIF
I	my	we	our
you	your	you	your
he/she/it	his/her/its	they	their

- La forme archaïque de la 2e personne du singulier thou (pronom personnel)/thy (déterminant possessif) apparaît dans les textes religieux, en poésie ou dans le théâtre classique.

- One's correspond au possessif de one (→ 351). C'est la forme que l'on trouve dans le dictionnaire quand on cherche la traduction de certains verbes. N'oubliez pas de choisir le déterminant approprié lorsque vous conjuguez le verbe. Par exemple :

  se laver les mains : (to) wash **one's** hands
  Il devrait se laver les mains. **He** should wash **his** hands.

- Whose (*À qui ?*) est un interrogatif qui correspond au déterminant possessif (→ 380).

  "**Whose** glasses are they?" "They are **my** glasses."
  « À qui sont ces lunettes ? – Ce sont mes lunettes. »

- Traditionnellement, on parle d'**adjectifs** possessifs. Nous préférons parler de **déterminants** possessifs car my, your, his... permutent avec le déterminant the et non avec des adjectifs. D'autre part, ils varient au singulier (my, his...) et au pluriel (our, their...) contrairement aux adjectifs.

- C'est par commodité que nous parlons de **possesseur** ici. Il est évident que my grandfather ou my mouth ne signifie pas qu'on possède son grand-père ou sa bouche !

197
L'accord des déterminants possessifs

His/Her/Its

- À la différence du français, le déterminant possessif à la 3e personne rappelle **le genre et le nombre du possesseur**.

  – possesseur **masculin** : **his**
  – possesseur **féminin** : **her**

  Si je parle de la sœur de Peter, je dirai **his** sister (**sa** sœur). Si je parle de la sœur d'Elizabeth, je dirai **her** sister (**sa** *sœur*).

- Its est employé lorsque le possesseur n'est ni féminin, ni masculin, par exemple un végétal ou un animal dont on ne connaît pas le sexe.

  This tree sheds **its** leaves in autumn.
  Cet arbre perd ses feuilles en automne.

Our/Your/Their

Our et their sont employés lorsque le possesseur est pluriel. Avec your, on peut avoir un seul ou plusieurs possesseurs.
Deux cas peuvent se présenter :

- **Plusieurs personnes ont une possession commune**. On a alors our/your/their + **nom singulier**.

  The neighbours sold **their** house in 2006.
  Les voisins ont vendu leur maison en 2006.

- **Plusieurs personnes ont une possession semblable** (chacun la sienne). On a alors our/your/their + **nom pluriel**.

  The children came with **their** mother**s**.
  Les enfants sont venus avec leurs mères.

On emploie souvent un singulier dans de tels cas en français.

Put up **your** hand**s**.
Levez ***la*** *main.*

The computer has changed **our** live**s**.
L'ordinateur a changé ***notre*** *vie.*

They couldn't get it out of **their** mind**s**.
Ils n'arrivaient pas à se l'ôter de ***la*** *tête.*

198 Emploi particulier des déterminants possessifs

On emploie un déterminant possessif devant les noms désignant les **parties du corps**, les **vêtements** ou **objets portés**. En français, on utilise l'article défini.

He speaks with **his** hands in **his** pockets.
*Il parle **les** mains dans **les** poches.*

Cette règle ne s'applique que si le possesseur est **sujet** d'un énoncé **actif**.

- Énoncé passif : **the**

He was shot through **the** heart. *Une balle lui a traversé le cœur.*

- Le possesseur n'est pas sujet de la phrase : **the**

They shot him in **the** head. *Ils l'ont touché à la tête.*

Own après le déterminant possessif renforce l'idée de possession.

I saw it with my **own** eyes. *Je l'ai vu de mes propres yeux.*

Les démonstratifs : this/these et that/those

POUR COMMENCER

SINGULIER	PLURIEL	SINGULIER	PLURIEL
this	these	that	those
[ðɪs]	[ðiːz]	[ðæt]	[ðəʊz]

- This et that sont traditionnellement rangés dans la catégorie des **démonstratifs**.

Ce sont des mots qui, associés à un geste, permettent de **montrer** quelque chose ou quelqu'un.

> Whose book is **this**? *À qui appartient ce livre ?*
>
> I don't like **those** paintings over there.
> *Je n'aime pas les toiles qui sont là-bas.*

- De façon plus abstraite, ils peuvent aussi renvoyer à un moment dans le **temps**.

> **This week** has been the happiest of my life.
> *Cette semaine a été la plus heureuse de ma vie.*

- This et that peuvent aussi être utilisés pour renvoyer à du texte ou à des paroles.

> "I've always admired you." "That's a lie."
> *« Je t'ai toujours admirée. – Ça, c'est un mensonge. »*

Dans cet exemple, that désigne le segment qui précède.

Pour signaler qu'on n'a pas compris ce qui vient d'être dit, on peut dire :

> What was **that** again? *Qu'est-ce que tu as dit ?*

- This/These et that/those peuvent être :

– **déterminants** : ils précèdent alors un nom : this week, that boy... ;

– **pronoms** : ils sont alors des substituts (employés à la place de...) ;

– **adverbes** : seules les formes du singulier this et that sont concernées.

199 *This* et *that* déterminants ou pronoms

- This et that déterminants s'accordent avec le nom qui les suit.

this girl → the**se** girl**s** tha**t** boy → tho**se** boy**s**

- This et that pronoms peuvent être des substituts de noms au singulier ou de toute une phrase.

"I've always admired you." "**That's** a lie."

These et those peuvent être des substituts de noms au pluriel.

I'd rather have these cookies than **those**.
Je préférerais prendre ces biscuits que ceux-là.

- This et that peuvent être suivis de one.

this one : *celui-ci/celle-ci*
that one : *celui-là/celle-là*

Take this **one**, that **one** is broken.
Prends celle-ci, celle-là est cassée.

"Which lipstick do you want?" "This pink **one** will do."
« Quel rouge à lèvres veux-tu ? – Ce rose ira très bien. »

Avec un **adjectif**, one est obligatoire : ~~This pink will do~~.

- These et those s'emploient **sans** ones.

these : *ceux-ci/celles-ci* those : *ceux-là/celles-là*

If you can carry these boxes, I'll take **those**.
Si vous pouvez porter ces boîtes, moi je prends ***celles-là***.

Mais, avec un adjectif, ones est obligatoire.

"Come on, make up your mind!" "OK. Then, give me **those red ones**." [~~those red.~~]
« Allez, décidez-vous ! – Bon, eh bien, donnez-moi celles-ci, les rouges. »

En anglais familier, on entend parfois these ones et those ones.

→ Emploi de one(s) 345-349.

This, these, that et those pronoms, à la différence du français *celui-là/ceux-là*... ne sont **jamais** utilisés pour reprendre un nom de personne. Il faut dans ce cas employer un pronom personnel ou répéter le nom.

Pour qui elle se prend, ***celle-là*** ? Who does she think **she** is?

200 *This* : proximité ; *that* : non-proximité

- This est utilisé pour désigner ce qui est relativement proche du locuteur. That désigne ce qui est relativement lointain. Cette distance peut être comprise comme distance dans l'**espace**, le **temps** ou l'**affectivité**.

This : PROCHE	**That** : NON PROCHE
DANS L'ESPACE	
This beach was empty last year. *Cette plage était déserte l'an dernier.*	What is **that** thing in the sky? *C'est quoi cet objet dans le ciel ?*
DANS LE TEMPS	
He's leaving **this** week, this Friday. *Il part cette semaine, ce vendredi.*	Life was better in **those** days. *La vie était meilleure en ce temps-là.*
DANS L'AFFECTIVITÉ	
I like **this** photo better than that one. *J'aime mieux cette photo-ci que celle-là.*	I hate **that** sort of music. *J'ai horreur de ce genre de musique.*

- Logiquement, on emploie this pour **présenter** une ou plusieurs personnes, forcément proches dans l'espace. These est exclu dans ce cas.

  This is my sister and my brother. [~~These are...~~]
  Voici ma sœur et mon frère.

201 Utilisation temporelle des démonstratifs

- This s'emploie pour désigner une unité de temps appartenant au **présent** ou au **futur** proche.

  Are you going out **this** evening? *Est-ce que tu sors ce soir ?*

  (La journée n'est pas terminée, this evening en fait partie.)

  They should meet **this coming month**.
  Ils devraient se rencontrer le mois prochain.

- That s'emploie pour désigner une unité de temps classée dans le **passé**.

  That Saturday she got up at six thirty as usual.
  Ce samedi-là, elle se leva à 6 h 30 comme d'habitude.

This s'accommode ainsi d'une unité de temps **ouverte** (le présent), alors que that est lié au **clos**, à l'achevé.

- This s'emploie pour une **activité présente** ou qui va commencer. Avec that, l'activité est **passée** : elle vient de se terminer ou est lointaine.

  Listen to this. I've just downloaded it. [~~Listen to that.~~]
  Écoute-ça. Je viens de le télécharger.

  Let's talk this out. *Parlons-en. (Ça m'intéresse.)*

This is how to do it. *Voici comment faire.*

Who told you **that**? That was a lie. [~~Who told you this?~~]
Qui t'a dit ça ? C'est un mensonge.

Why did you do **that**?
Pourquoi as-tu fait ça ?

Do you remember **that** teacher who used to wear bow ties?
Tu te souviens de ce prof qui portait des nœuds papillons ?

- L'opposition this proche/that non proche est relative et en partie subjective. C'est le locuteur qui se sent proche de quelque chose ou non.

- D'une façon plus abstraite, on peut dire que this désigne ce que le locuteur rattache à son **ici/maintenant**. Ce qui est en cours d'exploration (lien au maintenant), ce que le locuteur n'a pas encore complètement assimilé sera désigné à l'aide de this.

Inversement, that désigne ce qu'il détache de son **ici/maintenant**. Ce qui est totalement connu, assimilé sera plutôt désigné à l'aide de that.

202 *This/That* pour renvoyer à du texte ou à des paroles

This ou that ?

Lorsque that renvoie à du texte ou à des paroles, il désigne un segment à gauche. This peut désigner un segment à gauche ou un segment à droite.

"We've lost." "This/That is very bad news."
« Nous avons perdu. – C'est une très mauvaise nouvelle. »

And then she told me this: "I want to resign." (that exclu ici)
Et puis elle m'a dit ceci : « Je veux démissionner. »

Comparaison this/that/it de reprise

- Les trois pronoms this, that et it peuvent reprendre des paroles ou du texte. It est le plus **neutre** : il constitue un simple renvoi à ce qui précède.

  You keep making the same mistakes. **It**'s annoying.
  Tu fais sans cesse les mêmes erreurs. C'est irritant.

- Pour insister davantage sur ce qui est repris, on emploie this ou that, impliquant qu'il s'agit d'un fait nouveau intéressant.

  After their wedding night they decided to split up. **This/That** came as a real shock to their friends.
  *Après leur nuit de noces, ils décidèrent de rompre. **Ce** fut un vrai choc pour leurs amis.*

- On préfère this à that quand on a l'intention de continuer à parler du sujet.

  Maria and I got married in March 2007. **This** was when my life changed entirely: we moved to Mexico and invested all our money in solar power.
  Maria et moi nous nous sommes mariés en mars 2007. C'est à ce moment-là que ma vie a entièrement changé : nous avons déménagé au Mexique et avons investi tout notre argent dans l'énergie solaire.

En effet, this signale que ce qui précède est en cours d'exploration, de présentation.

- Quand ce qui précède est connu, clair, on emploie that et non this.

  Of course I know **that**. *Je le sais, bien sûr.*

  That's asking for trouble. *Là, tu cherches des ennuis.*

  You're not going and **that's that**.
  Tu n'y vas pas, un point, c'est tout.

203 *That* et *those* + préposition (« celui de... », « ceux de... »)

that of : *celui de/celle de* **those of :** *ceux de/celles de*

- That et those peuvent être suivis de prépositions (en particulier of, at, from, with), pour reprendre un nom. This et these sont **exclus** dans ce cas.

  My mother's portrait was hung beside **that of** my father.
  *Le portrait de ma mère se trouvait près de **celui de** mon père.*

  His answers are **those of** a bright child.
  *Ses réponses sont **celles d'**un enfant intelligent.*

  These are your fans' letters. **Those from** your detractors have been shredded.
  *Celles-ci sont les lettres de tes fans. **Celles de** tes détracteurs ont été déchiquetées.*

On aurait pu dire **the ones from** your detractors. On ne peut pas dire ~~that one of, those ones of~~.

→ The one(s) instrument de reprise 349.

- Le génitif (nom + 's) est également employé pour effectuer de telles reprises (→ 255).

  My mother's portrait was hung beside my father'**s**.
  Le portrait de ma mère se trouvait près de celui de mon père.

→ That friend of yours 339.

204 *Those* + proposition relative (« ceux qui... »)

those who : *ceux qui/celles qui* [personnes]
those that : *ceux qui/celles qui* [objets]

> **Those who** were late were not served.
> *Ceux qui étaient en retard n'ont pas été servis.*
>
> who were late : proposition relative
>
> These cherries are not half as good as **those** we had last year.
> *Ces cerises sont beaucoup moins bonnes que celles que nous avons eues l'année dernière.*
>
> we had last year : proposition relative (pronom relatif Ø)

À la place de those + proposition relative, on trouve aussi the ones + proposition relative.

> **The ones who** were late... **the ones** we had last year.

→ The one(s) 349.

Celui/Celle qui se dit the one who/that. En anglais contemporain, that which est très rare.

> I prefer this novel to **the one** I read last week.
> *Je préfère ce roman à* ***celui que*** *j'ai lu la semaine dernière.*

205 *This/That* adverbes de degré

This ou that adverbes de degré sont suivis d'un adjectif. Il s'agit là d'un emploi surtout oral.

- **That + adjectif** apparaît surtout dans un contexte négatif ou interrogatif. Son sens est voisin de so.

> I didn't know it was **that** simple.
> *Je ne savais pas que c'était aussi simple que ça.*

- On emploie this + **adjectif** (moins souvent that + **adjectif**) pour parler d'un ordre de grandeur. On joint parfois le geste à la parole.

> It's about **this** wide. *C'est à peu près large comme ça.*
>
> I had no idea it would be **this** cold.
> *Je ne pensais absolument pas qu'il ferait si froid.*

- Not all that signifie *pas très*.

> The concert wasn't all that good. *Le concert n'était pas très bon.*

Les quantifieurs

POUR COMMENCER

- Les quantifieurs servent à isoler ou à désigner une plus ou moins grande **quantité**, un plus ou moins grand **nombre**.

  I need **some** money. *J'ai besoin d'argent.*

  Le quantifieur est some : il s'agit d'une certaine quantité d'argent.

  Some people like him. *Certains l'aiment bien.*

  Quantifieur some : il s'agit d'un certain nombre de personnes.

- Un quantifieur peut être **déterminant** ou **pronom**. Il est déterminant s'il est suivi d'un nom (some money). Il est pronom quand il renvoie à ce qui précède, parfois à ce qui suit.

- Avec un quantifieur, la quantité ou le nombre est souvent **indéfini**.

  Lots of people voted in favour of it.
  (quantité importante mais indéfinie)
  Beaucoup de gens ont voté pour.

- Les quantifieurs sont employés pour exprimer :
  - la **totalité** : both/the two ; all/whole ; each/every ;
  - l'**abondance** : plenty, a lot, much, many ;
  - une **quantité suffisante**, un nombre suffisant : enough ;
  - une **certaine quantité**, un certain nombre : some/any/several ;
  - une **petite quantité**, un petit nombre : a little/a few ;
  - une **faible quantité** : little/few ;
  - une **quantité nulle**, un nombre nul : neither/no/none ;
  - un **nombre** : one, two...

ENSEMBLE DE DEUX ÉLÉMENTS

Pour désigner les deux éléments d'un ensemble, l'anglais possède trois outils : both, the two, either.

206 *Both* (« tous les deux »)

Both + nom

Both permet de désigner deux éléments ensemble : *l'un* **et** *l'autre*. Ce quantifieur est **directement suivi du nom** auquel il s'applique.

> **Both** Tom and Peter were late.
> *Tom et Peter étaient tous les deux ou l'un et l'autre en retard.*
>
> **Both** men were found guilty.
> *Les deux hommes ont été déclarés coupables.*

Both **the** men est possible mais peu fréquent.

Both (of) + déterminant + nom

On dit **both** my parents ou **both of** my parents : *mon père et ma mère*.

On dit **both** these stories ou **both of** these stories : *ces deux histoires*.

Both of + pronom personnel

Lorsque both est suivi d'un pronom personnel, of est obligatoire.

> They invited **both of us**. *Ils nous ont invités tous les deux.*

Both seul

Il reprend deux éléments nommés auparavant.

> She has two sons. **Both** went to Yale. ou They **both** went to Yale.
> *Elle a deux fils. Tous deux sont allés à Yale.*

La place de both peut être la même que celle des adverbes (→ 493).

ATTENTION Both n'est **jamais** précédé du déterminant the.

> I like **both**. [~~the both~~] *J'aime* ***les*** *deux.*

Both sert à traduire *à la fois*.

> *Elle est* ***à la fois*** *maire et ministre.*
> She's **both** a mayor and (a) minister.
>
> *C'est* ***à la fois*** *stupide et dangereux.*
> It's **both** stupid and dangerous.

207 *The two* (« les deux »)

Les *deux* en français peut se traduire soit par both, soit par the two, mais ils ne sont pas équivalents. Both est plus insistant : il se comprend comme **pas seulement l'un**.

> **The two** books are very different but **both** are worth reading.
> *Les deux livres sont très différents, mais tous les deux valent la peine d'être lus.*

On ne peut pas dire ~~both books are different~~ car on ne peut pas dire *pas seulement l'un est différent.*

D'autre part, both n'exprime pas une idée de réciprocité. Comparez :

> **Both** of them got married on June 3rd.
> *Ils se sont, l'un* ***et*** *l'autre [chacun de son côté], mariés le 3 juin.*
>
> **The two of them** got married on June 3rd.
> *Ils se sont mariés [l'un* ***à*** *l'autre] le 3 juin.*

208 *Either* (« l'un ou l'autre »)

Either (['aɪðə] ou ['iːðə]) peut être suivi d'un dénombrable singulier.

> Either day suits me. *L'un ou l'autre jour me convient.*

Either peut aussi être pronom :
- employé seul ;
- suivi de of + **pronom personnel** ;
- suivi de of + **déterminant** + **nom**.

> There are two targets. You can aim at **either** (either of them/either of these targets). *Il y a deux cibles. Tu peux viser l'une ou l'autre.*

On either side signifie *des deux côtés* ; in either hand, *dans chaque main.*

> You can park on **either** side of the street.
> *Vous pouvez vous garer des deux côtés de la rue.*

Dans une phrase **négative**, either se traduit par *ni... ni...* (→ neither 241).

> I do**n't** believe **either** of these liars.
> *Je ne crois ni l'un ni l'autre de ces menteurs.*

Either ne peut pas être sujet d'un énoncé négatif (→ neither 241).

> On ne dira pas ~~Either book does not provide an answer~~ mais
> Neither book provides an answer.
> *Ni l'un ni l'autre de ces livres ne donne de réponse.*

Either peut également être

– **adverbe** : il s'emploie après un énoncé négatif (→ 154).

He didn't go. I didn't go **either**.
Il n'y est pas allé. Je n'y suis pas allé non plus.

– **conjonction** : *ou bien... ou bien... ; soit... soit...* (→ 406).

Either you stay **or** you go.
Ou bien/Soit tu restes, ou bien/soit tu t'en vas.

Lorsque either est conjonction (c'est-à-dire introduisant une proposition), il apparaît toujours en première position et or introduit la seconde proposition. En français, nous utilisons le même terme dans les deux propositions : *ou bien..., ou bien... ou soit..., soit...*

ENSEMBLE DE PLUS DE DEUX ÉLÉMENTS

NOMS DÉNOMBRABLES : **All/Every/Each**

All kids know that. *Tous les enfants savent ça.*

Every seat was taken. *Toutes les places étaient occupées.*

Each person knows what to do. *Chaque personne sait quoi faire.*

NOMS INDÉNOMBRABLES : **All**

All the truth. *Toute la vérité.*

209 *All* (« tout(e) », « tous »)

L'idée véhiculée par all est toujours celle d'une **totalité** : all associe tous les éléments d'un ensemble **en bloc**. On trouve **all** dans les constructions suivantes.

All + déterminant + nom

all the children : *tous les enfants* ; **all** this mess : *tout ce désordre* ; **all** my life : *toute ma vie...*

All peut être suivi de the ou de l'article zéro, avec un sens différent.

All the children listened carefully.
Tous les enfants ont écouté attentivement.

Tous les enfants dont on vient de parler.

All children like sweet things. *Tous les enfants aiment les sucreries.*

Tous les enfants en général (→ L'article Ø 175).

Avec un nombre, on n'emploie pas the, car le numéral joue un rôle de déterminant.

All three men were arrested.
[~~All the three men...~~]
Les trois hommes ont été arrêtés./Ils ont tous les trois été arrêtés.

All s'emploie aussi devant this et that **pronoms**.

What's **all** this? *C'est quoi, tout ça ?*

ATTENTION All the people ne s'emploie que lorsque people est défini.

All the people **I met** were supportive.
Tous les gens que j'ai rencontrés ont été d'un grand soutien.

Tout le monde se traduit par **everyone** ou **everybody**.

Everybody likes him. *Tout le monde l'aime bien.*

All + période de temps (all day...)

- Avec une période de temps, on préfère ne pas employer the : all morning, all afternoon, all week, all month, all year (*toute la matinée, toute la nuit, toute la journée, toute la semaine, tout le mois, toute l'année*). Mais l'emploi de the est possible ici.
- All night et all day s'emploient toujours sans article.
- Mais all est impossible dans l'expression every two days (*tous les deux jours*).
- Avec l'adjectif long, on n'emploie pas the : all night/summer/year **long** (*toute la nuit/tout l'été/toute l'année*).
- On peut dire all year round ou all **the** year round (*toute l'année*).

All pronom : tous

All pronom est employé seul ou après un pronom personnel.

The kids are safe. **All** went back home.
Les enfants sont en sécurité. Ils sont ***tous*** *rentrés.*

They **all** agreed. *Ils sont* ***tous*** *tombés d'accord.*

Tout pronom (non suivi d'un nom) se traduit par everything ou anything.

Ils vendent de tout. They sell everything.

Mes enfants mangent de tout. My kids will eat anything.

Il se traduit plus rarement par all.

C'est tout ? Is that **all**?

All + proposition relative : tout ce qui/que

All I want is to sleep. *Tout ce que je désire, c'est dormir.*

All that glitters is not gold. *Tout ce qui brille n'est pas d'or.*

ATTENTION Tout ce qui/que ne se traduit pas par ~~all what~~ mais par all (that).

All + adjectif

All est dans cet emploi très proche de completely *(complètement).*

She is **all** right (alright) now.
Elle va tout à fait bien maintenant.

He was **all** covered with mud.
Il était tout couvert de boue.

Quand tout + **adjectif** signifie très, on le traduit par very.

Elle est toute sale, ta voiture ! Your car is very (ou quite/so/extremely) dirty!

210 *Whole* (« tout(e) », « en entier »)

L'adjectif **whole** *(entier, tout entier)* exprime une idée **d'intégralité**.

the **whole** school : *toute l'école*

On peut dire aussi all the school. Comme whole est adjectif, il se place entre the et le nom, alors que all apparaît devant the : all the school.

Whole insiste davantage sur l'intégralité que all.

He's drunk **the whole** bottle. *Il a vidé toute la bouteille.*

Whole peut aussi être un **nom**. On aura alors the whole of + nom.

the whole of Europe : *l'ensemble de l'Europe* ≠ **all** Europe : *toute l'Europe*

Notez l'expression : on the whole *(somme toute).*

211 *Each* (« chaque »), *every* (« chaque », « tous »)

Alors que all désigne un ensemble d'éléments, each et every désignent cet ensemble après avoir passé en revue **un élément après l'autre**.

Each

Each accorde de l'importance à **chaque** élément de l'ensemble considéré. Each est donc toujours **singulier**.

Each student has a code. *Chaque étudiant a un code.*

Each peut être :

- **Déterminant** (each + nom)

  Each man knew what to do.
  Chaque homme savait ce qu'il devait faire.

- **Pronom**

  Three women entered. **Each** (of them) had a handgun.
  Trois femmes entrèrent. Chacune (d'elles) avait un pistolet.

  These books are twenty-five dollars **each**.
  Chacun de ces livres vaut 25 dollars.

Each peut être suivi de one : **each one/each one** of them had a handgun.

La place de each dans la phrase est la même que celle des adverbes, entre le sujet et le verbe. Notez la différence avec le français.

They **each** gave their opinion. [~~They gave each their opinion.~~]
Ils ont chacun donné leur avis ou Ils ont donné chacun leur avis.

Every

Avec every, on parcourt souvent un ensemble d'éléments. Tout comme each, every est toujours suivi d'un nom **au singulier**.

So, **every pupil** is here today.
[Un professeur parcourt la classe du regard et conclut...]
Bien, tous les élèves sont là aujourd'hui.

I go to school every day. *Je vais à l'école chaque jour/tous les jours.*

ATTENTION Not se place devant every + verbe à la forme affirmative.

Not every Canadian speaks English.
Tous les Canadiens ne parlent pas anglais.

Le calque ~~All the Canadians don't speak English~~ est impossible, mais Not all Canadians speak English est possible.

La démarche qui préside à l'emploi de every, par opposition à all, est celle d'un **parcours** suivi d'une conclusion **globalisante**. L'idée de « parcours » justifie la traduction par *chaque/chacun* ; celle de « global » la traduction par *tous/tout*, comme dans le dernier exemple.

Différences entre each et every

- **Each** suppose un arrêt sur chaque élément du groupe plus accentué que every, d'où les différences de traduction habituelles (each : *chaque* et every : *chaque* ou *tout*).

- **Every**, mais non **each**, peut être précédé d'un déterminant possessif.

  They watched **his every** move.
  Ils regardaient chacun de ses mouvements.

- On emploie each, et non every, si l'ensemble ne compte que deux éléments.

  I went **twice** to Japan. I visited Kyoto **each** time.
  Je suis allé deux fois au Japon. J'ai visité Kyoto à chaque fois.

- **Every**, à la différence de each, ne peut être que **déterminant**. Il est donc toujours suivi d'un nom ou de one.

  Every child/**Every one** had brought something.
  Chaque enfant/Chacun avait apporté quelque chose.

  ~~Every had brought~~... est impossible, alors que each had brought est grammatical.

- On peut trouver **each** of us (*chacun d'entre nous*) mais jamais ~~every of us~~. On peut dire every **one** of us.

  Notez l'expression each and every one of us : *chacun d'entre nous sans exception.*

- **Every** peut aussi être suivi d'un numéral : one person in **every ten** (*une personne sur dix*).

212 *Everyone* (« tout le monde »), *everything* (« tout »), *everywhere* (« partout »)

- Everyone ou everybody désigne l'ensemble d'un groupe de personnes.

  Everyone/Everybody noticed it. *Tout le monde l'a remarqué.*

- Ne confondez pas every one (*chacun*) et everyone (*tout le monde*).

  Every one of them noticed it. *Chacun d'entre eux l'a remarqué.*

ATTENTION Comme people est un nom pluriel, on ne peut pas dire ~~every people~~ pour dire *tout le monde*. Il faut employer everybody ou everyone.

- Everything désigne l'ensemble d'un groupe de choses (→ traduction de tout 209).

  Everything was wonderful. *Tout était merveilleux.*

- Everywhere désigne la totalité d'un ensemble de lieux.

  everywhere I go : *partout où je vais/où que j'aille*

213 Reprises de *every* et *each*

- Every et each sont repris par they (parfois par he or she).

  Everyone can do what **they** want to do.
  (Plus fréquent que what **he or she** wants to do.)
  Tout le monde peut faire ce qu'il veut.

  Each gave him a pound, didn't **they**?
  Ils lui ont chacun donné une livre, n'est-ce pas ?

- On dira de même Has everyone got **their** books? (*Est-ce que vous avez tous vos livres ?*), plus fréquent que Has everyone got **his or her** book?

214 Tableau récapitulatif de *all, every, each*

ENSEMBLE DÉCRIT GLOBALEMENT : **all**
All the pupils look tired today. *Tous les élèves ont l'air fatigué aujourd'hui.*
ENSEMBLE DÉCRIT APRÈS PARCOURS + GLOBALISATION : **every**
Everybody is here. *Tout le monde est là.*
ENSEMBLE DÉCRIT APRÈS PARCOURS ET ARRÊT SUR CHAQUE ÉLÉMENT : **each**
Each of you has a good report. *Chacun d'entre vous a un bon bulletin.*

215 *Every* et *all/the whole* dans les expressions de temps

- **Every + expression de temps** se réfère à la **fréquence**.

  They go out **every Friday night**.
  Ils sortent tous les vendredis soirs.

  The trains run **every two hours**.
  Il y a un train toutes les deux heures.

  Notez les expressions :
  every other day : *un jour sur deux* ; every four(th) days : *tous les quatre jours* ; every few days : *tous les deux ou trois jours* ; every so often, every now and again ou every now and then : *de temps en temps*...

- **All/The whole + unité de temps** se réfèrent à la totalité de cette unité.

  We spend **all day** at school. *Nous passons toute la journée à l'école.*

  We spend **the whole day** at school.
  Nous passons la journée entière à l'école.

→ All + unité de temps 209.

UNE GRANDE QUANTITÉ, UN GRAND NOMBRE

NOMS DÉNOMBRABLES : a lot of... ; a great number of... ; many...

a lot of students/a great number of mistakes/many books

NOMS INDÉNOMBRABLES : a lot of... ; a great deal (amount) of... ; much...

a lot of work/a great deal of courage/much patience

216 *A lot of* (« beaucoup de »)

- La façon la plus courante de traduire *beaucoup de* est a lot of.

  a lot of people : *beaucoup de gens* ; a lot of tea : *beaucoup de thé*

  On trouve aussi lots of + **nom** : lots of people, qui est assez familier.
  Quite a lot (of)... correspond au français *pas mal (de)*...

- Certains adjectifs qualificatifs peuvent s'appliquer à a lot of.

  I have **an awful lot of** things to do.
  J'ai vraiment beaucoup de choses à faire.

- Le verbe s'accorde avec le nom qui suit a lot of (lots of).

  A lot of flights **were** cancelled. *De nombreux vols ont été annulés.*

- A lot peut s'employer **seul** dans les cas suivants.

  - **Comme adverbe :** *beaucoup, énormément*

    I like that painting **a lot**. *J'aime beaucoup cette toile.*

    On peut employer very much à la place : I like that painting **very much**.
    L'ordre des mots peut être différent : I **very much** like that painting mais ~~I a lot like that painting~~ n'est pas possible.

➜ Place de a lot et de very much 507.

  - **Comme pronom** (le nom est sous-entendu)

    "How much did you pay?" "**A lot.**" (Sous-entendu : a lot of money.)
    « Tu as payé combien ? – Beaucoup. »

- A great number of est proche de a lot of + **pluriel**.

  He got **a great number of** presents for his birthday.
  Il a reçu de très nombreux cadeaux pour son anniversaire.

- A great deal of (ou amount of) est proche de a lot of + **singulier**.

  She spends **a great deal of** (ou a great amount of) money.
  Elle dépense beaucoup d'argent.

  A great deal et a great number sont plus formels que a lot.

217 *Much* + singulier (« beaucoup de »)

Much est suivi d'un **nom indénombrable** (singulier).

We haven't got much **time**. *Nous n'avons pas beaucoup de temps.*

Much peut servir d'instrument de reprise.

He drinks a lot of wine. I don't drink **much**. (Sous-entendu : much wine.) *Il boit beaucoup de vin. Moi, je n'en bois pas beaucoup.*

Much peut être précédé de so/too (→ 508-509).

You've wasted **so much** time. *Tu as perdu tellement de temps.*

You've spent **too much** money. *Tu as dépensé trop d'argent.*

A lot of ou much ?

- On emploie a lot of plutôt que much dans les **énoncés affirmatifs**.

  That's **a lot of** money. *C'est beaucoup d'argent.*

- Much est rare dans les énoncés affirmatifs sauf en fonction **sujet**.

  Much remains to be done. *(sout.) Il reste beaucoup à faire.*

- Much s'emploie plutôt dans les **énoncés interrogatifs** ou **négatifs**.

  I haven't got **much** (ou a lot of) time to spare.
  Je n'ai pas beaucoup de temps devant moi.

218 *Many* + pluriel (« beaucoup de », « de nombreux »)

Many est suivi d'un **nom dénombrable au pluriel**.

Your brother didn't make **many** mistakes.
Ton frère n'a pas fait beaucoup de fautes.

- Many peut servir d'**instrument de reprise**.

  I didn't make **many** either. (Sous-entendu : many mistakes.)
  Je n'en ai pas fait beaucoup, non plus.

- Il peut être précédé de a great/a good et de so/too (→ 386).

  He has sold **a good many/a great many** of his DVDs.
  Il a vendu bon nombre de ses DVDs.

  This child has eaten **too many/so many/far too many** cakes.
  Cet enfant a mangé trop de/tant de/beaucoup trop de gâteaux.

A lot of ou many ?

- A lot of est plus familier que many dans les énoncés affirmatifs.

  I have met **many** people who share your view.
  J'ai rencontré de nombreuses personnes qui partagent votre opinion.

Many, contrairement à much, n'est pas rare dans les énoncés affirmatifs.

- Many/A lot of sont employés indifféremment dans les énoncés interrogatifs ou négatifs.

  Did you buy **many/a lot of** souvenirs?
  Est-ce que tu as acheté beaucoup de souvenirs ?

- **Many a** + nom singulier (emploi formel) est l'équivalent de *maint*.

  Many a parent has had to go through that.
  Maints parents ont dû subir cela.

Notez aussi : many a time (*maintes et maintes fois*).

219 *Plenty (of)* : « bien assez (de) »

Plenty (of) est suivi d'un nom dénombrable ou indénombrable. On l'emploie dans un cadre assez familier.

We've got **plenty of** time. *Nous avons largement le temps.*

Our party has got **plenty of** supporters.
Notre parti ne manque pas de sympathisants.

Plenty peut s'employer seul.

That's **plenty**. *Ça suffit amplement.*

220 *Most* : « la plupart (de) »

- Most implique la presque totalité de l'ensemble considéré. À l'origine, most est le superlatif de much/many.

- **Most + nom**

  Most children like snow. *La plupart des enfants aiment la neige.*
  [les enfants en général]

Lorsque le nom renvoie à une généralité, on n'emploie pas **of** [~~Most of children~~].

- **Most of + déterminant + nom**

  Most of the children in this neighborhood like snow.
  La plupart des enfants de ce quartier aiment la neige.
  [des enfants en particulier]

- **Most of + pronom**

  Most of them like snow.
  La plupart d'entre eux aiment la neige.

UNE QUANTITÉ SUFFISANTE : ENOUGH

Enough (*assez*) signale qu'un nombre ou une quantité sont jugés suffisants.

221 *Enough* déterminant

Il est déterminant car il précède un nom.

He has **enough** toys. *Il a assez de jouets.*

She earns **enough** money. *Elle gagne assez d'argent.*

222 *Enough* pronom

Il est pronom car il renvoie à un nom qui précède.

More tea? Or have you had **enough**? (enough tea)
Un peu plus de thé ? Ou en avez-vous eu assez ?

223 *Enough* adverbe

Il modifie un adjectif ou un adverbe.

Are you warm **enough**? *Avez-vous assez chaud ?*

You know well **enough** what I mean.
Tu sais très bien ce que je veux dire.

ATTENTION Enough adverbe se place **après** l'adjectif ou l'adverbe.

224 *Enough* dans les subordonnées comparatives

She earns **enough** (money) to pay for your holiday.
Elle gagne assez (d'argent) pour t'offrir des vacances.

225 *Enough* expression de l'exaspération

Enough is enough. *Trop, c'est trop.*

I've had enough of you/of ironing your shirts.
J'en ai assez de toi/de repasser tes chemises.

UNE CERTAINE QUANTITÉ, UN CERTAIN NOMBRE : SOME

226 *Some* déterminant

Some, comme any, exprime une certaine quantité, un certain nombre **indéfini**. On le traduit souvent par *du, de la, des*.

> **Some** passengers were slightly injured.
> *Des passagers ont été légèrement blessés.*

Some est ici déterminant car il précède un nom.

Prononciation de some

Quand some est suivi d'un nom et qu'il signifie *du, de la, des*, il se prononce [səm] (forme faible). Dans tous les autres cas, on utilise la forme pleine [sʌm] (→ 3).

Emplois de some

- Dans les énoncés **affirmatifs** :

> Some passengers were slightly injured.

- Dans les énoncés **interrogatifs** et **hypothétiques** :

> Could I have **some** milk?
> *Je pourrais avoir du lait ?*

> Don't hesitate to ask **if** you want **some** more bread.
> *N'hésitez pas à demander si vous voulez plus de pain.*

Some implique l'existence d'une certaine quantité. Dans Could I have some milk? je présuppose qu'il existe du lait et que je peux en avoir.

- Some est donc rarement employé dans les **énoncés négatifs** puisqu'il implique l'existence d'un certain nombre, d'une certaine quantité.

227 *Some* et *any* dans les questions

On emploie some dans les questions quand on s'attend à une réponse positive. Une question en any est plus neutre : on ignore la réponse.

> Is there **some mail** today? *Il y a du courrier aujourd'hui ?*
>
> Is there **any mail** today? *Est-ce qu'il y a du courrier aujourd'hui ?*

Dans les offres, le locuteur encourage l'autre à répondre de façon positive à l'aide de some. On n'emploie donc pas normalement any.

> Would you like **some** tea? *Tu veux du thé ?*

Dans les requêtes, comme on s'attend plutôt à une réponse positive, on préfère some.

Could I have **some** milk? *Je pourrais avoir du lait ?*

→ Any dans les énoncés interrogatifs 233.

Traduction de *du*, *de la*, *des*

Si *du*, *de la* signifient *une certaine quantité de*, on les traduit généralement par **some** + **nom**.

Elle m'a donné du vin. She gave me some wine.

J'ai besoin d'argent. I need some money.

Si *du*, *de la* ne signifient pas *une certaine quantité de*, on les traduit généralement par Ø + **nom**.

Que désirez-vous boire : du thé ou du café ?
What do you want to drink: Ø tea or Ø coffee?

Regarde, c'est du sang ! Look, it's Ø blood!

C'est du sang ! ne signifie pas *C'est une certaine quantité de sang.*

Si *des* signifie *quelques*, on traduit généralement par **some** + **nom**.

Je peux acheter des fleurs pour ta grand-mère.
I can buy your grandmother **some** flowers.

Des amis sont venus dîner hier soir.
Some friends came over for dinner last night.

Si *des* ne signifie pas *quelques*, on traduit généralement par Ø + **nom**.

Ces arbres sont des chênes. These trees are Ø oaks.

On peut hésiter sur la valeur de *du*, *de la*, *des*.

*Je me suis retourné et j'ai vu **des abeilles** qui venaient vers moi.*

- Si *des abeilles* s'interprète comme *quelques abeilles*, on traduit par :

  I saw **some** bees coming towards me.

- Si ce n'est pas du tout la quantité qui importe, mais le fait que ce soit des abeilles (et pas des papillons !), interprétation la plus probable, on traduit par I turned round and saw Ø bees coming towards me.

  Avec Ø, c'est la « chose » qui est importante (→ 179).

Si *du*, *de la*, *des* impliquent une **grande** quantité, on traduit par Ø + **nom**.

Il te faut de l'argent pour parcourir le monde en première classe !
You need Ø money to travel first class around the world!

Ici, ***de l'****argent* signifie *une grande quantité de !*

228 Autres emplois de *some* déterminant

Some peut exprimer des nuances qui ne sont pas uniquement quantitatives. Il ne se traduit pas alors par *du, de la, des* et se prononce [sʌm].

Some : **emploi contrastif**

Dans ce cas, some **oppose** certains éléments à d'autres.

> **Some** children like school. *Certains enfants aiment l'école.*
> (Sous-entendu : some children as opposed to others, *certains enfants par opposition à d'autres.*)

Some : *un certain*

Suivi d'un nom **dénombrable singulier**, some désigne un élément inconnu ou imprécis. On le traduit souvent par *un(e)*.

> **Some** idiot has dented my car! *Un crétin a cabossé ma voiture !*

> I read it in **some** book (or other).
> *J'ai lu ça quelque part dans un (certain) livre.*

> **Some** day, my Prince will come. *Un jour, mon prince viendra.*

Some : **emploi appréciatif**

Some appréciatif est suivi d'un nom **dénombrable singulier**. Il est fortement accentué dans ce cas. On peut le traduire par *Quel* exclamatif.

> That was **some** party! *Quelle soirée réussie !*

229 *Some* pronom

Some est pronom lorsqu'il est employé seul ou suivi de of + **nom** (ou **pronom**). Il sert à **prélever une portion** ou **un certain nombre** d'un total.

> No whisky for me. I've already had **some**. (Sous-entendu : some whisky.) *Pas de whisky pour moi. J'en ai déjà eu.*

> Because of the storm, **some** of the pupils were late this morning, but **some of them** didn't come at all.
> *À cause de la tempête, certains élèves étaient en retard ce matin, mais certains d'entre eux ne sont pas venus du tout.*

230 Les composés en *some : somebody, someone, something*

- Somebody et someone signifient *quelqu'un*. Ils désignent une personne dont on ne connaît pas l'identité.

> **Somebody (Someone)** told you, didn't they?
> *Quelqu'un vous l'a dit, non ?*

Somebody has spilt their coffee on the carpet.
Quelqu'un a renversé son café sur la moquette.

Remarquez l'**accord au singulier** mais la reprise par they et l'emploi du déterminant their.

- Something (*quelque chose*) désigne un élément ni masculin, ni féminin et que l'on ne peut nommer.

There is **something** wrong.
Il y a quelque chose qui ne va pas.

Why are you looking under the bed? Have you lost **something**?
Pourquoi cherches-tu sous le lit ? Tu as perdu quelque chose ?

Notez l'emploi : He is **something of** a miser. *Il est un peu avare.*

231 *Some* adverbe

- Some adverbe porte sur un nombre et signale une approximation.

This happened **some** twenty years ago.
Cela s'est passé il y a quelque/environ vingt ans.

Some porte sur le nombre twenty et se traduit par *environ* ou *quelque* (sans -s). On peut aussi dire about ou approximately twenty years ago.

- Some entre dans la composition d'un certain nombre d'adverbes. Les plus courants sont somewhere : *quelque part* ; sometimes : *parfois* ; somewhat : *quelque peu* ; somehow : *d'une manière ou d'une autre*.

I was **somewhat** surprised. *J'ai été quelque peu surprise.*

Somehow I never feel comfortable with him.
D'une certaine manière, je ne me sens jamais à l'aise avec lui.

- Some pronom, adverbe et dans les composés se prononce [sʌm].

UNE CERTAINE QUANTITÉ, UN CERTAIN NOMBRE : ANY ET SEVERAL

232 Emplois de *any*

Any est employé, comme some, pour exprimer une certaine quantité, un certain nombre, c'est-à-dire une quantité ou un nombre **indéfini**. Il convient de distinguer deux types d'énoncés.

- **Les énoncés interrogatifs et négatifs**, où any signale un nombre, une quantité quelconques.

  Have you got **any** change? *Est-ce que tu as de la monnaie ?*

  I did **not** buy **any** souvenirs. *Je n'ai pas acheté de souvenirs.*

- **Les énoncés affirmatifs**, où any signifie *n'importe quel/quelle...*

  Any colour will do. *N'importe quelle couleur ira.*

Dans les deux cas, any exprime une idée d'**indifférence**.
L'indifférence concerne une quantité (quelconque) ou l'élément dont on parle (n'importe quel élément).

233 *Any* dans les énoncés interrogatifs

Dans les énoncés interrogatifs, on trouve any et ses composés anyone, anybody, anything, anywhere.

- Any **déterminant : any + nom**

  Is there **any** mail today? *Est-ce qu'il y a du courrier ?*
  (Sous-entendu : une quantité quelconque de courrier.)

  Are there **any** good restaurants around?
  Y a-t-il de bons restaurants dans le coin ?

ATTENTION Les dénombrables sont utilisés au **pluriel** après any : Are there any good restaurants et non ~~Is there any good restaurant?~~

- Remarquez la traduction de any par *du, de la, de*. Mais *du, de la, de* ne se traduit pas toujours par any (phrases interrogatives ou négatives) ou some (interrogatives ou affirmatives).

  → Traduction de *du, de la, des* 227.

- Si *du, de la, de* **dans les questions** signifie *un peu de* ou *quelques*, on le traduit par any (ou some).

  Il reste de la salade ? Is there any salad left?
  ou Is there some salad left? (Avec some, on s'attend à une réponse positive.)

- Any est **pronom** quand on l'emploie seul ou suivi de of (+ nom ou pronom).

  I need some matches. Have you got **any**?
  J'ai besoin d'allumettes. Tu en as ?

  Has **any of** you seen him? *L'un de vous l'a-t-il vu ?*

Les composés de any : anybody, anyone, anything, anywhere.

Has **anybody/anyone** seen him recently?
Quelqu'un l'a-t-il vu récemment ?

Do you want **anything** from the chemist?
As-tu besoin de quelque chose chez le pharmacien ?

Can you see it **anywhere**? *Est-ce que tu le vois quelque part ?*

Si l'on attend plutôt une réponse positive, on fait appel à un composé en some.

Do you want **something** from the chemist?
Tu veux quelque chose de chez le pharmacien ?

→ Différence entre some et any dans les questions 227.

234 *Any* dans les énoncés négatifs

Any déterminant ou pronom

There isn't **any** bread left. *Il n'y a plus de pain.*

They haven't got **any** children. *Ils n'ont pas d'enfant(s).*

ATTENTION Les noms dénombrables sont employés au pluriel : ~~They haven't got any child~~.

- Any ne remplace **jamais** la négation. Celle-ci est toujours placée avant any, mais pas toujours immédiatement avant.

  I do **not** think there's **any** bread. *Je pense qu'il **n'**y a **pas** de pain.*

  Some ne s'emploie pas dans les énoncés négatifs.

- **Un seul mot négatif** est employé par énoncé.

  Don't say **anything** to **anyone**. *Ne dites rien à personne.*

  Les adverbes à sens restrictif tels que hardly, barely, scarcely (*à peine*) ainsi que la préposition without se comportent comme la négation.

  There is **hardly any** tea left. *Il n'y a presque plus de thé.*

  He left them **without any** money.
  Il les a laissés sans le moindre sou/sans argent du tout.

Not... any more : ne... plus

Ne... plus peut toujours se traduire par not... any more.

Do**n't** do it **any more**. *Ne fais plus ça.*

I do**n't** want to stay here **any more**. *Je ne veux plus rester ici.*

We have**n't** got **any more** matches. *Nous n'avons plus d'allumettes.*

Any more peut s'écrire en un seul mot, surtout en anglais américain :

I can't take it **anymore**. *Je n'en peux plus.*

Ne... plus peut aussi se traduire par no more, no longer ou not... any longer, suivant le contexte.

Quantité

no more : We've got no more matches.

Sens temporel (rupture avec le présent)

no longer : I no longer want to stay here.
not any longer : I don't want to stay here any longer.

No longer *(sout.)* se place entre le sujet et le verbe. Les tournures en not... any sont plus fréquentes que celles en no.

- Dans certains énoncés **négatifs**, **à l'écrit**, le sens de any peut être **ambigu**. Il peut signifier une quantité quelconque ou *n'importe quel*.

Don't buy **any** wine.
*N'achetez **pas de** vin.* ou *N'achetez **pas n'importe quel** vin.*

Dans le second sens, any est accentué à l'oral. Il est souvent précédé de just : Don't buy just any wine.

En début d'énoncé, not any + **nom** signifie *Ce n'est pas n'importe quel...*

Not any driver can do that.
Ce n'est pas n'importe quel conducteur qui peut faire cela.

235 *Any* dans les énoncés affirmatifs

- Any correspond dans les énoncés affirmatifs à *n'importe quel...*

You can catch **any** of these buses.
Vous pouvez prendre n'importe lequel de ces bus.

Come **any** time you want. *Venez à n'importe quelle heure.*

- Les **composés en** any- se traduisent également par *n'importe...* dans les énoncés affirmatifs.

I would do **anything** for him. *Je ferais n'importe quoi pour lui.*

Put it down **anywhere**. *Mettez-le n'importe où.*

Bring **anyone** but Dan. *Amenez n'importe qui, sauf Dan.*

- Any (ou ses composés) au sens de *n'importe quel* est d'un emploi courant dans les énoncés exprimant une **hypothèse** ou un **doute**.

If you need **anything** just ask.
Si tu as besoin de quoi que ce soit, tu n'as qu'à demander.

I wonder whether **anybody** knows about it.
Je me demande si quelqu'un (au sens de n'importe qui) le sait.

236 *Any* adverbe

Any adverbe exprime la nuance *un tant soit peu*. On le trouve surtout devant un **comparatif** et devant les adjectifs good et different.

Are you feeling **any better**? *Vous vous sentez un peu mieux ?*

I don't think it's **any good**.
Je ne trouve pas ça bon du tout. ou *Je pense que ça ne sert à rien.*

Do you feel **any different** now?
Te sens-tu un tant soit peu différent maintenant ?

237 Emplois de *several* (« plusieurs »)

- Several est utilisé pour désigner un certain nombre d'éléments de manière séparée (le verbe sever signifie *séparer*). Several implique plus de deux, mais suppose une quantité moindre que many.

  I've told you **several** times not to do that.
  Je t'ai dit plusieurs fois de ne pas faire ça.

  According to **several** of my friends, you cheated on me.
  Selon plusieurs de mes amis, tu m'as trompé.

- Several peut aussi être adjectif : We went our several ways. *(sout.) Nous sommes partis chacun de notre côté.*

PETITE QUANTITÉ, PETIT NOMBRE OU QUANTITÉ, NOMBRE JUGÉS FAIBLES

Pour désigner une petite quantité ou un petit nombre, on utilise a little et a few. Little et few, donc sans le déterminant a, désignent des quantités faibles voire insuffisantes.

SINGULIER	PLURIEL
Ø little : *Ø peu de*	Ø few : *Ø peu de*
a little : ***un** peu de*	a few : *quelques*

238 *A little* et *a few*

- **A little + nom indénombrable (singulier)** permet d'isoler une petite quantité d'un ensemble.

  a little money : *un peu d'argent*

- **A few** + **nom dénombrable au pluriel** permet d'isoler quelques éléments d'un ensemble.

  a few girls : *quelques filles*

  Notez la différence entre a few times (*quelques fois*) et a little time (*un peu de temps*).

239 Particularités d'emploi de *a little* et *a few*

- A few peut être précédé de l'adverbe quite. La quantité est alors jugée plus importante qu'avec a few seul. On trouve aussi a good few.

  I've got **quite a few** (ou a good few) books on medieval England.
  J'ai ***pas mal de*** *livres sur l'Angleterre médiévale.*

- A little et a few peuvent être employés **seuls** ou **suivis de** of + **déterminant + nom**. Ils sont alors pronoms.

  Give me just **a little**. *Donnez-m'en juste un peu.*

  Can I have **a little of** your chicken?
  Tu me donnes un peu de ton poulet ?

  Don't take too many DVDs. Just **a few**.
  Ne prends pas trop de DVD. Juste quelques-uns.

  I know **a few of these** people.
  Je connais quelques-unes de ces personnes.

- **A little adverbe**

  • A little peut modifier un comparatif ou un verbe. Il signifie *un peu*.

  Can you walk **a little** faster? *Tu peux marcher un peu plus vite ?*

  You'll have to wait **a little**. *Vous devrez attendre un peu.*

  On peut employer a (little) bit à la place de a little adverbe : Can you walk **a (little) bit faster**? ; You'll have to wait **a (little) bit**.

  • Comme avec *un peu* en français, si l'adjectif ou l'adverbe n'est pas comparatif, on n'emploie pas a bit et a little, sauf s'il a un sens négatif.

  He's **fairly/pretty** interesting. [~~He's a bit/a little interesting.~~]
  Il est assez intéressant.

  He's **a bit/a little** grumpy/boring/late...
  Il est un peu grognon/ennuyeux/en retard...

  On trouve aussi somewhat (*quelque peu*) : He's somewhat grumpy.

- Notez l'adjectif composé little-known :

  He's a little-known violinist. *C'est un violoniste peu connu.*

240 *Little et few*

NOM AU SINGULIER	NOM AU PLURIEL
little : *peu de*	few : *peu de*

- Lorsque little et few sont employés sans le déterminant a, le nombre ou la quantité désignés sont présentés comme faibles, voire insuffisants.

 He is not popular. He has **few** friends.
 Il n'est pas aimé. Il a peu d'amis.

 There is **little** hope. *Il y a peu d'espoir.*

Peu fonctionne de la même manière par rapport à **un peu**.

*« Combien d'argent te reste-t-il ? – **Peu**. »* (Traduction à l'aide de little money : pas assez)

*« Combien d'argent te reste-t-il ? – **Un peu**. »* (Traduction à l'aide de a little money : il m'en reste une petite quantité)

- Little et few sont souvent précédés d'adverbes tels que very (*très*), too (*trop*), extremely (*extrêmement*), comparatively (*comparativement*)... L'idée d'insuffisance est alors accentuée.

 We've got **too little** time left.
 Il nous reste trop peu de temps.

 Very few people enjoyed it.
 Très peu de gens ont apprécié.

- Little et few peuvent être employés seuls ou suivis de of. Ils sont alors pronoms.

 He did **little** to help.
 Il n'a pas fait grand-chose pour aider.

 Few of them know this.
 Peu d'entre eux savent cela.

A devant little ou few est comparable à *un* devant *peu de* en français. Sans a/*un*, on porte un **jugement** : la quantité est très ou trop petite.

A little et a few, plus positifs, sont assez proches de some.

A few/A little (*un peu*) expriment une petite quantité, mais sans la commenter.

UNE QUANTITÉ NULLE, UN NOMBRE NUL

241 *Neither* (« ni l'un ni l'autre »)

Neither + nom dénombrable au singulier permet de désigner deux éléments de manière **négative**.

> **Neither** story is true. *Ni l'une ni l'autre de ces histoires n'est vraie.*

Neither est le contraire de both (→ 206) :

> **both** stories : *les deux histoires (l'une **et** l'autre)*

Neither ['naɪðə] ou ['niːðə] peut être déterminant (suivi directement d'un nom) ou pronom.

> I know **neither** (of them). *Je ne connais ni l'un ni l'autre.*

Neither of est suivi d'un nom ou pronom **pluriel**. Il s'accorde au singulier (emploi formel) ou au pluriel.

> Neither of the children **want(s)** to go to bed.
> *Les enfants ne veulent aller se coucher ni l'un ni l'autre.*

ATTENTION

- Avec neither, le verbe s'emploie à la forme **affirmative**.
- On peut employer not... either à la place de neither : I know neither of them ou I do**n't** know **either** of them. En début de phrase, neither ne peut pas être remplacé par not... either.

Neither est également employé dans deux autres cas.

- **Dans les reprises elliptiques** impliquant une comparaison (→ 154).

> He has never left his home town. **Neither have I.**
> *Il n'a jamais quitté sa ville natale. Moi non plus.*

- **Comme conjonction** accompagnée de nor dans le sens de *ni... ni...*

> **Neither** Ann **nor** Jane was (ou were) late. (L'emploi du pluriel est familier.) *Ni Ann, ni Jane n'étaient en retard.*
>
> He can **neither** read **nor** write. *Il ne sait ni lire ni écrire.*

242 *No/None, not any* : quantité nulle

No + nom est utilisé pour désigner une quantité ou un nombre nuls.

> She had **no** shoes on. *Elle ne portait pas de chaussures.*
>
> I have **no** idea. *Je n'en ai aucune idée.*

- Le nom est soit indénombrable, soit dénombrable. S'il est dénombrable, il est au **pluriel** : She had no sho**es**/no child**ren**...
- S'il n'y a qu'un élément, le nom est au singulier : She had no husband. *(Elle n'avait pas de mari).*

No et not any

- No réfute en bloc l'existence (en nombre, quantité ou qualité) de ce qui suit. Il est plus **emphatique** que not... any.

  Can you imagine? There were no lions on our safari!
  Tu t'imagines ? Il n'y avait pas de lions dans notre safari !

  There weren't any lions serait plus neutre.
  Not... any est plus fréquent que no + nom (→ not a 187).

- Le fonctionnement est le même pour les **composés** en no et any.

not... anything/nothing	*(ne)... rien*
not... anybody/nobody	*(ne)... personne*
not... anyone/no one	*(ne)... personne*
not... anywhere/nowhere	*(ne)... nulle part*

  He did**n't** talk to **anyone**. ou He talked to **no one**.
  Il n'a parlé à personne.

  La tournure en not... any... est plus fréquente que celle en no-. Celle en no- exprime un jugement plus catégorique : I want nothing est plus abrupt que I don't want anything.

- En début d'énoncé, on emploie no et non not any.

  No system of government is perfect.
  Aucune forme de gouvernement n'est parfaite.

  Nothing will ever soothe his pain.
  Rien n'apaisera jamais sa douleur.

243 *Nothing* (« rien »), *no one/nobody* (« personne »), *nowhere* (« nulle part »)

L'**accord** de no one/nobody/nothing se fait au singulier.

  No one (nobody) understands why he did not come.
  Personne ne comprend pourquoi il n'est pas venu.

No one et nobody sont repris par they. Nothing est repris par it.

  No one saw her, did **they**? *Personne ne l'a vue, n'est-ce pas ?*

  Nothing went wrong, did **it**? *Il n'y a pas eu de problème, hein ?*

ATTENTION

- L'emploi de no ou de ses composés implique que **tout** l'énoncé est **négatif**.

  I see it **nowhere**. *Je ne le vois nulle part.*
  [**une seule** négation : nowhere]

- La **double négation** existe en anglais (I can't see it nowhere), mais elle est considérée comme très incorrecte.

244 *None* [nʌn] (« aucun »)

None est un pronom qui désigne un ensemble vide d'éléments (humains ou non).

"Any messages?" "**None.**" *« Des messages ? – Aucun. »*

None peut être suivi de of + déterminant + nom ou de of + pronom personnel.

None of the students I met spoke English.
Aucun des étudiants que j'ai rencontrés ne parlait anglais.

None of them **was/were** late. *Aucun d'entre eux n'était en retard.*

None of + pluriel s'accorde au singulier (none of them **was**) ou au pluriel (none of them **were**). L'emploi du singulier est plus formel.

LES NOMBRES

245 Les nombres cardinaux

Les nombres cardinaux sont des quantifieurs désignant une quantité définie. Ils ont un rôle de déterminant.

1 one	**10** ten	**30** thirty	**1,000,000** a million
2 two	**11** eleven	**40** forty	**300** three hundred
3 three	**12** twelve	**50** fifty	**150** one hundred and fifty
4 four	**13** thirteen	**60** sixty	
5 five	**14** fourteen	**70** seventy	**60,127** sixty thousand, one hundred and twenty-seven
6 six	**15** fifteen, etc.	**80** eighty	
7 seven	**20** twenty	**90** ninety	
8 eight	**21** twenty-one	**100** a hundred	**8,000** eight thousand
9 nine	**22** twenty-two, etc.	**1,000** a thousand	

Prononciation des nombres cardinaux

- Avec les nombres en -teen, l'accent est sur la première syllabe et sur -teen : 'six'teen.
- Avec les nombres en -ty, l'accent est sur la première syllabe : 'forty.

Lecture des nombres cardinaux

- Les **années** se lisent par groupes de deux chiffres.

  1492 fourteen hundred and ninety two ou fourteen ninety two

  1900 nineteen hundred

  Mais 2020 two thousand and twenty ou twenty twenty
- 100 et 1 000 peuvent se lire **one** hundred et **one** thousand ou **a** hundred et **a** thousand.

  On n'emploie pas a au milieu d'un nombre : 4 100 se dit four thousand one hundred (et non ~~four thousand a hundred~~).
  Quand thousand est suivi de centaines, on préfère nettement one : 1 200 se lit **one** thousand two hundred, plutôt que a thousand two hundred.
- Les **décimales** se lisent chiffre après chiffre.

  1.54 one point five four
  1,54 *un virgule cinquante-quatre*

  ATTENTION On emploie en anglais un point appelé decimal point là où le français utilise une virgule.

0 *(zéro)* se dit **zero** ['zɪərəʊ] en anglais américain.

En anglais britannique, on peut aussi dire :

- **Nought** [nɔːt] dans un chiffre, avant ou après le decimal point.

  0.02 nought point nought two ou zero point zero two : 0,02 *(zéro virgule zéro deux)*
- **O** (la lettre o) [əʊ] dans les numéros de téléphone, les numéros de chambres ou les dates.

  7851109 seven, eight, five, one, one, o, nine

  room 506 : room five, o, six
  1901 nineteen o one
- On emploie zero (GB et US) dans les mesures.

  3 degrees above zero : *trois degrés au-dessus de zéro*
- En **sport**, 2-0 se dit two zero ou two nil (GB) ou two nothing (US). Au tennis, 0 *(zéro)* se dit love.

- On emploie and devant les dizaines et les unités. Les milliers (millions, milliards) sont séparés par une virgule.

  356 three hundred **and** fifty six

  700,329 seven hundred thousand, three hundred **and** twenty-nine

  1,001 one thousand **and** one

  1,000,020 one million **and** twenty

En anglais américain, and est facultatif dans ce cas.

246 Particularités d'emploi des cardinaux

Zero est suivi d'un nom pluriel.

Zero degree**s** Fahrenheit is minus eighteen degrees Celsius.
Zéro degré Fahrenheit, ça fait moins 18 degrés Celsius.

Lorsque one est suivi d'une décimale, il s'emploie avec un nom pluriel.

1.5 kilometre**s**. One point five kilometre**s**.
1,5 kilomètre. Un kilomètre virgule cinq.

Dozen, hundred, thousand et million sont invariables lorsqu'ils sont précédés d'un nombre ou de a few, many, several.

two dozen eggs : *deux douzaines d'œufs*

six hundred men : *six cents hommes*

several hundred students : *plusieurs centaines d'étudiants*

a few thousand years ago : *il y a quelques milliers d'années*

Quand les cardinaux s'emploient comme des noms, au sens de *des centaines, des milliers de...*, ils prennent logiquement le -s du pluriel.

hundred**s** of complaints : *des centaines de plaintes*

million**s** of animals : *des millions d'animaux*

Les mots français *dizaine, quinzaine, quarantaine, centaine...* n'ont pas d'équivalents en anglais, sauf *douzaine* (dozen). On utilise about + **numéral** ou **numéral** + odd.

about a hundred planes : *une centaine d'avions*
forty-**odd** years : *une quarantaine d'années*

Quinze jours se dit a fortnight (GB) ou two weeks.

fifteen days : *quinze jours très précisément* (ni 14 ni 16)

We moved out a fortnight ago.
Nous avons déménagé il y a quinze jours.

En français, on dit : *les dix premiers chapitres* (**cardinal** + **ordinal** + **nom**). En anglais, on dit : the first ten chapters (**ordinal** + **cardinal** + **nom**).

On trouve de même last/next/only/other + **cardinal** + **nom** : the last ten chapters.

> I wrote the **last** three chapters during the **first** ten days of my holiday.
> *J'ai écrit les trois **derniers** chapitres durant les dix **premiers** jours de mes vacances.*

247 Les nombres ordinaux

- Ils servent à indiquer la **position dans un ordre**. Ce sont des adjectifs.

1st	first	8th	eigh**th**	21st	twenty-**first**
2nd	second	9th	nin**th**	22nd	twenty-**second**
3rd	third	10th	ten**th**	23rd	twenty-**third**, etc.
4th	four**th**	11th	eleven**th**	30th	thirtie**th**, etc.
5th	fif**th**	12th	twelf**th**	100th	hundred**th**
6th	six**th**	13th	thirteen**th**, etc.	1000th	thousand**th**
7th	seven**th**	20th	twentie**th**	1,000,000th	million**th**

- Remarquez l'orthographe de fifth [fɪfθ], eighth [eɪtθ], ninth [naɪnθ], twelfth [twelfθ], forty (sans u) et la transformation de -y en -i (twenty : twentieth).

- Notez la prononciation de second [sekənd], avec un [k] et non un [g].

- Comme en français, les ordinaux sont précédés de l'article.

  the first time : ***la*** *première fois*

  a third goal : ***un*** *troisième but*

- **Écriture des nombres ordinaux**

  - Lorsque les nombres ordinaux sont écrits en chiffres, on ajoute au chiffre les deux dernières lettres du mot correspondant : on écrit the **2nd**/**3rd** floor (*le* 2e/3e *étage*).

  - Voici comment on **écrit une date** en anglais britannique :

    27 May 2010 ou 27th May 2010 (*le 27 mai 2010*)

    Si l'on n'utilise que des chiffres, cela donne :

    27.5.10 ou 27-5-10 ou 27/5/10

En anglais américain, on écrit d'abord le mois, puis le jour et on place une virgule devant l'année.

May 27, 2010

ATTENTION 2.9.12 signifie le 2 *septembre* 2012 en anglais britannique, mais le 9 *février* 2012 en américain.

Lecture des nombres ordinaux

- 27 May (*le 27 mai*) **se prononce** the twenty-seven**th** of May ou May the twenty-seven**th** [pas ~~the twenty-seven~~].

  En anglais américain, on dit plutôt May twenty-seventh (sans l'article).

- Pour lire les noms de **souverains**, on emploie les nombres ordinaux (précédés de the). Ces noms s'écrivent de la manière suivante : **nom + chiffre romain**.

  Elizabeth II se lit Elizabeth the second. [pas ~~the two~~]

  Pope Benedict XVI se lit Pope Benedict the sixteenth.

La Seconde Guerre mondiale se dit World War Two, mais s'écrit parfois World War II [pas ~~the second~~ !]. On dit aussi the Second World War.

Relier deux noms

POUR COMMENCER

- La manière la plus courante en français de relier deux ou plusieurs noms est d'employer les prépositions *de* ou *à*.

  le chien ***de*** *Paul*
  une boîte ***aux*** *lettres*

- En anglais, il existe plusieurs manières de relier deux noms.

- **Par une préposition**

  the title **of** the book : *le titre du livre*

- **Par l'emploi du génitif**

  Mr Grant'**s** house : *la maison de M. Grant*

- **Par la formation de noms composés**

  bird-watching : *l'observation des oiseaux*
  weekend : *un week-end, une fin de semaine*

NOM + PRÉPOSITION + NOM

248 La préposition *of*

Of est souvent utilisé pour mettre deux noms en relation, notamment lorsque le nom après of désigne une chose (→ 257).

the tip **of** the iceberg : *la partie visible de l'iceberg*

249 Comparaison d'emploi de quelques prépositions

Bien que leur contexte ait le même sens, la préposition employée est différente en anglais et en français.

an article **from** *The Guardian*	*un article* ***du*** *« Guardian »*
a book **by** William Golding	*un livre* ***de*** *William Golding*
congratulations **on** your success	*félicitations* ***pour*** *ton succès*
a cheque **for** $100	*un chèque* ***de*** *100 dollars*

a fall/an increase **in** accidents	une chute/augmentation **du** nombre d'accidents
a demand/need **for** help	un besoin **d'**aide
an extract/a passage **from** *Hamlet*	un extrait/passage **de** « Hamlet »
an interest **in** music	un intérêt **pour** la musique
the love **for/of** money	l'amour **de** l'argent
a quest **for** happiness	une quête **du** bonheur
a solution **to** the problem	une solution **au** problème

→ Verbe + préposition 13.
→ Adjectif + préposition 273-282.
→ Prépositions 456-490.

LE GÉNITIF

250 Forme du génitif

Il existe deux possibilités : **nom + 's** ou **nom + '**.

– nom singulier + 's :

my sister**'s** dog : *le chien de ma sœur*

– nom pluriel régulier + ' :

the boy**s'** room : *la chambre des garçons*

– pluriel irrégulier + 's :

the children**'s** toys : *les jouets des enfants*

251 Particularités du génitif

On ajoute généralement **'s** aux **noms propres** terminés par -s.

Charles**'s** daughter : *la fille de Charles*

Après le nom d'auteurs connus, on a davantage le choix.

Dickens**'s** novels ou Dickens' novels : *les romans de Dickens*

Après les noms de l'Antiquité, on utilise l'apostrophe seule.

Archimedes**'** law : *la loi d'Archimède*

my Achilles**'** heel : *mon talon d'Achille*

in Jesus**'** time : *du temps de Jésus*

Avec les **structures coordonnées**, il existe deux possibilités qui n'ont pas le même sens.

- **'s** suit chacun des deux noms coordonnés.

John**'s** and Sally**'s** cars :
la voiture de John et celle de Sally/les voitures de John et Sally

Il s'agit de **deux** voitures, comme le fait apparaître la traduction.

- **'s** suit le dernier des noms coordonnés.

John and Sally**'s** car : *la voiture de John et Sally*

Il s'agit d'**une** voiture commune.

Le génitif peut s'ajouter à plusieurs mots.

the queen of England**'s** palaces : *les palais de la reine d'Angleterre*

On rencontre parfois deux génitifs à la suite.

my mother**'s** boss**'s** house : *la maison du patron de ma mère*

252 Prononciation du génitif

Les règles sont les mêmes que celles des autres finales en -s (3e personne du présent des verbes et pluriel courant des noms → 35 et → 165) :

– [s] après les consonnes sourdes [f], [k], [p], [t] ;

– [z] après toutes les autres consonnes et les voyelles ;

– [ɪz] après [s], [ʃ], [z], [ʒ].

my cat**'s** [s] eyes : *les yeux de mon chat*

the dog**'s** [z] lead : *la laisse du chien*

Charles**'s** [ɪz] daughter : *la fille de Charles*

253 Emplois principaux du génitif

Le génitif ('s) **lie directement** les deux noms. Ils sont considérés comme allant l'un avec l'autre : la relation entre les deux noms est soudée.

Il signale un lien de **possession** ou de **parenté** entre les deux noms. Il est parfois appelé « cas possessif ».

Le nom au génitif peut être :

- Un **nom propre**

Mr Smith's daughter : *la fille de M. Smith*

- Un nom commun désignant **une personne**, **un animal**

  the old lady's bag : *le sac de la vieille dame*

  the horse's tail : *la queue du cheval*

- Un nom désignant un **groupe de personnes**

  the government's decision : *la décision du gouvernement*

- Un nom décrivant une **activité humaine**, notamment des véhicules. On a alors le choix entre le génitif et la tournure en of.

  the train's speed ou the speed of the train : *la vitesse du train*

  life's mysteries ou the mysteries of life : *les mystères de la vie*

  the opera's characters ou the characters of the opera : *les personnages de l'opéra*

  the film's dubbed version ou the dubbed version of the film : *la version doublée du film*

  a book's value ou the value of a book : *la valeur d'un livre*

  Toutefois, il est plus prudent de ne pas utiliser le génitif avec ces noms.

- Un **nom de lieu**

  the world's tallest building : *le plus haut bâtiment du monde*
  Britain's exports : *les exportations de la Grande-Bretagne*

- Un **pronom indéfini** (somebody, anyone, everybody...)

  It's **anyone's** guess! *Dieu seul le sait !*
  (litt. : *C'est à n'importe qui de deviner !*)

Attention à ne pas employer the devant le nom propre au génitif. De même qu'en français on ne dit pas ~~la voiture de la Sally~~, on ne dira pas ~~the Sally's car~~ en anglais. Le caractère déterminé, connu de car (**la** voiture en français) est quant à lui signalé par 's. En effet, 's est comparable à the et signale, de la même façon, du connu.

Quand on parle de possession pour le génitif, on l'entend **au sens large**. On peut parler de possession pour the lady's bag (la femme possède bien un sac), mais pas vraiment pour the lady's nose (*le nez de la dame*). On parle dans ce cas de « possession inaliénable » : le nez est une « possession » dont on ne peut pas disposer librement !

Dans the film's dubbed version, le film a bien une version doublée, mais parler de possession serait de l'anthropomorphisme.

254 Autres emplois du génitif

Dans les cas suivants, le génitif n'exprime ni la possession ni la parenté.

Expressions figées avec sake

art for art's sake : *l'art pour l'art* ; for God's sake : *pour l'amour de Dieu* ; for Heaven's sake : *pour l'amour du ciel*

Expressions temporelles au génitif

- Unités de temps + génitif

today's news : *les nouvelles d'aujourd'hui* ;
last year's results : *les résultats de l'année dernière*

- Expression de la durée + génitif

the Hundred Years' War (ou the Hundred Years War) : *la guerre de Cent Ans*

get ten days' leave : *avoir une permission de dix jours*

Avec la durée, on préfère les noms composés : I'll get a ten-day leave.
Sauf si le deuxième nom est **indénombrable**.

They were sentenced to **ten years'** imprisonment.
Ils furent condamnés à dix ans de prison.

Le nom imprisonment étant indénombrable, on ne peut pas dire ~~a ten-year imprisonment~~.

Un retard de trois heures peut se dire de trois façons :

three hours' delay/a three hours' delay/a three-hour delay (forme la plus fréquente)

Expression de la distance

On peut rencontrer le génitif pour indiquer une distance.

a three miles' walk : *une promenade de trois miles*
a fifty metres' queue : *une queue de cinquante mètres*

Le nom composé est bien plus fréquent : a three-mile walk, a fifty-metre queue.

Nombre au génitif + worth

Un nombre peut être au génitif et suivi de worth. La traduction fait appel à pour + quantité.

ten dollars' **worth** of ice cream : ***pour*** *10 dollars de glace*
three days' **worth** of food : *de la nourriture* ***pour*** *trois jours*

255 Le deuxième nom peut être sous-entendu : nom +'s

- Le deuxième nom est sous-entendu quand il désigne un **lieu public**.

at the baker's (sous-entendu shop) : *chez le boulanger* ; Marks & Spencer's (sous-entendu shops) : *les magasins Marks and Spencer* ; St Paul's (sous-entendu cathedral) : *la cathédrale de Saint-Paul* ; at the Kaufmans' (sous-entendu home) : *chez les Kaufman* ; at Dominique's : *chez Dominique* ; at the doctor's (sous-entendu surgery : *son cabinet*)

L'apostrophe est souvent omise dans le cas de sociétés :

Woolworths : *les magasins Woolworth*

On a tendance à ne plus employer le génitif après les noms butcher, dentist, doctor et hairdresser.

I'm going to the dentist('s) and my husband to the hairdresser('s).
Je vais chez le dentiste et mon mari chez le coiffeur.

- Lorsque le **deuxième nom** a déjà été **mentionné**, on ne le réutilise pas.

She put her **arm** through her mother's.
Elle passa le bras sous celui de sa mère.

Ce phénomène est très fréquent après whose (*à qui ?*) et dans les **tournures comparatives**.

"Whose USB flash drive is this?" "It's Leila's."
« À qui est cette clé USB ? – Elle est à Leila. »

His movies are not as good as **Hitchcock's**.
Ses films ne sont pas aussi bons que ceux de Hitchcock.

→ Whose génitif de who 418.

- Le deuxième nom peut apparaître **plus loin** (emploi littéraire).

Maggie'**s** was a troubled **life**. (Maggie's : Maggie's life)
Ce fut une vie tourmentée que celle de Maggie.

On trouve aussi Hers was a troubled life (→ 337).

- On rencontre aussi le génitif seul dans la structure : **nom** + of + **génitif**.

She is staying with **friends of Mary's**.
Elle demeure chez des amis de Mary.

She is **a cousin of the Queen's** and **a friend of my mother's**.
C'est une cousine de la reine et une amie de ma mère.

(a cousin of the Queen's correspond à a cousin among the Queen's cousins.)

Dans ces énoncés, le 's peut ne pas apparaître :

She is a cousin of the Queen and a friend of my mother.

256 Le génitif dans les noms composés

- Il s'agit d'expressions toutes faites qu'on trouve dans le dictionnaire et qu'on peut considérer comme des noms composés. Le premier nom désigne une personne ou un animal. On parle alors de **génitif classifiant**, car le génitif désigne ici **l'appartenance à une catégorie**.

a child's play : *un jeu d'enfant* ; children's clothes : *des habits d'enfants* ; a butcher's knife : *un couteau de boucher* ; a bird's nest : *un nid d'oiseau* ; birds' eggs : *des œufs d'oiseau* ; a dog's life : *une vie de chien* ; sheep's milk : *du lait de brebis* ; goat's milk cheese : *du fromage de chèvre*

> Dans les noms bridesmaid (demoiselle d'honneur), statesman (homme d'État) et tradesman (commerçant), le **-s** est la marque du génitif.

- Soit les deux noms sont au **singulier** (child's play), soit ils sont au **pluriel** (children's clothes), sauf dans a women's magazine (*un magazine féminin*) et a ladies' hairdresser (*un coiffeur pour dames*). On trouve a lady's man ou a ladies' man (*un homme à femmes*).

- Le **premier nom** est **plus accentué** que le second. Comparez :

  I'm looking for children's clothes. [accent principal sur child-]
  Je cherche des habits pour enfants.

  My children's clothes are clean. [accent principal sur clothes]
  Les habits de mes enfants sont propres.

→ Accentuation des noms composés 259.

- On n'emploie pas le génitif classifiant si le premier nom est un **objet** ou un **animal mort**.

On ne dit pas ~~a table's leg~~ mais a table leg (*un pied de table*), ni ~~chicken's stock~~ mais chicken stock (*du bouillon de poulet*).

> Avec un génitif classifiant, comme avec les noms composés, les déterminants et les adjectifs s'appliquent à l'ensemble **nom + 's + nom** et se placent donc avant cet ensemble.
>
> Is this green lady's bike yours? [green porte sur bike]
> *Ce vélo de femme vert est à toi ?*
>
> Comparez avec :
>
> I like this young lady's green bike.
> *J'aime bien le vélo vert de cette jeune femme.*

257 Nom + *of* + nom ou génitif *('s)* ?

La construction nom + of + nom **s'impose** dans les cas suivants.

- Lorsque le nom après of **désigne une chose**.

the roof of the house [~~the house's roof~~] : *le toit de la maison*

the love of money : *l'amour de l'argent*

On trouve cependant the train's speed (*la vitesse du train*) → 253.

D'une façon générale, quand on ne parle pas d'une personne, d'un animal ou d'un pays, il vaut mieux utiliser la tournure en of que le génitif.

- Avec un **adjectif substantivé**

The favourite pastime **of the British** is watching TV.
Le loisir préféré des Britanniques est de regarder la télévision.

- Quand le nom du « possesseur » est **très long**.

C'est notamment le cas quand ce nom est suivi d'une **proposition relative** ou d'un complément introduit par une **préposition**.

I've met the husband **of** the lady **who bumped into my car** yesterday.
J'ai rencontré le mari de la femme qui a percuté ma voiture hier.

They obeyed the instructions **of** the boy **with the trumpet**.
Ils obéissaient aux ordres du garçon à la trompette.

→ A cup of tea, a group of people 261.

On a le choix si le nom à droite du génitif décrit une action ou un état.

the prince's **arrival** ou the arrival of the prince [action]
l'arrivée du prince

the film director's **death** ou the death of the film director [état]
la mort du réalisateur

Mais the car of the prince, ou the wife of the director sont rares.

LES NOMS COMPOSÉS

258 Formation des noms composés

La plupart des noms composés sont constitués de deux éléments. Le **second** élément est en général un nom et constitue l'**élément de base**.

Le premier élément peut dénoter

– **le lieu** : the back door (*la porte de derrière*) ; a London suburb (*une banlieue de Londres*) ;

– **l'usage** : a bottle-opener (un ouvre-bouteille) ;
– **la matière** : a gold watch (une montre en or) ;
– **la cause** : hay fever (le rhume des foins) ;
– **l'objet** : a gold digger (un chercheur d'or).

On traduit en premier l'élément de base.

back **door** : **porte** de derrière

gold **watch** : **montre** en or

Le **premier élément** peut être autre chose qu'un nom. Ce peut être
– **un adjectif** : a blackbird (un merle) ; a shortcut (un raccourci) ;
– **un verbe** : a swearword (un juron) ; a swimming-pool [V-ing] (une piscine) ; frozen food [participe passé] (les surgelés) ;
– **une particule** : an in-patient (un malade hospitalisé) ; overbooking (surréservation).

Le **second élément** est parfois autre chose qu'un nom. Ce peut être
– **une particule** : a break-down (une panne) ; a check-out (une caisse [de supermarché]) ; a grown-up (un adulte) ; a hand-out (un prospectus) ;
– **V-ing** : rock-climbing (l'escalade) ; window-shopping (le lèche-vitrines).

On emploie de moins en moins le **trait d'union** entre deux noms.

a race horse (un cheval de course)

body odour (une odeur corporelle)

En cas de doute, il vaut mieux écrire les deux noms sans trait d'union.

Les noms courts les plus fréquents sont souvent écrits en un seul mot.
weekend (week-end) ; bookshop (librairie) ; toothbrush (brosse à dents).

On peut rencontrer plus de deux noms.

word-processing package : logiciel de traitement de texte

a toothbrush moustache : une moustache en brosse

Les titres de journaux présentent parfois des successions de noms, ce qui permet un gain de place.

Rugby World Cup Warm-up Match for the Boks
Match d'échauffement des Boks pour la coupe du monde de rugby

259 Accentuation des noms composés

Dans la majorité des cas, c'est le premier nom qui porte l'accent principal. Comparez :

NOM COMPOSÉ	ADJECTIF + NOM
a **black**bird [accent sur black] *un merle*	a black **bird** [accent sur bird] *un oiseau noir*
a **French** teacher [accent sur French] *un professeur **de** français*	a French **teach**er [accent sur teach-] *un professeur français*

Si le premier nom dénote la matière dont le second nom est fait ou tiré, c'est ce dernier qui porte l'accent principal.

olive **oil** cotton **dress** gold **watch**

260 Fonctionnement des noms composés

- Le second nom est l'élément de base et le **premier** nom se comporte comme un **adjectif**. Il ne porte donc **pas** la marque du pluriel.

  a pine forest : *une forêt de pins*

  a shoe shop : *une boutique de chaussures*

  a toothbrush : *une brosse à dents*

- Alors que wages (*le salaire*) est un nom pluriel, il perd son -s dans les noms composés.

  a wage earner (*un salarié*)

- Quelques noms cependant sont toujours au pluriel.

  an arm**s** cache : *une cache d'armes*

  the arm**s** race : *la course à l'armement*

  a career**s** office : *un centre d'orientation professionnelle*

  a clothe**s** shop : *un magasin de vêtements*

  a custom**s** officer : *un douanier*

  a good**s** train : *un train de marchandises*

  a sport**s** car : *une voiture de sport*

  a saving**s** account : *un compte épargne*

- On a parfois le choix :

  an antique**(s)** dealer (*un antiquaire*) ; the drug**(s)** problems (*les problèmes de la drogue*)

→ Pluriel des noms composés 174.

261 Nom composé ou nom + *of* + nom ?

Catégorie connue : nom composé

Les noms composés renvoient à une catégorie bien connue, répertoriée dans le dictionnaire. Lorsqu'**on ne parle pas** d'une catégorie connue, on emploie nom + préposition + nom.

NOM COMPOSÉ	NOM + PRÉPOSITION + NOM
a car key *une clé de voiture* [type de clé]	the key of that car *la clé de cette voiture* [clé d'une voiture particulière]
a grammar book *un livre de grammaire* [type de livre]	a book about an astronaut *un livre sur un astronaute* [il n'y a pas de type de livre ~~astronaut book~~]
a policeman *un policier*	a man from the Job centre *un homme de l'Agence pour l'emploi*
an electricity strike *une grève des employés de l'électricité*	a strike against staff cuts *une grève contre les licenciements*

Une partie d'un tout : nom + of + nom

Un nom composé ne s'emploie pas pour extraire une partie d'un tout.

a cup of tea : *une tasse de thé* (a tea cup : *une tasse à thé*)
a pound of cherries : *une livre de cerises*
a spoonful of sugar : *une cuillerée de sucre*
a slice of bread : *une tranche de pain*
a group of students : *un groupe d'étudiants*

Un nom qui sert à localiser : nom + of + nom

the top of the page : *le haut de la page*
the back of the car : *l'arrière de la voiture*
the front of the house : *l'avant de la maison*

Autres termes : bottom (*bas*), beginning (*début*), end (*fin*), inside (*intérieur*), outside (*extérieur*), side (*côté*)...

Mais certains de ces noms se trouvent dans des noms composés.

a hilltop (*le sommet d'une colline*), a treetop (*la cime d'un arbre*), the countryside (*la campagne*), the seaside (*le bord de mer*)...

Les adjectifs

POUR COMMENCER

- Le mot **adjectif** vient du latin *adjicere*, qui signifie *ajouter*. L'adjectif ajoute en effet une précision à un nom ou à un pronom.
- Les adjectifs sont des **apports** d'information qui viennent se greffer sur un **support** (nom ou pronom).

  a blue dress : *une robe bleue* (blue : adjectif greffé sur le nom dress)
  a blue one : *une bleue* (adjectif greffé sur le pronom one)

- Ils apportent avant tout une information **qualitative** au nom.
  C'est pourquoi on parle le plus souvent d'adjectifs **qualificatifs**.

  a big smile : *un grand sourire* (big : information qualitative portant sur smile)

- Les adjectifs qualificatifs sont **invariables** en genre et en nombre.

  I met some nice people yesterday.
  Hier, j'ai rencontré des gens sympathiques.

- La plupart des adjectifs qualificatifs peuvent être modifiés par des adverbes tels que very (*très*) ; a little (*un peu*) ; fairly (*assez*) ; quite (*tout à fait/assez*) ; rather (*assez/plutôt*) ; so (*si*) ; enough (*assez*).

  It is **fairly** obvious. *C'est assez évident.*

  ATTENTION **Enough** se place toujours **après** l'adjectif (→ 223).

  You're not **old enough** to join the army.
  *Tu n'es pas **assez vieux** pour t'engager.*

- On distingue adjectifs **épithètes** et adjectifs **attributs**. Les adjectifs épithètes précèdent directement le nom qu'ils qualifient, alors que les attributs sont séparés du nom par un verbe, notamment le verbe be.
- Certaines grammaires parlent d'**adjectifs démonstratifs** (this dog) et d'**adjectifs possessifs** (my dog), alors que ces mots sont de vrais déterminants, qu'on peut remplacer par the. Nous préférons donc parler de déterminants démonstratifs (→ 199) et de déterminants possessifs (→ 196).
- En anglais, les adjectifs sont invariables car le pluriel est une marque de nature quantitative, alors que les adjectifs sont par nature **qualitatifs**.

LES ADJECTIFS ÉPITHÈTES

Adjectifs toujours épithètes

262 Adjectifs de degré

Les adjectifs de degré sont toujours épithètes, notamment : bare (*pas plus de...*) ; chief, main (*principal*) ; mere (*pur et simple*) ; sheer (*pur*) ; utter (*absolu*).

a mere coincidence : *une pure coïncidence* [~~the coincidence is mere.~~]
the main reason : *la raison principale*
the bare minimum : *le plus strict minimum*
by sheer accident : *par hasard*

263 Autres adjectifs toujours épithètes

- elder, eldest : *aîné* ; live : *vivant*.

my eldest brother : *mon frère aîné*
a live pup : *un bébé phoque vivant*

Comparez avec the pup was alive : *le bébé phoque était vivant*. Alive est toujours attribut.

- Little (*petit*) est surtout épithète. Comparez :

a little car ou a small car : *une petite voiture*

The car is small [pas ~~little~~] : *La voiture est petite.*

Mais on peut dire when I was little : *quand j'étais petit/jeune.*

Place des adjectifs épithètes

264 Règle générale

- En règle générale, les adjectifs épithètes se placent **avant le nom ou pronom qu'ils qualifient**.

a **big yellow** book : *un gros livre jaune*
a **most intriguing** situation : *une situation très bizarre*

- Cette règle s'applique aussi aux adjectifs **modifiés par un adverbe**, en particulier very.

a **very interesting** film : *un film très intéressant*

ATTENTION Avec as, how, so et too, l'adjectif se place **avant** l'article a(n).

I have **as good a mark as** you. *J'ai une aussi bonne note que toi.*

It was **too ambitious a project**. *C'était un projet trop ambitieux.*

How serious an author he is! *Comme il est sérieux, cet auteur !*

265 Cas particuliers

Parfois, l'adjectif épithète se place **à droite** de ce qu'il qualifie.

- Lorsqu'il qualifie un pronom composé de some/any/no :

something nice : *quelque chose de gentil* ; nothing new : *rien de nouveau*

- Dans certains titres ou expressions souvent empruntés au français :

a knight errant : *un chevalier errant*

Prince Charming : *le prince charmant*

the secretary general : *le secrétaire général*

a court martial : *une cour martiale*

Certains adjectifs peuvent se placer **avant ou après le nom**, notamment :
available : *disponible* ; concerned : *concerné* ; conceivable : *concevable* ; involved : *impliqué* ; possible : *possible* ; present : *présent* ; proper : *propre* ; responsible : *responsable* ; suitable : *convenable*

- L'ordre **nom + adjectif** correspond en fait à **nom + proposition relative + adjectif**. Comparez : the present circumstances (*les circonstances actuelles*) et All the parents present turned down the motion. (*Tous les parents présents ont rejeté la motion.*)
- Dans certains cas, le sens varie selon que l'on a **adjectif + nom** ou **nom + adjectif**.

the vehicles involved (*les véhicules impliqués*) ; an involved question (*une question compliquée*)

a proper campus : *un vrai campus* ; outside the campus proper : *en dehors du campus proprement dit*

Ordre des adjectifs épithètes

266 Du subjectif à l'objectif

L'ordre des adjectifs va du subjectif à l'objectif. L'adjectif qui implique une **prise de position**, un **jugement** se place en **premier** ; vient ensuite l'adjectif qui sert à décrire une caractéristique ou un trait fondamental.

a brilliant American pianist : *un brillant pianiste américain*
[brilliant : jugement ; American : caractéristique objective]

an intelligent young man : *un jeune homme intelligent*

a delicious hot soup : *une délicieuse soupe chaude*

- De façon plus précise, les adjectifs suivent l'ordre TACOM :
(Jugement) **T**aille **A**ge **C**ouleur **O**rigine (Autre qualité) **M**atière

a tall young man : *un grand jeune homme*

beautiful long fair hair : *de beaux cheveux longs blonds*

- Les adjectifs dénotant la taille et la longueur (big/small/short/long...) se placent généralement avant les adjectifs dénotant la forme et la grosseur (fat/thin/wide/narrow...).

a big fat black cat : *un grand et gros chat noir*

- Lorsqu'il y a **plus de deux adjectifs** devant le nom, on les sépare habituellement par des virgules, sauf s'ils sont courts.

a stupid, unpopular, expensive project : *un projet stupide, impopulaire, coûteux*

a cute little red purse : *un joli petit sac à main rouge*

267 Emploi de *and* entre deux adjectifs épithètes

- Lorsque deux adjectifs décrivent des parties d'un même objet, ils sont obligatoirement coordonnés par and : a black and white dog (*un chien noir et blanc*).

- L'adjectif nice est souvent suivi de and. Il joue un rôle comparable à l'adverbe *bien*.

Granny likes her tea nice and sweet.
Mamie aime son thé bien sucré.

It's nice and warm in here. *Il fait (bien) bon ici.*

- On trouve aussi and lorsque deux adjectifs donnent des informations de même nature et qui vont dans le même sens.

a stupid (and) useless project : *un projet stupide et inutile*

regrettable (and) unnecessary violence : *une violence regrettable et gratuite*

- Dans les autres cas, and ne s'emploie pas : ~~a little and red purse~~ ; ~~a fat and black cat~~.

→ And entre deux adjectifs attributs 271.

LES ADJECTIFS ATTRIBUTS

Adjectifs toujours attributs

268 Adjectifs commençant par le préfixe *a-*

SEULEMENT ATTRIBUT	ÉPITHÈTE POSSIBLE
afraid : *apeuré*	frightened
alive : *vivant*	living
alone : *seul*	lonely
ashamed : *honteux*	shameful
asleep : *endormi*	sleeping
awake : *éveillé*	
aware : *conscient*	conscious

269 Autres adjectifs toujours attributs

SEULEMENT ATTRIBUT	ÉPITHÈTE POSSIBLE
content : *satisfait*	satisfied
cross : *furieux*	furious
drunk : *ivre*	drunken
ill : *malade*	sick
glad/pleased : *heureux*	happy
well : *bien, en bonne santé*	healthy, fit

Place des adjectifs attributs

270 Adjectif attribut séparé du nom qu'il qualifie

L'adjectif attribut est séparé du nom qu'il qualifie par un verbe. Les verbes suivants peuvent être suivis d'adjectifs attributs :
appear (*apparaître*) ; be (*être*) ; become (*devenir*) ; feel (*se sentir*) ; grow (*devenir*) ; look (*avoir l'air/sembler*) ; seem (*sembler*) ; taste (*sembler au goût*)…

She looks **sad**. *Elle a l'air triste.* [sad adjectif attribut]

It tastes **good**. *C'est bon.* [good adjectif attribut]

271 Plusieurs adjectifs attributs : emploi de *and*

Lorsque plusieurs adjectifs attributs sont présents, le dernier est presque toujours précédé de and.

Her hair is dark, long and shiny.
Ses cheveux sont foncés, longs et brillants.

The theme tune was dark, obsessive, fascinating, unfathomable.
[sans and : se veut littéraire]
La musique du générique était sombre, obsédante, fascinante, insondable.

272 Place du groupe adjectif + préposition + complément

- Le groupe entier **adjectif** + **préposition** + **complément** n'est jamais placé avant le nom.

This writer, **famous for his comedies**, also wrote a novel.
(famous correspond à who was famous...)
Cet écrivain, célèbre pour ses comédies, a aussi écrit un roman.

- Lorsque l'adjectif est en V-ed ou V-ing (→ 285), le groupe **adjectif** + **compléments** se place **après** le nom.

a crowded village *(un village bondé)*
Mais : a village crowded with tourists *(un village bondé de touristes)*
a teeming street *(une rue bondée)*
Mais : a street teeming with people *(une rue grouillant de monde)*

Quelles prépositions après les adjectifs attributs ?

Les listes suivantes ne sont pas exhaustives.

273 Adjectif + *about*

angry *(mécontent)*, annoyed *(irrité)*, anxious *(anxieux)*, crazy *(fou)*, excited *(excité)*, furious *(furieux)*, glad *(content)*, happy *(heureux)*, mad *(dingue de)*, pleased *(content)*, sorry *(désolé)*, upset *(bouleversé)*, worried *(soucieux)* **about** sth

I'm worried about his health.
Sa santé m'inquiète.

274 Adjectif + *at/by*

At

angry/mad (en colère), bad (mauvais), brilliant (brillant), clever (doué), excellent (excellent), good (bon), terrible (très mauvais) **at** sth

He is not good at these things.
Il n'est pas doué pour ce genre de choses.

At/By

amazed (ébahi), astonished (stupéfait), disgusted (écœuré), shocked (choqué), surprised (surpris) **at/by** sth

275 Adjectif + *for*

famous (célèbre), grateful (reconnaissant), responsible (responsable) **for** sth

She's responsible for her actions. *Elle est responsable de ses actes.*

276 Adjectif + *from*

absent (absent), different (différent), separate (séparé) **from** sth

It was different from what I expected.
Ce fut différent de ce que j'attendais.

On dit aussi different **to** ; different **than** est fréquent en anglais américain.

277 Adjectif + *in*

interested (intéressé), disappointed (déçu) **in** sb/sth

Are you interested in art? *Vous intéressez-vous à l'art ?*

278 Adjectif + *of*

afraid/frightened/scared/terrified (effrayé) **of** sth

be ashamed (avoir honte), aware/conscious (conscient), be fond (bien aimer), full (plein), jealous (jaloux), proud (fier), be sick (en avoir assez), tired (fatigué), typical (typique) **of** sth

279 Adjectif + *on*

keen (enthousiasmé), dependent (dépendant) **on** sb/sth

I'm not keen on that idea.
Je ne suis pas enthousiasmé par cette idée.

280 Adjectif + *to*

close (*proche*), kind (*gentil*), married (*marié*), nice (*sympa*), polite (*poli*), rude (*impoli*), used (*habitué*) **to** sb

I've always felt close to my in-laws.
Je me suis toujours senti proche de ma belle-famille.

281 Adjectif + *with*

bored (*qui s'ennuie*), delighted (*ravi*), disappointed (*déçu*), be familiar (*bien connaître*), be fed up (*en avoir assez de*), pleased (*heureux*), satisfied (*satisfait*) **with** sb/sth

He is bored with his job. *Son travail l'ennuie.*

282 Adjectif + *with sb for sth*

angry (*mécontent*), annoyed (*irrité*), furious (*furieux*) **with** sb **for** doing sth

He was furious with me for not telling him.
Il a été furieux que je ne lui en parle pas.

Adjectif + *to* + verbe

283 Emplois

De nombreux adjectifs sont suivis de **to + V**, notamment afraid, anxious, happy, lucky, pleased, relieved, shocked, surprised…

I'm **glad to hear** the news. *Je suis ravi d'apprendre la nouvelle.*

La plupart peuvent aussi être suivis d'une proposition en that.

I'm glad (that) you came. *Je suis content que tu sois venu.*

284 Cas particuliers

- Quelques adjectifs, tels que different, difficult, easy, first, last, next, second, third… peuvent être séparés de to + verbe et se mettre **à la gauche du nom**.

  a **difficult** problem **to** solve : *un problème difficile à résoudre*

  an **easy** car **to** drive : *une voiture facile à conduire*

- Les **superlatifs** peuvent également être suivis de to.

  She's become the **youngest** student **to** pass the test.
  Elle est devenue la plus jeune étudiante à avoir réussi cet examen.

Les adjectifs easy, hard, difficult, good, impossible suivis de to se traduisent souvent par une tournure impersonnelle.

They are easy to please. *Il est facile/C'est facile de leur faire plaisir.*
sujet personnel — sujet impersonnel

Notez aussi cette construction en ready to : The application forms are ready to complete. *Les dossiers de candidature sont prêts à être remplis.* (traduction par un passif après être prêt).

FORMATION DES ADJECTIFS

285 Les adjectifs en V-*ed* ou V-*ing*

- Un grand nombre d'adjectifs sont formés d'un verbe auquel s'ajoute -ed ou -ing.

  satisfied : *satisfait*, satisfying : *satisfaisant*

- Généralement, -ed donne un sens **passif** à l'adjectif et -ing un sens **actif**.

  If I'm interest**ed** it's because it's interest**ing**!
  Si je suis intéressé, c'est parce que c'est intéressant !

SENS ACTIF	SENS PASSIF
amaz**ing** : *étonnant*	amaz**ed** : *étonné*
amus**ing** : *amusant*	amus**ed** : *amusé*
astonish**ing** : *surprenant*	astonish**ed** : *surpris*
bor**ing** : *ennuyeux*	(be) bor**ed** : *s'ennuyer*
confus**ing** : *déroutant*	confus**ed** : *dérouté*
depress**ing** : *déprimant*	depress**ed** : *déprimé*
disgust**ing** : *dégoûtant*	disgust**ed** : *dégoûté*
fascinat**ing** : *fascinant*	fascinat**ed** : *fasciné*
frighten**ing** : *effrayant*	frighten**ed** : *effrayé*
interest**ing** : *intéressant*	interest**ed** : *intéressé*
worry**ing** : *inquiétant*	worri**ed** : *soucieux*

- Notez que -ed dans les adjectifs suivants se prononcent [ɪd] :

  aged *(d'un âge avancé)*, beloved *(bien-aimé)*, crooked *(tordu)*, dogged *(obstiné)*, learned *(savant)*, naked *(nu)*, ragged *(en haillons)*, rugged *(déchiqueté)*, sacred *(sacré)*, wicked *(méchant)*, wretched *(misérable)*

286

Les adjectifs composés

Les adjectifs composés sont des adjectifs incluant deux termes ou plus.

PREMIER TERME	DEUXIÈME TERME	EXEMPLE
adjectif	+ adjectif	dark grey : *gris sombre*
nom	+ adjectif	knee-deep : *profond jusqu'aux genoux* navy-blue : *bleu marine*
adjectif	+ participe passé	newborn : *nouveau-né*
adverbe	+ participe passé	well-fed : *bien nourri* well-known : *bien connu*
nom	+ participe passé	home-made : *fait (à la) maison*
adjectif	+ nom + -ed	narrow-minded : *étroit d'esprit* long-eared : *aux longues oreilles*
adverbe	+ nom + -ed	well-mannered : *bien élevé*
participe passé	+ nom + -ed	broken-hearted : *au cœur brisé*
nom	+ nom + -ed	snow-capped : *couvert de neige*
adjectif	+ verbe + -ing	easy-going : *facile à vivre*
nom	+ verbe + -ing	time-consuming : *qui prend du temps* heart-breaking : *déchirant*

ATTENTION La suite **numéral** + **nom** se comporte comme un adjectif.

a **twelve-year old** boy : *un garçon de douze ans*

a **thousand-dollar** question : *une question à mille dollars*

Notez que year et dollar ne portent pas la marque du pluriel car ils fonctionnent comme des adjectifs. Notez également l'utilisation du trait d'union : twelve-year ; thousand-dollar.

LES ADJECTIFS SUBSTANTIVÉS

En français, pour convertir un adjectif en nom, il suffit de le faire précéder d'un article : *pauvre* → *les pauvres*.

En anglais, les règles sont beaucoup plus strictes : tout adjectif doit être suivi d'un **nom** ou du **pronom de reprise** one (ones).

un mort : a dead **man** [~~a dead~~]

nos proches : our loved **ones** [~~our loved~~]

You've taken the wrong **one**. *Tu n'as pas pris le bon.*

The little **ones** have gone to bed. *Les petits sont allés se coucher.*

Il existe trois cas où la conversion de l'adjectif en nom est possible à l'aide de l'article : les notions abstraites, les groupes de personnes et les adjectifs de nationalité.

287 *The* + adjectif : notion abstraite

Les adjectifs désignant une **notion abstraite** peuvent dans certains cas être convertis en noms. Ils sont alors toujours précédés de the (→ 195).

the absurd : *l'absurde* ; the unexpected : *l'inattendu* ; the sublime : *le sublime* ; the supernatural : *le surnaturel* ; the unknown : *l'inconnu*

L'important se dit the important thing (ou the main thing).

L'important, c'est de se souvenir.
The important/main thing is to remember.

288 Adjectifs désignant un groupe de personnes

- Leur sens est toujours **pluriel**.

the unemployed : *les chômeurs* ; the blind : *les aveugles* ; the dead : *les morts* ; the young : *les jeunes* ; the handicapped : *les handicapés*

The poor were oppressed by the rich.
Les pauvres étaient opprimés par les riches.

Remarquez l'emploi obligatoire de the, l'absence de marque du pluriel (pas de -s) et l'accord au pluriel (were).

- Pour désigner un individu, on a recours à **adjectif** + man/woman/person...

a rich man : *un riche* ; a young man/woman : *un(e) jeune*

En français, on trouve quantifieur + adjectif substantivé.
***Quelques riches** croient que...*

En anglais, il faut ajouter un nom après l'adjectif : **Some rich people** believe that...

- Les adjectifs black et white s'emploient de manière particulière.

a black : *un Noir* ; a black man/woman : *un(e) Noir(e)* ; the blacks [-s du pluriel]/black people : *les Noirs*

a white : *un Blanc* ; a white man/woman : *un Blanc/une Blanche* ; the whites [-s du pluriel]/white people : *les Blancs*

A black/white et the blacks/whites sont parfois considérés comme péjoratifs. Aux États-Unis, *un(e) Noir(e)* se dit de plus en plus an African American.

289 Adjectifs de nationalité : généralités

- Certains adjectifs de nationalité peuvent être employés comme noms, d'autres pas.
- Lorsque les adjectifs de nationalité sont employés avec l'article zéro, ils désignent la langue correspondant au pays.

  She speaks English and German. *Elle parle anglais et allemand.*
- Tous les adjectifs de nationalité, qu'ils soient ou non employés comme substantifs, prennent une **majuscule**. Comparez avec le français :

  the Americans : *les Américains* ; the American way of life : *le mode de vie américain*

290 Adjectifs de nationalité se terminant par *-sh* ou *-ch*

- Ils s'emploient comme les adjectifs substantivés désignant un groupe de personnes.

  The English are also British. *Les Anglais sont aussi britanniques.*

Notez l'emploi obligatoire de the, pas de -s à English et le verbe au pluriel.

PAYS ou ENTITÉ GÉOGRAPHIQUE	ADJECTIF -sh ou -ch	un(e)... man/woman/person	des/quelques... Some... people	les + nom pas de -s pluriel
Britain	British	a British person	(some) British people	the British (les Britanniques)
England	English	an Englishman/ Englishwoman	(some) English people	the English (les Anglais)
France	French	a Frenchman/ Frenchwoman	(some) French people	the French (les Français)
Holland/ the Netherlands	Dutch	a Dutchman/ a Dutchwoman	(some) Dutch people	the Dutch (les Néerlandais)
Ireland	Irish	an Irishman/ Irishwoman	(some) Irish people	the Irish (les Irlandais)
Wales	Welsh	a Welshman/ Welshwoman	(some) Welsh people	the Welsh (les Gallois)

- Pour désigner la totalité du groupe, on peut également employer Ø + adjectif + people. La tournure the + adjectif est plus courante.

  You know the stereotype about **British people** (ou about **the British**) having long teeth. [adjectif de nationalité + people] *Tu connais ce stéréotype sur les Britanniques qui auraient de grandes dents.*

- Si l'on désigne un groupe, il faut employer **quantifieur** + **adjectif** + people.

  Some/A few English people settled in the village.
  [~~Some English settled~~...]
  Des/Quelques Anglais se sont installés dans le village.

- Les noms -man et -woman sont collés à l'adjectif.

  Five Irishwomen asked me the question.
  Cinq Irlandaises m'ont posé la question.

- Le nom Briton (Britannique) s'emploie surtout dans la presse.

  5,000 Britons fled the city.
  5 000 Britanniques ont fui la ville.

291 Adjectifs se terminant par *-ese* et *Swiss* (suisse)

- **Le nom et l'adjectif sont semblables.**

PAYS	ADJECTIF -ese	un(e)... -ese	les + nom + -ese
China	Chinese	a Chinese	the Chinese (*les Chinois*)
Congo	Congolese	a Congolese	the Congolese (*les Congolais*)
Japan	Japanese	a Japanese	the Japanese (*les Japonais*)
Lebanon	Lebanese	a Lebanese	the Lebanese (*les Libanais*)
Portugal	Portuguese	a Portuguese	the Portuguese (*les Portugais*)
Vietnam	Vietnamese	a Vietnamese	the Vietnamese (*les Vietnamiens*)

- **Fonctionnement comparable**

Switzerland	Swiss	a Swiss	the Swiss (*les Suisses*)

- **Le nom est invariable.**

  5,000 Japanese/5,000 Japanese people : *5 000 Japonais*
  some Vietnamese : *certains Vietnamiens*

292 Adjectifs se terminant en *-an*

PAYS ou ENTITÉ GÉOGRAPHIQUE	ADJECTIF -an	un(e)... -an	les + nom + -ans
Africa	African	an African	the Africans (les Africains)
America	American	an American	the Americans (les Américains)
Australia	Australian	an Australian	the Australians (les Australiens)
Belgium	Belgian	a Belgian	the Belgians (les Belges)
Canada	Canadian	a Canadian	the Canadians (les Canadiens)
Corsica	Corsican	a Corsican	the Corsicans (les Corses)
Europe	European	a European	the Europeans (les Européens)
Germany	German	a German	the Germans (les Allemands)
Italy	Italian	an Italian	the Italians (les Italiens)
Norway	Norwegian	a Norwegian	the Norwegians (les Norvégiens)

Notez aussi : Algerian, Asian, Brazilian, Cambodian (cambodgien), Chilean, Hungarian (hongrois), Indian, Mexican, Moroccan, Russian, Tunisian...

Fonctionnement comparable

Breton	Breton	a Breton	the Bretons (Brittany : la Bretagne)
Greek	Greek	a Greek	the Greeks (les Grecs)
Iraq	Iraqi	an Iraqi	the Iraqis (les Irakiens)
Israel	Israeli	an Israeli	the Israelis ou Israeli (les Israéliens)
Pakistan	Pakistani	a Pakistani	the Pakistanis (les Pakistanais)

Le nom prend la marque du pluriel (-s).

the Europeans : les Européens ; some Europeans : des Européens

Le nom singulier se forme sans l'addition de man.

an American : un Américain ; a European : un Européen

293 Adjectifs différents du nom

PAYS ou ENTITÉ GÉOGRAPHIQUE	ADJECTIF	un(e)...	les + nom + -s du pluriel
Arabia	Arabic/Arab	an Arab	the Arabs (les Arabes)
Denmark	Danish	a Dane	the Danes (les Danois)
Finland	Finnish	a Finn	the Finns (les Finlandais)
Iceland	Icelandic	an Icelander	the Icelanders (les Islandais)
New Zealand	New Zealand	a New Zealander	the New Zealanders (les Néo-Zélandais)
Poland	Polish	a Pole	the Poles (les Polonais)
Quebec	Quebec	a Quebecker	the Quebeckers (les Québécois)
Scotland	Scottish	a Scot	the Scots (les Écossais)
Spain	Spanish	a Spaniard	the Spaniards/the Spanish (les Espagnols)
Sweden	Swedish	a Swede	the Swedes/the Swedish (les Suédois)
Turkey	Turkish	a Turk	the Turks (les Turcs)

- Notez aussi : Jewish *(juif)*, a Jew *(un juif)*, the Jews *(les juifs)*
- L'adjectif Scotch ne s'emploie presque que pour le whisky : Scotch whisky. 50 Scots : *50 Écossais* ; a Scottish poet : *un poète écossais*
- Arabic s'emploie surtout pour la langue (I speak Arabic : *Je parle arabe*). Sinon, on utilise l'adjectif Arab. Notez The Arabian Nights (*Les Mille et Une Nuits*) ; the Arabian Sea (*la mer d'Arabie*).
- **Le nom prend la marque du pluriel** (-s).

  Some Spaniard**s** were talking to two Turk**s**.
  Des Espagnols parlaient à deux Turcs.

Les comparatifs et les superlatifs

POUR COMMENCER

Comparer, c'est mettre en présence deux éléments au moins et les évaluer l'un par rapport à l'autre. Cette évaluation peut aboutir à un jugement exprimant une **équivalence** ou une **différence**.

- Une **équivalence** : on parle alors de comparatif d'égalité.

  Paul is as tall as Jack. *Paul est aussi grand que Jack.*

- Une **différence** : on parle alors de comparatif de supériorité, d'infériorité ou de superlatif.

  Paul is taller than Jack. *Paul est plus grand que Jack.*
  He is less clever than Liz. *Il est moins futé que Liz.*
  He is the best pupil in the class. *C'est le meilleur élève de la classe.*

Alors qu'avec le **comparatif** on compare **deux** éléments ou deux groupes, avec le **superlatif** on distingue **un ou plusieurs** éléments qui atteignent le plus haut ou le plus bas degré d'un ensemble (the best pupil ; the worst pupil).

LE COMPARATIF D'ÉGALITÉ : AS... AS...

294 Forme de *as... as...*

On exprime l'équivalence à l'aide de as + **adjectif** ou **adverbe** + as...

Paul is **as** tall **as** Jack. *Paul est aussi grand que Jack.*

He speaks English **as** fluently **as** the others.
Il parle anglais aussi couramment que les autres.

ATTENTION à l'ordre des mots avec a + **nom** : l'adjectif se place avant l'article a (→ 186). Comparez :

She is **as** good a student **as** any other. [~~a student as good as~~]
as **adj.** **a** **nom** **as**

C'est une étudiante aussi bonne que les autres.
un(e) **nom** **aussi** **adj.** **que**

À la forme négative, on trouve not as... as ou not so... as :

She is **not as/so** old **as** she looks.
Elle n'est pas aussi âgée qu'elle en a l'air.

Not as/so... as permet de traduire *moins que*.

Elle est moins âgée qu'elle en a l'air. She is **not as/so** old **as** she looks.

En effet, less than est beaucoup moins fréquent que *moins que* (→ 306).

295 Particularité d'emploi de *as... as...*

Le groupe **as** + **adjectif** + **as** peut être précédé de multiplicateurs ou de diviseurs tels que twice (*deux fois*), ten times (*dix fois*), third (*un tiers*), pour traduire *x fois plus que* ou *x fois moins que*.

Canada is **eighteen times as big as** France. (ou eighteen times bigger than France.)
Le Canada est ***dix-huit fois plus grand que*** *la France.*

Remarquez que, dans ce cas, le français utilise un comparatif de supériorité (*plus que...*) ou d'infériorité (*moins que...*).

Deux/Trois fois plus... se traduit à l'aide de as much/many as.

Je gagne deux fois plus que toi.
I earn twice as much as you. [~~twice more~~]

À partir de trois, on peut dire : three times as much as ou three times more than...

deux fois moins que : half as much
trois fois moins que : a third as much

We've had **a quarter as many** visitors.
Nous avons eu quatre fois moins de visiteurs.

Travelling by train releases **one tenth as many** CO_2 emissions as flying.
Voyager en train produit dix fois moins de CO_2 que voyager en avion.

On peut aussi dire Travelling by train releases ten times less CO_2 emissions than flying.

296 *The same as*

Cette construction s'emploie comme *le/la même/les mêmes que.*

His hair is the **same** colour **as** mine.
Ses cheveux sont de la même couleur que les miens.

Give me **the same as** last time.
Donnez-moi la même (chose) que la dernière fois.

297 L'équivalence porte sur une quantité : « autant de... que »

as much + nom singulier + as...
as many + nom pluriel + as...

She drinks **as much** beer **as** Sean.
Elle boit ***autant de*** *bière* ***que*** *Sean.*

I've made **as many** mistakes **as** Rashdee.
J'ai fait ***autant de*** *fautes* ***que*** *Rashdee.*

298 Quel pronom employer après *as* ?

Après le second as, on a le plus souvent le pronom **complément** (me, him, her...).

Paul is as tall as **her**.
She drinks as much beer as **him**.

En anglais contemporain, il est rare de trouver le pronom sujet : Jack is as tall as **she**. En anglais un peu formel, on trouve **pronom sujet + auxiliaire** : Jack is as tall as she is. She drinks as much beer as he does.

→ than me, him, her 307.

LES COMPARATIFS (PLUS... QUE/MOINS... QUE)

Les comparatifs expriment un jugement :
– comparatif de **supériorité** : un élément est supérieur à un autre ;
– comparatif d'**infériorité** : un élément est inférieur à un autre.

299 Formes régulières des comparatifs

Comparatif de supériorité

• **adjectif** ou **adverbe court + -er**

small : small**er**   soon : soon**er**

• **More + adjectif** ou **adverbe long**

more interesting, **more** beautifully

Comparatif d'infériorité

Less + adjectif ou **adverbe**

less interesting, **less** beautifully

Un **adjectif** ou **adverbe court** a une syllabe. Un **adjectif** ou **adverbe long** compte deux syllabes ou plus.

Notez toutefois que :

– les adjectifs pleased : *heureux* ; real : *réel* ; right : *vrai* ; wrong : *faux* font leur comparatif en more : more real ;

– les adjectifs ou adverbes de deux syllabes en -y sont considérés comme courts, ceux en -ing considérés comme longs.

easy → easier

boring → more boring

La formation des comparatifs s'est simplifiée depuis une vingtaine d'années : more s'emploie de plus en plus, au détriment de -er.

Les règles en vigueur étaient un peu plus compliquées avant. Nous les présentons ici.

Mots de **deux syllabes** terminés par -er, -y, -ly, par une voyelle non accentuée ou par l et quelques autres adjectifs : comparatif en -er

clever → cleverer	polite → politer
common → commoner	simple → simpler
narrow → narrower	stupid → stupider

Pour les autres adjectifs de deux syllabes, en cas de doute, il valait mieux utiliser **more**.

300 Emploi particulier de *more*

More est toujours employé lorsqu'on compare deux attributs se rapportant au même sujet.

She is **more kind than** intelligent.
Elle est plus gentille qu'intelligente.

Mais : She is **kinder** than him.
Elle est plus gentille que lui.

301 Orthographe des comparatifs réguliers

Les modifications orthographiques portent sur la finale.

- La voyelle -e finale n'est pas redoublée :

  fine → fin**er**

- Le -y final devient -i s'il est précédé d'une consonne :

  happy → happ**ier**

- La consonne finale des adjectifs d'une syllabe est redoublée si elle est précédée d'une seule voyelle :

  big → bi**gger** sad → sa**dder**, mais sweet → swee**ter**

302 Formes irrégulières des comparatifs

ADJECTIF ou ADVERBE	COMPARATIF
good : *bon*, well : *bien*	better
bad, evil, ill : *mauvais*	worse
far : *loin*	farther/further

303 *Farther/Further*

- Farther et further (*plus loin*) se réfèrent à une distance.

  It is **farther/further** than I thought. *C'est plus loin que je ne pensais.*

- Further peut aussi signifier *supplémentaire/additionnel*. Il est alors synonyme de more.

  for further information : *pour de plus amples renseignements*

  until further notice : *jusqu'à nouvel ordre*

304 *Old/Elder*

- Le comparatif de old (*vieux*) est régulier : older. Son comparatif irrégulier elder signifie *aîné*. Il est toujours épithète (→ 263).
- Plus précisément, elder signifie *l'aîné de deux* et eldest *l'aîné de plus de deux*.

  She is Kirsty's **elder** sister. (Kirsty n'a qu'une sœur aînée.)
  C'est la sœur aînée de Kirsty.

  I'm **the eldest** of four children.
  Je suis l'aîné de quatre (enfants).

305 *Late/Latter*

- Late (*en retard*) a un comparatif régulier (later).

  I'll come back later.
  Je reviendrai plus tard.

- Il a un comparatif irrégulier, latter, qui signifie *le second, ce dernier*. Il est souvent employé avec the former. Il s'agit d'un emploi formel.

  Of the two presentations, I found **the former** too strict and **the latter** a bit flippant.
  Des deux présentations, j'ai trouvé la première trop rigide et la seconde un peu désinvolte.

306 Les constructions comparatives avec *than*

- Le second élément de la comparaison est introduit par than.

more... **than...**
-er... **than...**
less... **than...**

  It's **faster than** a car and **more comfortable than** a bus.
  C'est plus rapide qu'une voiture et plus confortable que le bus.

  He was **less** enthusiastic **than** his brother.
  Il était moins enthousiaste que son frère.

- Le second élément peut être sous-entendu.

  You look **thinner**. (Sous-entendu : thinner than before.)
  Tu as l'air plus mince.

- *Moins... que* peut se traduire par less... than, mais il est souvent préférable de le traduire par not as... as (ou not so... as).

  *C'est **moins cher** qu'en voiture.* It's **not as expensive as** by car.
  *Leur maison est **moins grande** que la nôtre.*
  Their house is **not as big as** ours.

- Autres traductions possibles :

  It's **cheaper** than by car. [comparatif de supériorité + adjectif contraire]

  Their house is **smaller** than ours.

- On évite en particulier less avec des adjectifs courts : less big ne s'emploie pas.

307 Quel pronom employer après *than* ?

- On emploie le plus souvent le **pronom complément** (me, him, her...).

  You look thinner than **them**.
  Tu as l'air plus mince qu'eux.

- En anglais contemporain, il est rare de trouver le **pronom sujet** : You look thinner than **they**. En anglais un peu formel, on trouve **pronom sujet + auxiliaire** : You look thinner than **they do**.

ATTENTION

En français, on emploie **que** pour introduire le second élément de tous les comparatifs. L'anglais distingue **as** (égalité) et **than** (supériorité et infériorité).

Il était aussi enthousiaste ***que*** *son frère.*
He was **as** enthusiastic **as** his brother.

Il était moins/plus enthousiaste ***que*** *son frère.*
He was **less/more** enthusiastic **than** his brother.

308 Comparatif modifié par un adverbe

Il est possible de modifier les comparatifs à l'aide d'**adverbes**.

a bit/a little/slightly : *un peu*
much/a lot/far : *beaucoup*
even : *encore*
rather : *plutôt*

It's **a little/far/even better** than last time.
C'est un peu/beaucoup/encore mieux que la dernière fois.

She's **even less satisfied** now.
Elle est encore moins satisfaite maintenant.

Remarquer que even devant un comparatif se traduit par *encore* et non par *même*.

309 *The* + comparatif

- Quand on ne compare que deux éléments, on emploie souvent **the + comparatif**.

  Of the two salesmen, I think Leo is the more competent.
  Des deux commerciaux, je crois que Leo est le plus compétent.

- Le superlatif est aussi possible : Leo is the most competent (of the two).
- Notez les expressions :

the upper class (*les couches supérieures de la société*) ; the lower classes (*les classes populaires*) ; the younger generation (*la jeune génération*)

So much the better! *Tant mieux !*

→ Emploi de all the + comparatif 437.

310 Les comparatifs des noms (« plus de... », « moins de... »)

- Lorsque la comparaison inclut un nom, on trouve :
  - **more + nom + than** ;
  - **less + nom singulier + than** ;
  - **fewer + nom pluriel + than**.

My parents earn **more/less** money than me.
Mes parents gagnent ***plus/moins*** *d'argent que moi.*

He has **fewer** toys than you. *Il a* ***moins de*** *jouets que toi.*

On emploie de plus en plus less avec un nom **pluriel** : he has less toys (anglais familier, jugé incorrect par certains).

- *Moins de* se traduit aussi par not as much/many.

My parents don't earn as much money as me.
He doesn't have as many toys as you.

- Le nom peut être sous-entendu.

Twelve students passed. Less/Fewer than last year.
Douze étudiants ont réussi. Moins que l'année dernière.

Traduction de ***beaucoup plus de/moins de***

- *Beaucoup* devant ***plus de*** se traduit par much ou many/far/a lot.

beaucoup plus d'argent : much + nom singulier
much more money, far more money, a lot more money

beaucoup plus de jouets : many + nom pluriel
many more toys, far more toys, a lot more toys

- *Beaucoup* devant ***moins de*** se traduit par far ou a lot.

beaucoup moins d'argent : far less money, a lot less money (much less est peu fréquent).
beaucoup moins de jouets : far fewer toys, a lot fewer toys (many fewer est peu fréquent).

311 Comparer deux propositions

More than/Less than permet également de comparer **deux propositions**.

She works (much/far) **more than** her sister (does).
Elle travaille (beaucoup) plus que sa sœur.

She works (much/far) **less than** her sister (does).
Elle travaille (beaucoup) moins que sa sœur.

312 L'accroissement parallèle (« plus..., plus... »)

- La structure de base est : the more..., the more...

  The more money he has, **the more** he wants.
  Plus il a d'argent, plus il en veut.

- Pour exprimer une diminution parallèle, on utilise the less..., the less... (*moins..., moins...*).

  The less I see them, **the less** I want to see them.
  Moins je les vois, moins j'ai envie de les voir.

- On trouve également les combinaisons the less..., the more... (*moins..., plus...*) et the more..., the less... (*plus..., moins...*).

  The less I see them, **the more** I miss them.
  Moins je les vois, plus ils me manquent.

- Quand the est suivi d'un adjectif court, on a **adjectif** + -er.

  The short**er** a book is, the more enjoyable I find it.
  Plus un livre est court, plus je le trouve agréable.

Notez les expressions :

The more, the merrier. *Plus on est de fous, plus on rit.*
The sooner the better. *Le plus tôt sera le mieux.*

- On ne calque pas l'ordre des mots français quand il y a un adjectif.

  *Plus un livre est **court**...* The **shorter** a book is... et non ~~The more a book is short~~.

- On n'emploie pas will de sens futur dans la première proposition. En français, on peut utiliser un futur.

  *Plus vous **lirez**, plus vite vous apprendrez.*
  The more you **read**, the faster you will learn.

- Moins se traduit par the fewer lorsqu'il modifie un nom pluriel.

  Moins il y a d'accidents, mieux ça vaut.
  The fewer accidents there are, **the better** (it is).

313 Le changement progressif (« de plus en plus... » ; « de moins en moins... »)

De plus en plus (de)

- La structure de base est more and more.

  I find your behaviour **more and more** unacceptable.
  Je trouve ton comportement de plus en plus inacceptable.

  I like it **more and more** here.
  J'aime de plus en plus cet endroit.

  We need **more and more** space.
  Il nous faut de plus en plus d'espace.

- Mais, avec un adjectif court, on utilise la tournure -er and -er.

  Your English is getting **better and better**.
  Tu parles de mieux en mieux anglais.

De moins en moins (de)

- La traduction de base est less and less.

  They seem **less and less** interested.
  Ils semblent de moins en moins intéressés.

  I seem to know you **less and less**.
  J'ai l'impression de te connaître de moins en moins.

  We need **less and less** space.
  Nous avons besoin de moins en moins d'espace.

- Mais, devant un nom pluriel, on emploie fewer and fewer (ou less and less, en anglais familier).

  We need fewer and fewer hands.
  Nous avons besoin de moins en moins d'ouvriers.

  Fewer and fewer Americans pay estate tax.
  De moins en moins d'Américains paient des droits de succession.

- On évite less and less devant les adjectifs courts.

  Ton anglais est de moins en moins mauvais se traduit par :
  Your English is getting better and better.
  et non ~~Your English is less and less bad~~.

  De moins en moins petit se traduit par bigger and bigger et non ~~less and less small~~.

LES SUPERLATIFS (LE PLUS... ; LE MOINS...)

Pour comparer un élément avec plusieurs autres, on utilise un superlatif de supériorité (the smallest : *le plus petit*) ou d'infériorité (the least expensive : *le moins cher*).

314 Formes régulières des superlatifs

Superlatif de supériorité

Deux structures sont possibles.

- the + **adjectif** ou **adverbe court** + est

  small : **the** small**est** fast : **the** fast**est**

- the most + **adjectif** ou **adverbe long**

  the most interesting **the most** surprisingly

> This is the **most** boring film I've ever seen.
> *C'est le film le plus ennuyeux que j'aie jamais vu.*

Superlatif d'infériorité : the least + **adjectif**

the least interesting

> I've bought the **least** expensive gift I could find.
> *J'ai acheté le cadeau le moins cher que j'aie pu trouver.*

Ce superlatif d'infériorité est peu employé.

→ Adjectifs courts et adjectifs longs 299.

315 Formes irrégulières des superlatifs

Les adjectifs et adverbes qui ont un comparatif irrégulier (→ 302) ont également un superlatif irrégulier.

ADJECTIF ou ADVERBE	COMPARATIF	SUPERLATIF
good : *bon*, well : *bien*	better	the best
bad, evil, ill : *mauvais*	worse	the worst
far : *loin*	farther/further	the farthest/furthest

> You are my best friend, Rex. *Tu es mon meilleur ami, Rex.*
> He always chooses the farthest/furthest way.
> *Il choisit toujours le chemin le plus éloigné.*
> It's ten miles at the farthest. *Il y a dix miles au maximum.*

→ The eldest (*l'aîné*) 304.

Dans certains emplois très courants, the latest, superlatif de late, se traduit par *le dernier*.

the latest news : *les dernières nouvelles*

the latest fashion : *la dernière mode*

316 Les constructions superlatives

Un superlatif peut être complété dans les cas suivants.

- Par la **préposition** in + lieu ou groupe de personnes (nom singulier).

  the largest city **in** the country : *la plus grande ville du pays*

  the best player **in** the team : *le meilleur joueur de l'équipe*

- Par la **préposition** of dans tous les autres cas.

  the happiest day of my life [ni nom de lieu ni de groupe] : *le jour le plus heureux de ma vie*

  the best player of them all [of + pluriel] : *le meilleur joueur de tous*

- Par une **proposition relative** introduite par Ø/that.

  This is the best meal (that) I've had for a long time.
  C'est le meilleur repas que j'aie fait depuis longtemps.

317 Superlatifs employés comme adverbes

Best, (the) least, (the) most sont employés comme adverbes. Ils modifient un verbe.

Spring is the season I like **best**/(the) **least**.
Le printemps est la saison que j'aime le mieux/le moins.

That's what annoyed me (the) **most**/(the) **least**.
C'est ce qui m'a le plus/le moins contrarié.

D'autres superlatifs peuvent modifier un **verbe**. The peut être omis.

I swam (the) fastest.
C'est moi qui ai nagé le plus vite.

Notez les expressions :

as best I could : *de mon mieux*

to say the least : *c'est le moins qu'on puisse dire*

at least : *au moins, du moins*

at (the) most : *au plus*

318 Le superlatif sans *the* (à son comble)

Rex is **sweetest** when he growls.
C'est quand il gronde que Rex est le plus doux. (... à son comble de douceur.)

Comparez aussi :

Judy is **the least happy** person I've ever met.
Judy est la personne la moins heureuse que j'aie jamais rencontrée.

Judy is **least happy** when she sees me.
C'est quand elle me voit que Judy est la moins heureuse.

ATTENTION Most + **adjectif ou adverbe** peut être synonyme de very, extremely, ever so, so... Il sert d'intensifieur.

It's **most** kind of you.
C'est tout à fait gentil à vous.

Dans ce cas, most n'est jamais précédé de the.

Comparez :

This was **the most interesting** moment of the film.
C'était le moment le plus intéressant du film.

This was **a most interesting** moment.
C'était un moment vraiment intéressant.

319 Les superlatifs des noms (« le plus de... » ; « le moins de... »)

On trouve :

- **the most** + **nom** ;
- **the least** + **nom singulier** ;
- **the fewest** + **nom pluriel**.

Who made **the most mistakes**?
Qui a fait le plus de fautes ?

We have **the least money**.
C'est nous qui avons le moins d'argent.

I made **the fewest** mistakes.
(... the least mistakes en anglais très familier)
C'est moi qui ai fait le moins de fautes.

The est parfois omis en anglais familier.

Who made most mistakes?
We have least money.

Les pronoms personnels et possessifs. Le pronom one Traductions du « on » français

POUR COMMENCER

- Ce tableau présente les pronoms personnels et possessifs correspondants. Il rappelle les déterminants possessifs.

PRONOM PERSONNEL SUJET	PRONOM PERSONNEL COMPLÉMENT	DÉTERMINANT POSSESSIF	PRONOM POSSESSIF
I	me	my	mine
he/she/it	him/her/it	his/her/it	his/hers/its[1]
we	us	our	ours
you	you	your	yours
they	them	their	theirs

- Les formes de tutoiement thou (sujet), thee (complément), thy (déterminant possessif) et thine (pronom possessif) sont archaïques.

  Thou shalt not kill. *Tu ne tueras point.*

1 Le pronom possessif its est très rare.

LES PRONOMS PERSONNELS

Ils sont **pronoms**, car ce sont des instruments de reprise du groupe nominal. Ils sont **personnels**, car ils renvoient à un rang de personne (1re, 2e, 3e personnes).

320 ### Les pronoms personnels sujets

- Les pronoms personnels sont sujets d'un verbe.

  I know. *Je sais.* [I sujet de know]

Ils sont employés après it is/was lorsqu'ils sont suivis d'une proposition relative introduite par who.

  It is **he** who pays the bill. *(sout.) C'est lui qui paie l'addition.*

En anglais familier, on rencontre le pronom **complément** après it is. Dans ce cas, le pronom relatif est that (et non who).

It's him that pays the bill.

Comparez également :

It is I who pay the bill. [pas de -s à pay]

It's me that pays the bill.
[pays, comme pour une 3e personne]

Lorsqu'un nom et un pronom sont sujets d'un verbe, on trouve soit **nom + pronom**, soit **pronom + nom**.

My sister and **he**/**He** and **my sister** were late.
[pas ~~Him and my sister~~]
Ma sœur et lui étaient en retard.

Cependant, avec **I**, l'ordre est **nom + pronom**.

John and **I** met two years ago. (John and me est familier.)
John et moi nous sommes rencontrés il y a deux ans.

Remarquez la traduction par *lui/moi* en français. Les pronoms him/me sont presque toujours **compléments**.

Contrairement au français, le pronom sujet n'est **jamais** répété : *Moi, je pense que...* **I** think that... La mise en valeur permise par *moi, je* s'effectue en anglais :

- **à l'oral** par une forte accentuation du pronom ;
- **à l'écrit** par l'utilisation d'italique ou en soulignant le pronom.

Attention également à l'utilisation emphatique des pronoms personnels en français. Une telle utilisation est à éviter en anglais.

*Il ne sait pas ; sa sœur, **elle**, sait.*
He doesn't know but his sister does.

*Le sport, **c'**est bon pour la santé.*
Sport is good for your health.

321 Les pronoms personnels compléments

Les pronoms personnels anglais, contrairement au français, n'ont qu'une seule forme complément.

He'll come with **me**. *Il viendra avec **moi**.*

Can you see **me**? *Tu **me** vois ?*

322 Emploi de la forme complément

La forme complément est employée
– lorsque le pronom est complément d'objet direct :

I saw **them** yesterday. *Je les ai vues hier.*

– après une préposition :

without **them** : *sans eux*

On apprend aux jeunes anglophones à ne pas dire You and me mais You and I (→ 320). Cela fait que certaines personnes, voulant bien parler, disent between you **and I**, alors qu'il faut dire between you **and me**, car between est une préposition.

323 Forme complément ou forme sujet ?

La forme complément est préférée à la forme sujet, en anglais parlé contemporain, dans les cas suivants.

- Réponses courtes après it is/was, that is/was.

"Who did that?" "It was him./It was me." (It was he ou It was I est très formel.) *« Qui a fait ça ? – C'est lui./C'est moi. »*

Notez qu'on répond It was (et non It is) si la question est au prétérit.

- Après as (as tall as **her**) → 298 et than (thinner than **them**) → 307.

- Après but (dans le sens de *excepté/sauf*).

Who could do it but **him**? (but he est très formel.)
Qui pouvait le faire sinon lui ?

324 Les verbes à double complément

- Les verbes dits d'attribution acceptent deux compléments, notamment : bring : *apporter* ; give : *donner* ; lend : *prêter* ; offer : *offrir* ; promise : *promettre* ; send : *envoyer* ; show : *montrer* ; teach : *enseigner*, tell : *dire*...

- Notez la place du pronom personnel dans ces constructions :

She sent it to Mary. [~~She sent Mary it.~~] *Elle l'a envoyé à Mary.*

She sent her a letter. (She sent a letter to her est moins fréquent.)
Elle lui a envoyé une lettre.

She sent it to her. [~~She sent her it.~~] *Elle la lui a envoyée.*

→ Verbes à double complément 456-457.

325 Remarques sur l'emploi de *you*

- You désigne la ou les personnes auxquelles on s'adresse.

  You can do it! *Tu peux/Vous pouvez le faire !*

- On emploie de plus en plus guys avec you quand on s'adresse à plusieurs personnes, notamment en anglais américain. A guy signifie *un gars*, mais guys s'utilise même si l'on ne s'adresse qu'à des femmes.

  What are you guys doing here?
  Qu'est-ce que vous faites là ?

- You peut également désigner un groupe plus large d'individus vus de l'extérieur. C'est l'un des équivalents de on en français (→ 354).

  You never can tell. *On ne sait jamais.*

- You peut s'employer à l'impératif. L'ordre donné prend alors souvent une valeur de menace (→ 146).

  You sit down! *Vous, asseyez-vous !*

326 Remarques sur l'emploi de *we/us*

- We (sujet), us (complément) représentent un groupe de personnes dans lequel le locuteur s'inclut. On peut les traduire par on.

  We (my friends and I) went to the pictures last night.
  Nous (mes amis et moi) sommes allés au cinéma hier soir. ou *On est allé au cinéma...*

  We all make mistakes.
  On fait tous des erreurs.

- En anglais britannique très familier, us peut signifier me.

  Give us a kiss. *Fais-moi un bisou.*

- Le **nous de majesté** se dit the royal **we**.

  "We disagree," said the Queen.
  « Nous ne sommes pas d'accord », dit la reine.

En français, on utilise souvent nous dans une dissertation, une thèse, un ouvrage critique ou dans la presse. Nous est employé afin d'atténuer je. En anglais, on peut employer we, mais I est plus fréquent.

In this essay, I will try to show...
Dans cette dissertation, je vais/nous allons essayer de montrer...

327 Remarques sur l'emploi de *they/them*

- They (sujet), them (complément) remplacent un nom pluriel.

  My parents said **they** would arrive tomorrow, even though I told **them** I would be away.
  Mes parents m'ont dit qu'ils arriveraient demain, bien que je leur aie dit que je ne serais pas là.

- They peut reprendre un nom collectif **singulier**.

  My family are all tall and **they** don't complain about it (→ 170).
  Tout le monde est grand dans ma famille et personne ne s'en plaint.

- They peut correspondre à on en français, comme dans l'expression **they** say… (*on dit que…*) ou as **they** say (*comme on dit*) → 354.

328 Remarques sur l'emploi de *he-she/him-her*

- He (sujet), him (complément) reprennent un nom masculin. She (sujet), her (complément) reprennent un nom féminin.

  → Autres emplois de he/she 164.

- Pour reprendre un nom de personne, on emploie he/she. Le français préfère *c'(est)* dans ce cas.

  Have you heard of Joyce Carol Oates? **She** is a famous American novelist. [~~It's a famous…~~]
  *Avez-vous entendu parler de Joyce Carol Oates ? **C'**est une célèbre romancière américaine.*

Quand C'est ne reprend pas un nom, on le traduit par **It's**.

*« Qui sonne ? – **C'est** le facteur. Il est en avance aujourd'hui. »*
"Who is ringing?" "**It's** the postman. He's early today."

329 Emplois de *it*

- It est un pronom neutre, c'est-à-dire qu'il désigne quelque chose qui n'est ni masculin ni féminin. It a la même forme lorsqu'il est sujet ou complément.

  It is green.
  Il/Elle est vert(e).

  I saw **it**.
  Je l'ai vu(e).

Les emplois de it **sont multiples**. On trouve notamment :
– it outil de reprise (→ 330) ;
– it outil d'annonce (→ 331) ;
– it après des verbes d'appréciation (→ 332) ;
– it dans les constructions impersonnelles (→ 333).

330 *It* outil de reprise

It peut reprendre un nom qui n'est ni masculin, ni féminin.

"Where's the remote?" "**It**'s on your lap."

« Où est la télécommande ? – Elle est sur tes genoux. »

It reprend this et that dans les tags : **That**'s nice, isn't **it**? *C'est sympathique, non ?*

It peut également reprendre un énoncé entier.

Chuck is getting married. **It**'s unbelievable.

Chuck va se marier. C'est incroyable !

On aurait aussi pu dire This/That is unbelievable.

→ Différence entre this, that et it de reprise 202.

331 *It* outil d'annonce

It est fréquemment employé **pour annoncer une proposition**. Il se traduit alors par Il ou C' (à l'oral).

Avant une proposition infinitive

It was not easy to get a taxi.

Ça/Il n'a pas été facile de trouver un taxi.

Avant une proposition introduite par that

It was obvious that it was a matter of weeks.

C'était/Il était évident que c'était une question de semaines.

Ces propositions sont en fait le **sujet réel** de la phrase, comme le montrent ces transformations :

To get a taxi was not easy.
sujet **verbe**

That it was a matter of weeks was obvious.
sujet verbe

→ Constructions du type To get a taxi was not easy 429.

332 *It* après les verbes d'appréciation

On emploie it après certains **verbes d'appréciation** comme consider (considérer), find (trouver), think (penser)... lorsque ce verbe est suivi d'un nom ou d'un adjectif + proposition en to ou that.

I consider **it** my duty to go on.
Je considère que c'est mon devoir de poursuivre.

I find **it** necessary to tell her ou that he should tell her.
Je trouve qu'il est nécessaire de le lui dire/qu'il le lui dise.

I thought **it** best to say nothing.
J'ai pensé qu'il valait mieux ne rien dire.

Notez aussi :

She left **it** to me to decide. Elle m'a laissé le soin de décider.

I'd appreciate **it** if you would turn the volume down.
J'apprécierais que vous baissiez le son.

I like/love/hate **it** when you look at me like that.
J'aime/adore/déteste que tu me regardes comme ça.

I take **it** that you don't want to stay here.
Je suppose que tu ne veux pas rester ici.

333 *It* dans les constructions impersonnelles

It est employé dans un certain nombre de tournures impersonnelles. Il se réfère alors à une **situation** et non plus à un segment d'énoncé comme dans les cas précédents.

What time is **it**?
Quelle heure est-il ?

It's Sunday.
C'est dimanche. ou On est dimanche.

It's raining.
Il pleut.

How far is **it** from here to London?
Quelle distance y a-t-il d'ici à Londres ?

→ It's three years since... 66.

LES PRONOMS POSSESSIFS

Ils sont **pronoms** car ils renvoient à des mots qui précèdent. On parle de **possessifs** car ils expriment une possession au sens large.

334 Forme des pronoms possessifs

Tableau des pronoms possessifs ➜ Pour commencer

- Les pronoms possessifs ne sont **jamais** précédés du déterminant the.

    It is **his**. *C'est **le** sien.*

- Mine et yours

Mine est l'équivalent de le(s) mien(s)/la/les mienne(s).
Yours est l'équivalent de le(s) tien(s)/la/les tienne(s) ou de le/la/les vôtre(s).

Ils se traduisent parfois par **à** ou **de** + **pronom personnel**.

This child is mine. *Cet enfant est à/de moi.*

What is yours is mine, right? *Ce qui est à toi est à moi, d'accord ?*

335 Les pronoms possessifs et le génitif

Les pronoms possessifs renvoient souvent à un **génitif** + **nom** ou à un **déterminant possessif** + **nom**.

No, this is John's car. **Theirs** is blue.
Non, ça c'est la voiture de John. La leur est bleue.

This is my car. **Theirs** is blue.
C'est ma voiture. La leur est bleue.

336 Questions en *whose*

Les pronoms possessifs permettent de répondre à une question en whose?

"**Whose** car is it?" "(It's) **mine**." *« À qui est cette voiture ? – À moi. »*

337 Pronoms possessifs en début d'énoncé

On trouve aussi les pronoms possessifs en début d'énoncé pour insister sur un **contraste**, dans un style littéraire.

His was a complex character. *Sa personnalité à lui était complexe.*

➜ Énoncés commençant par un génitif (Maggie's was a troubled life) 255.

338 Déterminant + nom + *of* + pronom possessif

Les pronoms possessifs peuvent aussi être employés **après un déterminant + nom + of**.

a friend **of ours** : *un de nos amis* ; a cousin **of mine** : *un de mes cousins*

It was no fault **of mine**. *Ce n'était pas du tout ma faute.*

It's no business **of yours**. *Ça ne te regarde pas.*

A friend **of ours** *signifie un ami parmi l'ensemble de nos amis.*

339 *That... of* + pronom possessif

- Avec la structure en that... of, on ajoute une touche d'ironie (un peu amusée), et souvent de distance critique.

  that car **of hers** : *sa voiture*

  I like that little nose of yours.
  J'aime ton petit nez. ou *Mais, je l'aime ce petit nez.*

  It's that boyfriend of yours again on the phone.
  C'est encore ton (espèce de) copain au téléphone.

That car **of hers** ne signifie pas sa voiture parmi l'ensemble de ses voitures. C'est une façon beaucoup moins directe de dire her car, en y ajoutant une nette nuance ironique ou péjorative.

- On trouve aussi un génitif à la place du pronom possessif.

  It's that boyfriend of yours/It's that boyfriend of Laurie's...

→ Énoncés du type a cousin of the Queen's 255.

340 *Yours* de politesse

Yours est couramment employé dans les **formules de politesse** à la fin d'une lettre.

Yours. *Bien à vous.*

Yours sincerely (GB). ou Sincerely **yours** (US).
Salutations distinguées. ou *Cordialement vôtre.*

Yours faithfully (US). *Veuillez agréer mes salutations distinguées.*

Yours ever. *Bien cordialement.*

Yours affectionately. *Affectueusement.*

VALEURS DE ONE

One peut être :
- numéral ;
- instrument de reprise ;
- pronom indéfini.

One numéral

341 *One* : « un », « une »

One est d'abord un **numéral** signifiant *un/une.*

They came in **one** by **one**.
Ils entrèrent un par un.

One + **nom** entre parfois en concurrence avec a + nom.

"I've bought a packet of crisps." "What? Only one packet?"
« J'ai acheté un paquet de chips. – Quoi ? Un seul paquet ? »

One a parfois une valeur qualitative.

That was one party!
Quelle fête !

342 *a* ou *one* ?

Alors que l'article a signale simplement un lien au singulier, one exprime une **idée de nombre** (one s'oppose à two).

One day signifie *un (certain) jour.* On dit aussi one morning/one afternoon/one evening/one night.

one Monday morning : *un (certain) lundi matin*

one cold winter night : *par une froide soirée d'hiver*

One day renvoie à un jour quelconque dans le **passé** ou dans l'**avenir**.

Notez que some day signifie *un jour quelconque* dans l'**avenir**.

One day (ou Some day) my Prince will come.
Un jour mon prince viendra.

→ Différence entre **a** hundred et **one** hundred **245**.

343 *One* peut être adjectif

Déterminant + **one** + **nom** a le sens de *seul et unique*. Il s'emploie seul ou dans l'expression one and only.

It's the **one** way to do it.
C'est le seul et unique moyen de le faire.

My **one and only** pleasure is being with you.
Mon seul et unique plaisir est d'être avec vous.

344 « L'un… l'autre », « un autre »

Remarquez la suite one… the other… (*l'un… l'autre…*) et one… another… (*l'un… un autre…*).

She has two lovers. **One** is young, handsome and penniless. **The other** is a pretentious, stupid and repulsive millionaire.
Elle a deux amants. L'un est jeune, beau et sans le sou. L'autre est un millionnaire prétentieux, stupide et repoussant.

One of us wanted to spend a week in Acapulco, **another** suggested Hawaii, yet **another** preferred Blackpool.
L'un de nous voulait passer une semaine à Acapulco, un autre suggéra Hawaï, un autre encore préférait Blackpool.

One(s) instrument de reprise

345 Reprise d'un nom dénombrable

One(s) est utilisé pour reprendre un nom dénombrable.

He's a millionaire and I want to be **one** too.
Il est millionnaire et moi aussi je veux en être un.

ATTENTION The one ne peut reprendre qu'un nom dénombrable. Avec un indénombrable, il faut répéter le nom. Comparez :

I preferred the show on CNN to **the one** on BBC1.
[show : nom dénombrable]
J'ai préféré l'émission de CNN à celle de BBC1.

I prefer the news on BBC1 to **the news** on CNN.
[news : nom indénombrable]
J'aime mieux les informations de BBC1 que celles de CNN.

346 Reprise avec déterminant + adjectif

La reprise peut aussi s'effectuer à l'aide d'un **déterminant + adjectif** + one(s).

We're looking for a restaurant. Can you recommend **a good one**?
Nous cherchons un restaurant. Tu peux en recommander un bon ?

"Which apples do you want?" "The small **ones**."
« Quelles pommes voulez-vous ? – Les petites. »

347 Omission ou absence de *one*

One, instrument de reprise, **peut être omis** dans deux cas.

- Après un superlatif.

You are bound to win the race: your car is the fastest (one).
Tu vas sans doute gagner la course : ta voiture est la plus rapide.

Mais il est **obligatoire** après un **comparatif**.

I would like a bigger one. *J'en voudrais un plus gros.*

- Après another, either/neither et which.

Would you like another (one)? *Vous en voulez un autre?*

Either (one) is fine. *L'un ou l'autre conviennent.* (→ 208)

Which (one) do you want? *Lequel veux-tu ?* (→ 379)

One **ne s'emploie pas** dans les deux cas suivants.

- Après un génitif.

"Whose book is this?" "It's Jennifer's." [~~It's Jennifer's one~~]
« À qui appartient ce livre ? – Il est à Jennifer. »

- Après (a) few, several.

"How many slices do you want?" "Just a few." [~~a few ones~~]
« Combien de tranches désirez-vous ? – Juste quelques-unes. »

Mais il est **obligatoire** s'il y a un **adjectif** : a few thin ones (*quelques fines*).

348 Emploi de *one* avec un déterminant démonstratif

this one : celui-ci/celle-ci **that one :** celui-là/celle-là

Give me **this one/this** green **one**.
Donnez-moi celui-ci/celui qui est vert.

Mais these et those s'emploient sans ones (→ 199).

Give me **those**. Donnez-moi ceux-là. (those ones est très oral.)

349 *The one(s)* + proposition relative

One(s) s'emploie dans la structure the one(s) + proposition relative.

celui/celle qui/que [un objet] : the one that
celui/celle qui/que [une personne] : the one who
ceux/celles qui/que [des objets] : the ones that (ou those that)
ceux/celles qui/que [des personnes] : the ones who (ou those who)

Is this **the one** (that) you want? *C'est celui que vous voulez ?*

I much prefer **the ones** (that) you bought last week.
(ou those you bought...)
Je préfère de loin celles que tu as achetées la semaine dernière.

Only write a report on **the ones** who deserve it.
(ou on those who deserve it.)
N'écrivez de rapport que sur ceux qui le méritent.

→ Those who/that 204.

One pronom personnel indéfini

350 Expression des généralités

One pronom indéfini sert à exprimer des généralités. Il est invariable. Le pronom réfléchi correspondant est oneself.

One must allow **oneself** a rest from time to time.
On doit s'accorder du repos de temps en temps.

Cet emploi de one, proche du pronom français on, est d'un niveau de langue soutenu. À l'oral, on préfère employer we ou you.

We/You must allow ourselves/yourself a rest from time to time.

On emploie parfois one à la place de I, pour parler d'un fait de portée générale, dans un contexte journalistique, politique ou humoristique.

One likes to see one's kids happy. *On aime voir ses enfants heureux.*

351 *One's* déterminant possessif de *one*

One's déterminant possessif de one est surtout utilisé dans les dictionnaires pour introduire le complément de certains verbes.

do one's best : *faire de son mieux*

discover a secret to **one's** friends : *dévoiler un secret à* ***ses*** *amis*

TRADUCTIONS DU « ON » FRANÇAIS

352 « On » ne fait référence à aucune personne précise

On emploie la **tournure passive** (→ 79).

On dit que trois personnes ont été tuées. It **is said** that three people were killed. ou Three people are said to have been killed.

On dit/pense qu'il est malade. He **is said/thought** to be ill.

On nous a demandé de partir. We **were asked** to leave.

353 « On » fait référence à une personne inconnue, aux gens en général

- À une personne dont l'identité est inconnue. On emploie somebody/someone.

On vous demande au téléphone.
There's **someone** on the phone for you.

- Aux gens en général. On emploie one/people.

On ne sait jamais. **One** never knows. *(sout.)*

On a souvent peur de l'inconnu. (Les gens...)
People are often scared of the unknown.

Dans ce cas, one a souvent valeur proverbiale ou de grande généralité.

354 « On » fait référence à un groupe

- Groupe auquel le locuteur et celui qui écoute **n'appartiennent pas**. On emploie they ou people.

On dit qu'il va prendre sa retraite.
They (People) say he's going to retire.

Autrefois, on dormait assis.
In the past, **they** (people) slept sitting up.

- Groupe auquel **appartient** le locuteur. C'est l'équivalent de nous dans la langue parlée. On emploie we.

On est allé à Londres le week-end dernier. On s'est éclaté.
We went to London last weekend. We had a whale of a time.

En Australie, on conduit à gauche. (C'est un Australien qui parle.)
We drive on the left in Australia.

▸ Groupe dont le locuteur et celui qui écoute **font implicitement partie**. On emploie you.

You wouldn't think she is 70. *On ne dirait pas qu'elle a 70 ans.*

355 « On » s'adresse à celui qui écoute

Il s'agit d'un niveau de **langue parlée**. On emploie you/we.

Alors, on est content ? So, are **you** pleased?

On est bien sage aujourd'hui. Aren't **we** a good boy/girl today?

356 « On » fait référence à une 3e personne du singulier ou du pluriel

On est utilisé ici à la place de *il*, *elle*. On emploie he/she/they.

On va dans des restaus chics et après on dit qu'on n'a plus de sou. **He** goes to fancy restaurants and then **he** says that he doesn't have any money left./**She** goes/**They** go to fancy restaurants...

Notez aussi la traduction de *C'est on ne peut plus...* :

C'est on ne peut plus grotesque. It couldn't be more grotesque.

Les pronoms réfléchis et réciproques

LES PRONOMS RÉFLÉCHIS (MYSELF, YOURSELF...)

Un pronom réfléchi est un pronom qui renvoie à la même personne (ou au même objet) que le sujet du verbe.

Il est content de ***lui****.* He is pleased with **himself**.

357 Forme des pronoms réfléchis

SINGULIER	PLURIEL
myself	ourselves
yourself	yourselves
himself/herself/itself	themselves

L'accent lexical porte sur -self/-selves

358 Emploi des pronoms réfléchis

- Les pronoms myself, yourself... signalent que le sujet et le complément sont **une seule et même personne**. Comparez :

He shouldn't blame **himself**. *Il ne devrait pas s'en vouloir.*
[he/himself : une seule et même personne]
He shouldn't blame **him**. *Il ne devrait pas lui en vouloir.*
[he/him : deux personnes différentes]

- **Pronom personnel après une préposition de lieu**

C'est le pronom personnel complément et non le pronom réfléchi qui est employé.

Has he got any money **on him**? *A-t-il de l'argent sur lui ?*
I took it **with me**. *Je l'ai sur moi.* ou *Je l'ai emporté.*

Comparez :

Look about **you**. *Regarde autour de toi.* [about : lieu]
Stop talking about **yourself**.
Arrête de parler de toi. [about : au sujet de]

by + pronom réfléchi

La tournure by + **pronom réfléchi** a le sens de *seul*. Cette tournure est synonyme de on + **déterminant possessif** + own.

He likes living **by himself/on his own**). *Il aime vivre seul.*

Comparez :

I did it myself. *Je l'ai fait moi-même.*

I did it **by myself**. *Je l'ai fait toute seule/sans aide extérieure.*

359 Pronom réfléchi ou pronom personnel ?

Après les prépositions as, like, but (for) : *sans* et except (for) : *sauf, excepté*, on peut utiliser le pronom réfléchi à la place du pronom personnel (emploi oral).

I've met people such as **yourself** online before. (ou such as you)
J'ai déjà rencontré des gens comme toi en ligne.

Nobody knows about it except (for) **myself**. (ou except (for) me)
Personne n'est au courant à part moi.

On trouve aussi les pronoms réfléchis après **nom** + and (à l'oral).

Guess who was invited? The finalists and myself! (plus familier que and me)
Devine qui a été invité ? Les finalistes et moi(-même) !

360 Emploi emphatique des pronoms réfléchis

Dans cet emploi, les pronoms réfléchis servent à mettre en relief le sujet ou le complément. On les traduit dans ce cas par *moi-même, toi-même...*

The boss **himself** said so. *Le patron lui-même l'a dit.*

You can do it **yourself**. *Tu peux faire ça toi-même.*

361 Comparaison anglais/français

Un pronom réfléchi se traduit très souvent par *se* (+ verbe).

burn oneself : *se brûler*
clean oneself : *se laver*
cut oneself : *se couper*
defend oneself : *se défendre*
help oneself : *se servir*
look at oneself : *se regarder*
talk to oneself : *se parler*
wash (oneself) : *se laver*

Notez toutefois Behave yourself! *Sois sage ! ou Tiens-toi bien !*

362 Comparaison français/anglais

Inversement, les verbes pronominaux *se* + **verbe** ne se traduisent pas toujours par un pronom réfléchi.

se concentrer : concentrate
se dépêcher : hurry (up)
se détendre : relax
s'ennuyer : get bored
s'habiller : dress, get dressed
se lasser de : tire of
se laver : wash (oneself)
se marier : get married
se préparer : get ready
se raser : shave
se réveiller : wake up
se salir : get dirty
se sentir (bien, mal...) : feel (good, ill...)
se souvenir : remember

First we shave, then we wash (ourselves) in cold water. We dry ourselves with wet towels and finally we get dressed.
D'abord nous nous rasons, puis nous nous lavons à l'eau froide. Nous nous essuyons avec des serviettes mouillées et pour terminer nous nous habillons.

It's not the kind of relationship you tire of.
Ce n'est pas le genre de relation dont on se lasse.

363 Tournures passives

Certaines tournures pronominales françaises ont un sens passif. Dans ce cas, l'anglais a recours à une tournure passive.

Cela ne ***se*** *fait pas.* That'**s** not **done**.

Ils ***se*** *sont tués dans l'accident.* They **were killed** in the accident.

Hors contexte, *ils se sont tués* peut se traduire de trois façons :

They were killed. (mort accidentelle)

They killed themselves. *(Ils se sont suicidés.)*

They killed each other. *(Ils se sont entretués.)*

→ Each other 366.

364 Verbes anglais actifs de sens passif

Certains verbes anglais sont actifs mais ont un sens passif, notamment iron/open/read/sell/wash. On les traduit souvent par *se* + **verbe**.

It **reads/sells well**. *Ça* ***se*** *lit/****se*** *vend bien.*

This shirt **irons** well. *Cette chemise* ***se*** *repasse bien.*

And then the door **opened**. *Et puis la porte* ***s'****est ouverte.*

LES PRONOMS RÉCIPROQUES (L'UN… L'AUTRE)

Il existe deux pronoms réciproques : **each other** et **one another**. Leur sens est identique, mais each other est plus fréquent que one another.

Le terme **réciproque** exprime une idée d'échange entre au moins deux êtres, par exemple un « amour réciproque ». En grammaire, on parle de **pronom réciproque** quand une action est exercée par deux ou plusieurs sujets les uns sur les autres.

365 Forme des pronoms réciproques

- Ces pronoms sont invariables et précédés d'un verbe au pluriel.

  They're competitors who encourage **each other** (one another).
  Ce sont des concurrents qui s'encouragent mutuellement.

- On ne sépare pas each de other, ni one de another. Si le verbe requiert une préposition, celle-ci se place avant le premier terme.

  They rely **on** each other.
  Ils comptent l'un sur l'autre.

366 Emploi des pronoms réciproques

Each other (ou one another) implique une **réciprocité** de l'action décrite par le verbe.

Prenons l'exemple suivant :

Jim looked at John and John looked at Jim. [action réciproque]
Jim a regardé John et John a regardé Jim.

Il est possible de le reformuler en un seul énoncé :

Jim and John looked at **each other**.
Jim et John se sont regardés.

Les pronoms *se/nous/vous* sont ambigus en français. Ils peuvent impliquer soit une réciprocité, soit une action exercée sur soi-même (réfléchie). Il n'y a pas d'ambiguïté possible en anglais.

Ils se félicitèrent peut signifier :

Ils s'adressèrent des félicitations mutuelles.
They congratulated **one another**.

Ils se félicitèrent eux-mêmes. (Pour marquer leur autosatisfaction.)
They congratulated **themselves**.

→ Traduction de *Ils se sont tués...* 363.

367 Verbes de sens réciproque

Certains verbes incluent en eux-mêmes l'idée de réciprocité. On n'emploie pas alors each other ou one another. C'est notamment le cas de :

become engaged : *se fiancer* ; fight : *se battre* ; gather : *se rassembler* ; kiss : *s'embrasser* ; marry : *se marier* ; meet : *se rencontrer* ; quarrel : *se quereller* ; part : *se séparer*

They **met** three years ago, **kissed** all day long, **married** a few months later, started **fighting** and then decided to **part**.
*Ils **se** sont rencontrés il y a trois ans, **se** sont embrassés toute la journée, **se** sont mariés quelques mois plus tard, ont commencé à **se** disputer et finalement ont décidé de **se séparer**.*

368 *Each other/One another* au génitif

Les pronoms each other et one another peuvent s'employer au génitif.

People used to look after each other's children.
Avant, les gens s'occupaient des enfants des uns et des autres.

On lit parfois que each other s'utilise pour deux personnes et one another pour plusieurs personnes. Mais, en anglais contemporain, on emploie indifféremment each other et one another !

La phrase

Bescherelle ANGLAIS

Les numéros renvoient aux paragraphes.

L'ordre des mots dans les phrases affirmatives, négatives, interrogatives et exclamatives

LES PHRASES AFFIRMATIVES ET NÉGATIVES

369 L'ordre de base

L'ordre de base est **sujet** (+ auxiliaire + not) **+ verbe + compléments**. Si not apparaît dans la phrase, on emploie obligatoirement un auxiliaire (be/have/do) ou un modal.

I	like	his new hair style.
sujet	**verbe**	**complément**

J'aime sa nouvelle coiffure.

I	do	not	like	his new hair style.
sujet	**auxiliaire**	**not**	**verbe**	**complément**

Je n'aime pas sa nouvelle coiffure.

370 Inversion sujet/verbe

Il y a inversion de l'ordre **sujet + verbe** dans les cas suivants.

- Lorsque la phrase **commence par there** (non accentué) + **be**.

There **are** two men at the door.
(two men : **sujet**)

Il y a deux hommes à la porte.

- Lorsque la phrase **commence par here/there** ou par une **particule**.

Dans ce cas, le verbe dénote un mouvement ou un état. (Le sujet est souligné.)

Here comes the bride. *Voici la mariée.*

Here's your change. *Voici votre monnaie.*

There comes a time when you can't take it anymore.
Il arrive un moment où tu n'en peux plus.

Up went the lift. Et l'ascenseur monta/démarra.

And out came the sun! Et le soleil est apparu !

Une telle inversion est impossible si le sujet est un pronom.

Here we go! C'est parti !

- **Après un groupe prépositionnel** (style littéraire)

On the table lay her fine collection of Japanese scarves.
Sur la table se trouvait sa belle collection d'écharpes japonaises.

Close behind the three men walked a soldier.
Tout près derrière les trois hommes marchait un soldat.

Among them was the bride's lover.
Parmi eux se trouvait l'amant de la mariée.

Le groupe prépositionnel en tête de phrase décrit le plus souvent un lieu, et le verbe peut être be, un verbe de position (sit, stand, lie) ou de mouvement (walk, go, run...).

- **Dans une narration**, pour rapporter des paroles, avec les verbes say, ask, demand (exiger)...

"What do you want?" **asked the lad**.
« Que voulez-vous ? » demanda le garçon.

À l'oral, on dit plutôt the lad asked.
Avec un pronom, on dit he asked (asked he est archaïque).

371 Inversion sujet/auxiliaire

On rencontre l'inversion sujet/auxiliaire dans les cas suivants.

- Lorsqu'un **terme négatif** ou **restrictif** est mis en relief **en tête de phrase** et porte sur toute la phrase. Cet emploi est formel.

Not until 2 a.m. did the assailants surrender.
Ce n'est qu'à 2 heures du matin que les assaillants se sont rendus.

Not only is she beautiful but she's also talented.
Non seulement elle est belle, mais elle a aussi du talent.

Never shall I forget that night. Jamais je n'oublierai cette nuit-là.

- Les termes **restrictifs** qui entraînent une inversion sont hardly (à peine), seldom/rarely (rarement), only + expression temporelle (seulement), little (pas du tout).

Only then can we take a decision.
Ce n'est qu'à ce moment-là que nous pourrons prendre une décision.

Little did I know why he had resigned.
J'étais loin d'imaginer pourquoi il avait démissionné.

Rarely do we get a chance to see a sky like that.
On a rarement l'occasion de voir un ciel comme ça.

→ hardly… when et no sooner… than 434.

On trouve aussi cette inversion après les **intensifs** such et so.

Such was my life back then.
Telle était ma vie à l'époque.

Such is life!
C'est la vie !

So pleased was he with his joke that he grinned like a Cheshire cat.
Il était si content de sa plaisanterie qu'il a souri jusqu'aux oreilles.

- Dans le cas des **reprises** avec **auxiliaire** (→ 154).

"I passed with flying colours!" **"So did Helen."**
« J'ai été reçue haut la main ! – Helen aussi. »

- Parfois après as et than dans un style recherché.

We're all disappointed. As are our subcontractors.
Nous sommes tous déçus. Comme le sont nos sous-traitants.

So you understand science better than do Nobel prize winners?
(ou better than Nobel prize winners do.)
Donc tu comprends mieux la science que les prix Nobel ?

- Dans les **subordonnées conditionnelles** comportant un *past perfect* ou were ou should (→ 120 → 444).

Had I known, I would have called you.
Si j'avais su, je vous aurais appelé.

Were he not in power the situation would be different.
S'il n'était pas au pouvoir, la situation serait différente.

- **Il n'y a pas** d'inversion après perhaps/maybe (peut-être) et so dans le sens de *par conséquent*. Remarquez l'ordre **verbe + sujet** en français.

Maybe he was late.
Peut-être était-il en retard.

He did not answer my letters, **so** I wrote again.
Il n'avait pas répondu à mes lettres, aussi lui ai-je de nouveau écrit.

372 Mise en relief d'un sujet ou d'un complément

It is... that... (*C'est... qui/que...*)

L'ordre des mots dans la phrase peut être modifié quand on met en relief soit le sujet, soit un complément. À partir de la phrase neutre : Ben bought a car yesterday (*Ben a acheté une voiture hier*), je peux mettre en valeur soit Ben, soit a car, soit yesterday, à l'aide de it is... that.

> It **was** Ben who bought a car yesterday. (who plutôt que that quand le sujet est une personne.)
> *C'est Ben qui a acheté une voiture hier.*
>
> **It was a car** that Ben bought.
> *C'est une voiture que Ben a achetée.*
>
> **It was yesterday** that Ben bought a car.
> *C'est hier que Ben a acheté une voiture.*

La structure française est comparable à l'anglais. Toutefois, on utilise it was... (et non it is), si l'événement est rapporté au prétérit.

> It **was** yesterday that Ben bought a car.
> ***C'est** hier que Ben a acheté une voiture.*

What... is... (*Ce que... c'est...*)

Le groupe nominal a car peut aussi être mis en valeur avec la structure what + **sujet** + **verbe** + is/was...

> What Ben bought was a car.
> *Ce que Ben a acheté, c'est une voiture.*

What se traduit souvent par *ce que/qui* (→ 422).

Le **verbe** peut également être mis en valeur à l'aide de cette structure.

> **What** Ben **did was** (to) buy a car.
> *Ce que Ben a fait, c'est qu'il a acheté...*

En anglais familier, on peut aussi dire :

> What Ben did was, he bought a car.

À l'oral, on préfère accentuer un mot pour le mettre en valeur, sans changer l'ordre des mots.

> **Ben** bought a car yesterday/Ben **bought** a car.../Ben bought a **car**.../Ben bought a car **yesterday**...

Une phrase du type It was a car that he bought ou What he bought was a car est dite **clivée** (cliver signifie *fendre*) car elle est fendue en deux.

LES PHRASES INTERROGATIVES

373 Les types de phrases interrogatives

Il existe trois types de phrases interrogatives :
– les phrases commençant par un auxiliaire (→ 374) ;
– les phrases commençant par un mot interrogatif (→ 375) ;
– les phrases interrogatives indirectes (→ 376).

374 Phrases commençant par un auxiliaire

La structure est **auxiliaire + sujet + verbe et ses compléments**.

Do	you	speak	English?
auxiliaire	**sujet**	**verbe**	**complément**

La réponse à ce type de questions commence par yes, no ou I don't know/perhaps... (→ réponses brèves 151)

Has she called? **Yes**, she has./**No**, she has not./She may have...

L'intonation de ce type de question est **montante**.

Have you seen him?
Est-ce que tu l'as vu ?

Le plus souvent, ce type de questions correspond à *Est-ce que... ?*

En français, on emploie souvent une structure affirmative avec une intonation montante pour poser une question.

Tu vas chez Cindy ce soir ?

Ce type de structure est plus rare en anglais. On l'emploie pour demander une confirmation.

You're going to Cindy's tonight?
*Tu vas **bien** chez Cindy ce soir ?*

375 Phrases commençant par un mot interrogatif

Le mot interrogatif (who/what/which) est sujet : pas d'auxiliaire.

SUJET	VERBE	COMPLÉMENT
Who	saw	him?
What	happened	then?
Which (of them)	wants	some information?

Le mot interrogatif n'est pas sujet : auxiliaire entre le mot interrogatif et le sujet.

INTERROGATIF	AUXILIAIRE	SUJET	VERBE	COMPLÉMENT
Where	**did**	you	go	yesterday?
Why	**did**	he	buy	it?

Lorsqu'un verbe est prépositionnel, la préposition est le plus souvent placée en fin de phrase.

Who did you give the letter **to**?
À qui as-tu donné la lettre ?

L'**intonation** des questions qui commencent par un mot interrogatif est **descendante**.

Who saw him?

Where did you go?

Les possibilités de réponse à ces questions sont en théorie infinies.

"Who?" "John/Ben/Sarah/Nobody..."

En anglais formel, une question peut commencer par une préposition. Dans ce cas, on emploie whom à la place de who (→ 380).

To whom did you give the letter?

Si le verbe est be, la préposition se place à la fin de la phrase.

Where is it for? [~~For where is it?~~]
C'est pour où ?

What n'est jamais précédé des prépositions for et like.

What did you do that for? [~~For what did you do that?~~]
Pourquoi as-tu fait ça ?

What does he look like? [~~Like what does he look?~~]
À quoi ressemble-t-il ?

Deux prépositions se placent toujours en début de phrase interrogative : during et since.

During what years was the Civil War fought?
Durant quelles années la guerre de Sécession a-t-elle eu lieu ?

Since when have you been seeing each other?
Depuis combien de temps sortez-vous ensemble ?

376 Phrases interrogatives indirectes

Les phrases interrogatives indirectes gardent l'ordre sujet/verbe.

I wonder when **he will** come back.
Je me demande quand il reviendra.

Let's ask her what time **the museum closes**.
Demandons-lui à quelle heure ferme le musée.

Comparez avec l'interrogation directe.

"When **will he** come back?" *« Quand reviendra-t-il ? »*
"What time **does the museum close**?"
« À quelle heure le musée ferme-t-il ? »

Les interrogatives indirectes peuvent correspondre à une **question fermée**. On dit qu'une question est fermée lorsque les réponses possibles se limitent à : Yes/No/Perhaps...

Elles sont alors introduites par whether (formel) ou if (→ 446).

I really don't know **whether/if** we'll still be printing newspapers in twenty years.
Je ne sais vraiment pas si nous imprimerons encore des journaux dans vingt ans.

Les interrogatives indirectes peuvent aussi correspondre à une **question ouverte**, introduite par un mot en wh-. Avec une question ouverte, les réponses possibles sont en théorie infinies.

He asked **why they had come**. *Il demanda pourquoi ils étaient venus.*

When interrogatif peut être suivi de will dans son emploi « futur ».

I wonder **when** they **will** arrive. *Je me demande quand ils arriveront.*

→ When suivi de will 423.

On trouve de même would dans les interrogatives indirectes après un verbe au prétérit.

He ask**ed** me **when** they **would** arrive.
Il m'a demandé quand ils arriveraient.

377 Les mots interrogatifs

Les mots interrogatifs commencent tous par wh- sauf how. Les questions qu'ils introduisent s'appellent souvent des **questions en wh-**.
Les mots en wh- expriment tous un **manque d'information**. En français, les interrogatifs en *qu-* ont un fonctionnement proche (*Quand ? Qui ? Que ? Quel ?...*)

QUESTION SUR...		QUESTION SUR...	
la nature de (que/quel)	what?	le choix (que/quel)	which?
le temps (quand)	when?	le lieu (où)	where?
l'identité (qui)	who(m)?	le possesseur (à qui)	whose?
la cause (pourquoi)	why?	la manière (comment)	how?

378 *How* + adjectif ou adverbe

How peut être suivi d'un adjectif ou d'un adverbe.

QUESTION SUR...		QUESTION SUR...	
l'âge	How old?	la fréquence	How often?
la distance	How far?	la durée/la longueur	How long?
la profondeur	How deep?	le nombre	How many?
la quantité	How much?	la taille	How tall?

How far is it? *À quelle distance est-ce ?*
How tall are you? *Combien mesures-tu ?*
How often do you come here? *Tu viens ici souvent ?*
How much money have you got? *Combien d'argent as-tu ?*

On trouve **how much** + **nom singulier**, **how many** + **nom pluriel** (→ 217-218).

- Les tournures interrogatives **how** + **adjectif** dénotant une caractéristique non physique : determined/important/likely (vraisemblable)/serious... sont fréquentes et correspondent à *dans quelle mesure..., à quel point...*

  I wonder how serious he was.
  Je me demande dans quelle mesure il était sérieux.
  How likely is he to win? *Quelles chances a-t-il de gagner ?*

- Il n'existe pas d'équivalent du mot *combientième* en anglais.

  C'est la combientième offre que tu rejettes ?
  How many offers have you rejected so far?

- **How long** s'emploie pour interroger sur la durée.

  - How long? *Combien de temps ?*

    How long will he stay? *Combien de temps restera-t-il ?*

  - How long + *present perfect* : *Depuis combien de temps* + présent (→ 63)

    How long have they been married?
    Depuis combien de temps sont-ils mariés ?

Cette tournure est plus courante que since when (depuis quand).

Since when have they been married?

- How long + *past perfect* : Depuis combien de temps + imparfait (→ 74)

How long had they been married?
Depuis combien de temps étaient-ils mariés ?

Comparez :

How long **are** you here for?
Vous êtes ici **pour combien de temps** ?

How long **have** you **been** here?
Depuis combien de temps êtes-vous ici ?

→ *Present perfect* et *past perfect* avec since 66.

- How long ago? Il y a combien de temps ?

How long ago did you come here?
Il y a combien de temps que vous êtes arrivé ici ?

On trouve aussi, mais moins souvent, la tournure How long is (was) it since...? Cela fait combien de temps que... ?

How long is it since you saw him?
Cela fait combien de temps que tu l'as vu ?

En anglais américain, on dira plutôt :

How long **has it been** since you saw him?

→ Différence entre It's three years since... et It has been three years since... 66.

ATTENTION à la concordance des temps.
How long **was** it since + had + **verbe au participe passé**.

How long **was** it since you **had seen** him? (GB)

How long **had** it **been** since you **had seen** him? (US)
Cela faisait combien de temps que tu l'avais vu ?

→ Emploi des temps après since 66.

How ou what... like ?

- Avec how, on pose une question sur la manière, les moyens, l'état.

How did you manage to do it? Comment as-tu réussi à le faire ?

How are you? Comment vas-tu ?

- What... like s'emploie avec be ou les verbes de perception (feel/look/smell...) pour poser une question dont la réponse sera une description.

What's your new boss **like**? Comment est ton nouveau patron ?

What does it taste **like**? Quel goût cela a-t-il ?

Remarquez que l'on ne reprend pas like dans la réponse, sauf si la description implique une comparaison.

"What's the weather like?" "It's **warm and sunny**."
« Quel temps fait-il ? – Il fait chaud et beau. »

"What is she like?" "She is **tall, just like** her mother."
« Comment est-elle ? – Elle est grande, tout comme sa mère. »

- How is she? ne signifie pas *Comment est-elle ?* mais *Comment va-t-elle ?* *Comment est-elle ?* se traduit par What is she like? [apparence physique].

- Notez la traduction de How come...? *Comment se fait-il que... ?*

How come he called you? *Comment se fait-il qu'il t'ait appelé ?*

- *Comment* + verbe se traduit how **to** + V.

Je ne sais pas comment faire.
I don't know **how to** do it.

Cependant, on ne peut pas poser une question directe avec how to.

Comment faire ?
How shall we do it?

379 *What/Which*

- What et which sont **déterminants** (what/which + nom) ou **pronoms**.

What time is it? *Quelle heure est-il ?*

What do you think? *Que/Qu'en penses-tu ?*

Which dessert will you have? *Quel dessert prends-tu ?*

Which of them do you want?
Lequel d'entre eux veux-tu ?

- Which s'emploie quand il s'agit de sélectionner un élément dans un **ensemble restreint**. Seul which peut être suivi du pronom one ou de of.

Red, white or rosé? **Which** do you like best?
Rouge, blanc ou rosé, lequel préfères-tu ?

There are only **three** dishes to choose from. So, **which** one do you want?
Il n'y a le choix qu'entre trois plats. Alors, lequel veux-tu ?

Notez que which peut être employé pour sélectionner une **personne** dans un groupe restreint.

Which one of you lied to me? *Lequel d'entre vous m'a menti ?*

What est employé quand **il n'y a pas d'ensemble restreint**.

What countries have you been to?
Dans quels pays êtes-vous allé ?

Le choix s'effectue parmi tous les pays possibles. Comparez avec :

Which country will you visit: Germany, Austria or Switzerland?
Quel pays vas-tu visiter : l'Allemagne, l'Autriche ou la Suisse ?

Comparez aussi :

What do you mean? *Que veux-tu dire ?*

Which do you mean? *Duquel veux-tu parler ?*

What **ne peut pas** s'employer pour désigner une **personne**. C'est Who qui sert à désigner ou nommer quelqu'un.

Comparez :

Who said that? *Qui a dit cela ?*

Which one said that? *Lequel a dit cela ?*
[Lequel dans un groupe donné]

380 *Who/Whom* : qui

Who ne peut être que pronom.

Who did that? *Qui a fait cela ?*

Whom est le pronom **complément**. Il peut être COD ou compléter une préposition. Il est rare en anglais contemporain : on emploie who. Who did you see? *(Qui as-tu vu ?)* est beaucoup plus courant que Whom did you see?

→ Whom après une préposition 375.

Whose est le génitif de who. Il est employé pour demander d'identifier un **possesseur**.

Whose umbrella is this?
À qui appartient/est ce parapluie ?

Remarquez la structure **whose** + **nom** + **be**. Elle est souvent traduite par *À qui est...*

381 *Why, what for, what ever/who ever*

- Why est utilisé pour interroger sur la **cause**, et peut être suivi de la base verbale (sans to).

  Why deny the obvious? [~~Why to deny the obvious?~~]
  Pourquoi nier l'évidence ?

- What for est utilisé pour interroger sur la **fonction**.

  What is this tool **for**? *À quoi sert cet outil ?*

Dans la langue parlée, what for est parfois utilisé à la place de why.

  What did he come **for**? *Pourquoi est-ce qu'il est venu ?*

- En anglais **familier**, ever peut être employé après who, what, which, where, why et how afin d'ajouter une nuance de surprise, d'indignation.

  Who ever can it be? *Je me demande bien qui ça peut être.*

  What ever can that mean? *Qu'est-ce que ça peut bien vouloir dire ?*

  Why ever did you lie to me? *Mais pourquoi donc m'as-tu menti ?*

Ne confondez pas avec whoever **en un seul mot** (*qui que ce soit*), whatever (*tout ce qui*), wherever (*où que ce soit*), however (*cependant*)...

  Whoever said that was wrong. *Quiconque a dit cela a eu tort* (→ 424)

→ Emploi de any/some dans les phrases interrogatives 227.

→ Emploi des question tags 155.

382 La forme interronégative

Les formes interronégatives sont plus fréquentes en anglais qu'en français. C'est la forme contractée de l'auxiliaire qui est employée le plus souvent. Ces formes sont utilisées surtout dans les cas suivants.

- **Lorsque la réponse attendue est** positive.

  Don't you like my new recipe?
  Tu n'aimes pas ma nouvelle recette ?

- **Pour exprimer la surprise.**

  Didn't you hear the phone?
  Mais, tu n'as pas entendu le téléphone ?

Dans ce cas, on est proche de l'exclamation (→ 387).

LES PHRASES EXCLAMATIVES

Les phrases exclamatives expriment une appréciation positive ou négative. Cette appréciation peut prendre la forme d'une interjection : Oh! Hey! ou porter sur un mot : How lucky! (*Quel veinard !*) ou encore un groupe de mots : What lovely weather! (*Quel beau temps !*)

383 *How* + adjectif ou adverbe

L'ordre est toujours how + adjectif/adverbe. Remarquez la différence avec la structure française.

How difficult **it is**! *Comme **c'est** difficile !*

How slowly he **drives**! *Comme il **conduit** lentement !*

How peut également porter sur **tout un énoncé**.

How he has grown! *Comme il a grandi !*

How time flies! *Comme le temps passe !*

384 *What* + nom

- **What + a + nom dénombrable singulier**

What an interesting trip!
article an

Quel voyage intéressant !
pas d'article en français

- Dans les autres cas, noms indénombrables ou noms au pluriel, on n'emploie pas d'article

What wonderful generosity! [nom indénombrable]
Quelle générosité merveilleuse !

What (bad) manners! [nom pluriel]
Quelles (mauvaises) manières !

ATTENTION Certains indénombrables sont précédés de a après what.

What **a** fuss! *Que d'histoires !*

What **a** pity/**a** shame! *Quel dommage !*

What **a** rush! *Comme vous êtes pressé !*

What **a** relief! *Quel soulagement !*

385 L'ordre des mots

- Les phrases exclamatives qui commencent par how ou what ont la structure affirmative **sujet + verbe (+ compléments)**. Comparez :

  How old **she is** now! *Comme elle est vieille à présent !*

  How old **is she** now? *Quel âge a-t-elle à présent ?*

- Le nom ou l'adjectif peuvent être complétés par une proposition infinitive en to.

  What a **fool** I was **to** listen to you!
  Comme j'ai été stupide de vous écouter !

  How **difficult** it is **to** make a living these days!
  Comme il est difficile de gagner sa vie de nos jours !

- On trouve aussi how et what dans les exclamatives indirectes (après des verbes tels que know, say, tell...).

  I hadn't realized **how** difficult it was/**what** an artist he was.
  Je n'avais pas compris comme c'était difficile/quel artiste c'était.

L'ordre des mots reste le même que dans les exclamatives directes.

386 Phrases incluant *so* ou *such* (« si.../tellement... »)

So et such expriment un haut degré.

- So intensifie la valeur d'un **adjectif** ou d'un **adverbe**.

  The plot is **so stupid** and **so incredibly** far-fetched.
  L'intrigue est tellement stupide et tellement tirée par les cheveux.

Avec un adjectif au comparatif, on emploie so much.

  She is **so much nicer** now. [~~She is so nicer now.~~]
  Elle est tellement plus agréable maintenant.

- Such intensifie la valeur d'un **nom** (accompagné ou non d'adjectifs).

  It's **such** a stupid **story**. *C'est une histoire tellement stupide.*

En anglais **formel**, à la place de such a + **adjectif** + **nom**, on peut trouver so + **adjectif** + a + **nom** (→ 186).

  He is **such a talented** composer./He is **so talented a** composer.
  C'est un compositeur tellement talentueux.

→ L'ordre such is life 371.

So et such s'emploient quand l'information est plus ou moins connue ou évidente, alors que very apporte une information nouvelle.

So + **adjectif** et **such** + **nom** peuvent être suivis d'une subordonnée en that (→ 435).

I was **so tired** (that) I went to bed early.
J'étais si fatiguée que je suis allée au lit de bonne heure.

There was **such a noise** (that) I could not sleep.
Il y avait tant de bruit que je n'ai pas pu dormir.

So much et so many

- So much + **nom singulier**/so many + **nom pluriel** traduisent tellement de.../tant de...

You've wasted **so much** time!
Tu as perdu tellement de temps !

I have **so many** forms to sign!
J'ai tant de formulaires à signer !

- So much peut aussi modifier un **verbe**. Il est alors adverbe et se traduit par tellement.

They drink **so much** that I sometimes get scared.
Ils boivent tellement que parfois cela me fait peur.

I love you **so much**.
Je t'aime tellement.

À l'oral on entend I love you **so**, qui est presque une expression figée, mais on ne dira pas ~~They drink so~~.

En anglais **très familier**, on rencontre de plus en plus so devant un verbe (→ 508).

I so hate it when you say that.
ou (moins familier) I hate it so much when...
J'ai vraiment horreur que tu dises ça.

I so didn't want to talk about it.
Je voulais tellement (ne) pas en parler.

- Notez ces autres emplois de so much...

– not so much + **nom** + as : *pas tant... que*

It's not so much her looks I admire as her brains.
Ce n'est pas tant sa beauté que j'admire que son intelligence.

– not so much as : même pas

She didn't so much as apologize.
Elle ne s'est même pas excusée.

Such **n'exprime pas toujours un haut degré**.

- Il peut signifier *de ce genre* et se traduit alors par *tel* ou *pareil*.

  Such an offer cannot be turned down.
  Une telle offre/Une offre pareille ne peut pas se refuser.

  Have you ever heard such a thing?
  A-t-on jamais entendu une chose pareille ?

- Such as s'emploie comme *tel que* pour introduire un exemple.

  Do you mean countries such as Japan or South Korea?
  Vous voulez dire des pays tels que le Japon ou la Corée du Sud ?

- As such : *en tant que tel*

  He's your son and as such he has rights.
  C'est ton fils, et en tant que tel il a des droits.

  It's not a salary as such.
  Ce n'est pas un salaire à proprement parler.

- Notez aussi There is no such thing! *Ça n'existe pas !*

  There are no such things as ghosts!
  Les fantômes n'existent pas !

→ Such was my life 371.

387 Les exclamations en *isn't... !*

Les interronégatives sont souvent utilisées dans les exclamations.

Aren't they sweet! *Comme ils sont gentils !*

Didn't they play well! *Comme ils ont bien joué !*

Dans ces énoncés à valeur exclamative, la forme contractée est obligatoire. On ne dira pas ~~Are they not sweet!~~
Are they not sweet? est une interrogation : *Ils ne sont pas gentils ?*

La forme contractée de Am I not est Aren't I.

Aren't I clever! *Comme je suis doué !*

Les constructions verbe + verbe

POUR COMMENCER

En anglais, comme en français, un verbe peut être suivi d'un autre verbe.

He has decided to go. *Il a décidé de partir.*

I love dancing. *J'adore danser.*

Il y a quatre manières, en anglais, d'effectuer la construction verbe + verbe. Le premier verbe peut être suivi de :

- la **base verbale** : Let him **go** ;
- to + **verbe** : He wants **to go** ;
- d'un **nom** (pronom) + to + **verbe** : He wants **Jane** (her) **to** come ;
- de **V**-ing : I love danc**ing**.

On trouve aussi la construction **verbe** + and + **verbe**.

Come and see me. *Venez me voir.*

VERBE + BASE VERBALE

- Dans ces structures, on emploie un nom ou un pronom entre les deux verbes. Sont suivis de la base verbale :
  - let

    They let me **use** their car. *Ils m'ont laissé utiliser leur voiture.*
  - make et have → 398

    She made her **type** the letter. *Elle lui a fait taper la lettre.*
  - help

    Help me **carry** this. *Aide-moi à porter ça.*

  On trouve aussi help to + verbe : Help me to carry this. Cette construction est plus formelle.

- Les verbes de perception peuvent aussi être suivis de la base verbale (→ 393).

→ Dare et need suivis de la base verbale 128, 138.

VERBE + TO + VERBE

Quand le premier verbe exprime une opinion, une volonté ou une cause, il est souvent suivi de to + **verbe**.

He wants **to** leave. *Il veut partir.*

Le petit mot to signale que quelque chose est **envisagé** : le fait de partir (leave) est envisagé dans He wants to leave.

388 Principaux verbes suivis de *to* + verbe

afford	*se permettre (financièrement)*
agree	*être d'accord*
appear	*sembler*
arrange*	*s'arranger*
ask*	*demander*
choose	*choisir*
consent	*consentir*
decide	*décider*
expect*	*s'attendre à*
fail	*omettre de*
force*	*forcer*
hesitate	*hésiter*
hope	*espérer*
manage	*parvenir à*
offer*	*offrir*
promise*	*promettre*
refuse	*refuser*
swear	*jurer*
wait*	*attendre*
want*	*vouloir*
wish*	*souhaiter*

En **gras** : verbes obligatoirement suivis de to + V, jamais de that + proposition.

Rex still refuses **to** obey. *Rex refuse encore d'obéir.*

Les verbes signalés par * peuvent être suivis d'un **complément**.

I never promised (you) **to** marry your son.
Je n'ai jamais/ne vous ai jamais promis d'épouser votre fils.

I didn't expect to see you.
Je ne m'attendais pas à te voir.

I didn't expect you to come.
Je ne m'attendais pas à ce que tu viennes.

→ Verbes obligatoirement suivis d'un complément + to 390.

ATTENTION

- Certains de ces verbes peuvent être suivis d'une proposition subordonnée en that.

I expect that he will come. *Je m'attends à ce qu'il vienne.*

Mais on ne trouve **jamais** ~~want that~~ : ~~They wanted that their boss...~~

- Les verbes ask, expect et force peuvent s'employer au passif suivi de to + base verbale.

I was asked to leave.
On m'a demandé de partir.

You were expected to win.
On s'attendait à ce que tu gagnes.

Notez la traduction française de to + **verbe**. Parfois, on traduit par un **infinitif**, parfois par une subordonnée en que...

They wanted to resign. *Ils voulaient* ***démissionner***.

They wanted their boss to resign.
Ils voulaient ***que*** *leur patron démissionne.*

À la forme négative, not et never se placent **devant** to.

I swear **not/never to** do it again.
Je jure de ne pas/jamais recommencer.

I've promised not to call him again.
J'ai promis de ne pas le rappeler.

En anglais **informel**, on entend I've promised to not call him ou I swear to not/never do it again.

Le verbe accept n'est jamais suivi de to. *Accepter de* se traduit souvent par agree to.
J'ai accepté de le suivre se traduira par I agreed to follow him.
Mais accept peut être suivi d'un groupe nominal ou d'une subordonnée en that.

I accepted their offer. *J'ai accepté leur proposition.*

I accept that life isn't all roses.
Je conviens que la vie n'est pas rose tous les jours.

→ Verbes suivis soit de to + verbe, soit de V-ing 394-396.

389 Constructions particulières

Les verbes seem (*sembler*), appear (*sembler*), pretend (*faire semblant*)

- Ces verbes sont fréquemment suivis de to be + V-ing. Ici aussi be + -ing exprime une action en cours.

  He pretends **to be** read**ing**. *Il fait semblant de lire.*

- Ils sont suivis de to have + **participe passé** pour renvoyer au passé.

  I seem **to have heard** that before.
  Il me semble que j'ai déjà entendu cela.

  Notez la traduction par une structure impersonnelle : *il semble que...*

  His testimony appears to have been detrimental to the case.
  Il semble que son témoignage ait porté préjudice à l'affaire.

Les verbes ask (*demander*), decide (*décider*), explain (*expliquer*), know (*savoir*)

Ils peuvent être suivis d'un **mot interrogatif** + to + **verbe**.

I don't know **how to get** there.
Je ne sais pas comment y aller.

They have not decided **where to go** yet.
Ils n'ont pas encore décidé où ils iraient.

On trouvera d'autres constructions de ask ci-après (→ 391).

390 Verbe + complément (obligatoire) + *to* + verbe

Dans cette construction, un complément est obligatoire entre le premier verbe et to. On la rencontre avec les verbes **exprimant une relation interpersonnelle**, tels que :

advise : *conseiller* ; allow : *permettre* ; beg : *prier* ; compel : *contraindre* ; enable : *permettre* ; encourage : *encourager* ; get : *obtenir de quelqu'un qu'il...* ; help : *aider* ; implore : *implorer* ; oblige : *obliger* ; order : *ordonner* ; permit : *permettre* ; persuade : *persuader* ; recommend : *recommander* ; request : *prier quelqu'un de...* ; tell : *donner l'ordre de...* ; urge : *presser quelqu'un de...* ; warn : *avertir...*

She persuaded him to do it. *Elle le persuada de le faire.*

Internet enabled us to export our products. [~~...enabled to export ...~~]
Internet (nous) a permis d'exporter nos produits.

Tous ces verbes peuvent être employés au passif.

He **was persuaded** to read the letter. *On l'a persuadé de lire la lettre.*

Certains de ces verbes peuvent être suivis d'une subordonnée en that.

They warned us that they couldn't guarantee our safety.
Ils nous ont prévenus qu'ils ne pourraient pas assurer notre sécurité.

ATTENTION Les verbes advise, allow, encourage, permit, recommend sont suivis de la construction V-ing à la voix active lorsqu'il n'y a pas de complément.

He doesn't allow us to smoke.
compl. to verbe
Il ne nous permet pas de fumer.

He doesn't allow smoking in his house. [~~he doesn't allow to smoke...~~]
pas de complément → V-ing
Il ne permet pas qu'on fume chez lui.

Suggest, contrairement à *suggérer*, n'est jamais suivi de to.

He suggested that we (should) go to London.
Et non ~~He suggested us to go...~~
*Il nous a suggéré **d'**aller à Londres.*

→ Construction de suggest 448.

391 Verbe + *for* + complément + *to* + verbe

Les verbes arrange, hope et wait exigent l'emploi de for devant le complément.

Comparez wait suivi de to, sans complément, et for obligatoire pour introduire le complément her :

I'm waiting to hear from her.
J'attends d'avoir de ses nouvelles.

I'll wait **for her**/for Paula to come back.
J'attendrai qu'elle/que Paula revienne.

Comparez de même :

We arranged to meet at the airport.
Nous avons prévu de nous retrouver à l'aéroport.

We've arranged **for a car** to pick us up.
Nous avons prévu qu'une voiture vienne nous prendre.

She's hoping to study at Harvard.
Elle espère faire des études à Harvard.

She's hoping **for that problem** to disappear magically.
Elle espère que ce problème disparaîtra comme par magie.

Le verbe ask a deux constructions en to possibles.

- **ask sb to** do sth : *demander à qqn de faire qqch.*

  We asked the mechanic to repair the brakes.
  Nous avons demandé au garagiste de réparer les freins.

- **ask for sth to** be... : *demander que qqch. soit...*

  We asked for the brakes to be repaired by Friday.
  Nous avons demandé que les freins soient réparés pour vendredi.

On trouve aussi for... to... après certains adjectifs et certains noms, qui expriment des sentiments personnels vis-à-vis d'événements à venir.

We are **anxious for him to** leave.
Nous avons hâte qu'il s'en aille.

She'd be **delighted for her daughter to** study medicine.
Elle serait ravie que sa fille fasse médecine.

It's **time for you all to** say goodbye.
Le moment est venu pour vous tous de dire au revoir.

It's a **mistake for a man like you to** get married.
C'est une erreur pour un homme comme toi de se marier.

L'ensemble to + **verbe** (+ compléments) est appelé « proposition subordonnée infinitive » : **infinitive** car le verbe est à l'infinitif, **subordonnée** car la proposition occupe une fonction de complément par rapport au premier verbe : dans I want him to go, (him) to go est complément de want.

Le to de l'infinitif et le to préposition ont une même origine et ont quelque chose en commun : une idée de **direction**.

- To préposition signale que l'on se dirige **vers** un lieu, une personne, un état, etc.

  lieu : She flew to Paris last week.
  Elle est allée à Paris en avion la semaine dernière.

  personne : They handed the keys **to** the new tenant.
  Ils ont donné les clefs au nouveau locataire.

  état : In anger she tore the letter **to** pieces.
  Furieuse, elle déchira la lettre en morceaux.

- To dans **verbe** + to + **verbe** signale que le locuteur **envisage** la réalisation de to + verbe. L'idée de **direction** sous-jacente à to est plus abstraite ici : le locuteur se dirige mentalement vers un moment à venir où to + verbe pourrait se réaliser.

VERBE + V-ING

La forme V-ing rattache très souvent le verbe et ses compléments à un fait, une action déjà mentionnés ou déjà commencés. La plupart des verbes exprimant une **appréciation**, une **prise de position** sont suivis de V-ing, car ils reposent sur une expérience passée.

I enjoy travel**ing**. *J'aime voyager.*

Le locuteur parle d'une expérience déjà vécue.

392 Principaux verbes ou expressions suivis de V-*ing*

acknowledge*	*reconnaître*
admit*	*admettre*
appreciate*	*apprécier*
avoid	*éviter*
burst out laughing/crying	*éclater de rire/fondre en larmes*
can't bear	*ne pas supporter*
consider	*envisager*
contemplate	*songer à*
deny	*nier/refuser*
dislike	*ne pas aimer*
enjoy	*prendre plaisir à*
fancy	*avoir envie de*
finish	*finir de*
give up	*cesser de/abandonner*
be no good	*être inutile*
can't help	*ne pas pouvoir s'empêcher de…*
imagine*	*imaginer*
involve	*impliquer*
keep on	*continuer à*
leave off	*arrêter*
mind	*voir une objection à*
miss	*s'ennuyer de*
postpone	*remettre à plus tard*
prevent	*empêcher*
quit (US)	*cesser*
recommend*	*recommander*
risk	*risquer*
spend time	*passer du temps*
can't stand	*ne pas supporter*
suggest*	*suggérer*
tolerate	*tolérer*
be no use	*être inutile*
be worth	*valoir la peine*

I don't mind go**ing** with you. [~~I don't mind to go with you.~~]
Je veux bien vous accompagner.

He gave up smok**ing** ten years ago. [~~He gave up to smoke...~~]
Il a cessé de fumer il y a dix ans.

It is no use insist**ing**: your shop is not worth visit**ing**.
Inutile d'insister : votre boutique ne vaut pas la peine de s'y attarder.

They kept call**ing** us. *Ils n'ont pas arrêté de nous appeler.*

- Les verbes signalés ci-contre par * peuvent également se construire avec **that + proposition**.

I imagine (that) you're tired. *J'imagine que tu es fatigué.*

Empêcher qqn de faire qqch. se traduit à l'aide des verbes prevent ou stop. Ils s'emploient avec ou sans la préposition from.

I want to **prevent** this **(from)** happening again.
I want to **stop** this **(from)** happening again.
Je veux empêcher que ça se reproduise.

Dans la construction **verbe + V-ing**, la forme V-ing est souvent appelée **gérondif** (→ 425-428). Il peut y avoir un sujet ou deux dans la phrase.

Emma dislikes working late. *Emma n'aime pas travailler tard.*

Un seul sujet : Emma est sujet de dislikes et de working.

Emma dislikes John working late.
Emma n'aime pas que John travaille tard.

Deux sujets : Emma est sujet de likes et John de working.
On peut dire aussi Emma dislikes John**'s** working late (→ 426).

393 Les verbes de perception : base verbale ou V-*ing* ?

- Les **verbes de perception** tels que feel *(sentir/ressentir)*, hear *(entendre)*, listen *(écouter)*, notice *(remarquer)*, observe *(observer)*, see *(voir)*, watch *(regarder)* sont suivis soit de la base verbale, soit de V-ing.

I saw Sheena **run/running** across the road.
J'ai vu Sheena traverser la rue en courant.

- Avec la base verbale, l'action est vue de **façon globale**. V-ing s'interprète souvent comme be + -ing, et donc comme une action « en cours ».

I saw Sheena **run** across the road.

J'ai été le témoin de l'événement d'un bout à l'autre. L'événement est considéré de façon globale.

I saw Sheena **running** across the road.

J'ai vu l'événement **en cours** : Sheena au milieu de la rue, qui courait pour traverser.

- Si l'action est interrompue, on préfère logiquement employer V-ing.

  I saw Sheena **running** across the road when she was hit by the bus.
  J'ai vu Sheena qui traversait la rue en courant quand elle a été heurtée par l'autobus.

- V-ing est obligatoire **après can + verbe de perception**.

  I can hear somebody coming up the stairs. [~~I can hear somebody come up…~~]
  J'entends quelqu'un qui monte l'escalier/qui est en train de monter l'escalier.

- Au passif, les verbes de perception sont suivis de to (→ 82).

  She was seen to run.

La construction **verbe de perception + base verbale** fait référence à la notion, au fait pur. Avec **verbe de perception + V**-ing, le locuteur se focalise sur un moment de l'action. Il s'intéresse à l'événement à un moment de son déroulement.

I could see all the lights shin**ing** in the distance. Well, in fact I saw them **glimmer**, rather than **shine**.
Je voyais toutes les lumières briller à l'horizon. En fait, je les voyais luire plutôt que briller.

Ce qui intéresse le locuteur dans I saw them glimmer (nettement préféré à glimmering), c'est le **choix** du mot glimmer plutôt que shine et non plus le fait que les lumières soient en train de luire.

VERBES SUIVIS SOIT DE TO + VERBE, SOIT DE V-ING

Certains verbes admettent les deux constructions.

Schématiquement, avec to + **verbe**, la réalisation du verbe (et de ses compléments) est **envisagée**, alors que les constructions en V-ing présupposent l'existence d'un événement.

394 *Begin, start, continue, intend, can't bear*

Ces verbes sont indifféremment suivis de to + verbe ou de V-ing.

When he came in, the baby started cry**ing** ou started **to** cry.
Lorsqu'il est entré, le bébé s'est mis à pleurer.

I can't bear ly**ing/to** lie on the beach in the sun.
Je ne supporte pas de rester allongé sur la plage au soleil.

S'ils sont à la forme be + -ing, ils sont suivis de to.

It **was** slowly beginn**ing to** rain. [~~It was beginning raining.~~]
Il commençait tout doucement à pleuvoir.

Can't stand est un synonyme de can't bear, mais il est toujours suivi de V-ing (→ 392).

395 *Need, require, want* et *stop*

Need, require, want ont des sens différents selon qu'ils sont suivis de to + verbe ou de V-ing. Avec ces verbes, V-ing est proche de to be + verbe au **participe passé**.

I need **to** upgrade my computer.
Il faut que je mette mon ordinateur à niveau.

J'envisage l'action.

My computer needs upgrad**ing**.
ou My computer needs **to be** upgrad**ed**.
Mon ordinateur a besoin d'être mis à niveau.

I want **to go**. *Je veux m'en aller.*

Your car wants wash**ing**. *Ta voiture a besoin d'être lavée.*

You are required to present yourself at three p.m.
Vous êtes priés de vous présenter à 15 heures.

This plant requires frequent water**ing**.
Cette plante a besoin d'être arrosée fréquemment.

Il en est de même du verbe stop. On ne confondra donc pas : stop V-ing *(arrêter de...)* et stop to... *(s'arrêter pour...)*.

We stopped look**ing** at it. *Nous avons arrêté de le regarder.*

We stopped **to look** at it. *Nous nous sommes arrêtés pour le regarder.*

To est ici l'équivalent de in order to : *afin de*.

396 Autres verbes suivis tantôt de *to* + verbe, tantôt de V-*ing*

⇨ événement envisagé, orienté vers l'avenir

⇦ événement déjà réalisé, déjà expérimenté

Forget

Don't forget **to** call him.
N'oubliez pas de l'appeler.

⇨ référence à un événement à venir

I'll never forget sail**ing** in the Caribbean.
Je n'oublierai jamais ma croisière dans les Caraïbes.

⇦ référence à du déjà réalisé

Go on

They went on talk**ing**. *Ils ont continué à parler.*

⇦ go on V-ing : continuer une activité qui a déjà commencé

They went on **to** say that they hadn't seen us.
Puis ils ont dit qu'ils ne nous avaient pas vus.

⇨ rupture par rapport à une activité antérieure

Like, love, hate, prefer

I love gett**ing** up late. *J'adore me lever tard.*

⇦ goût général, référence à mon expérience

I'd love **to** see him again.
J'aimerais beaucoup le revoir.

⇨ ponctuel, à venir peut-être

ATTENTION Avec **would** like, **would** love, **would** hate, **would** prefer, l'emploi de to est obligatoire, car la réalisation du second verbe est envisagée et concerne forcément l'avenir.

I'd love to see him again. ~~I'd love seeing him again~~.

Aux autres formes, on trouve like V-ing ou like **to** + verbe.

I love getting up late. ou I love to get up late.

Mean

He means **to** win.
Il a l'intention de gagner.

⇨ mean to... : *avoir l'intention de...*

Getting a seat means stand**ing** in a queue all night.
Avoir une place veut dire faire la queue toute la nuit.

⇦ mean V-ing : *impliquer, présupposer*

Regret

I regret **to** say that I disagree.
Je suis au regret de vous dire que je suis en désaccord.

⇨ je regrette mais je vais le faire

I regret tell**ing** him. *Je regrette de lui avoir dit.*

⇦ fait accompli que je regrette

Remember

Remember **to close** the door. *N'oublie pas de fermer la porte.*

⇨ événement à venir

I remember **closing** the door. *Je me souviens d'avoir fermé la porte.*

⇦ référence à un acte déjà accompli

(Be) sorry

Sorry **to** interrupt you. *Désolé de vous interrompre.*

⇨ événement présent ou juste à venir

He's sorry about/for tell**ing** you off.
ou He's sorry that he told you off. *Il regrette de t'avoir grondé.*

⇦ regret concernant un événement passé

Try

Try **to** be quiet when you come back.
Essayez de ne pas faire de bruit lorsque vous reviendrez.

⇨ effort ponctuel à venir

To make a living, he tried writ**ing**, paint**ing**...
Pour gagner sa vie, il essaya d'écrire, de peindre...

⇦ try V-ing : expérimenter qqch.

Try + V-ing et try to + verbe signifient tous deux *essayer*. Quand ce verbe signifie *essayer pour voir, expérimenter*, il se traduit par try + V-ing.

Quand try n'a pas le sens d'*expérimenter*, on trouve les deux constructions.

I tried to lose weight ou I tried losing weight, but it didn't work.
J'ai essayé de maigrir, mais ça n'a pas marché.

Be afraid

Be afraid peut être suivi de l'infinitif en to ou de of + V-ing. Quand on n'a pas de contrôle sur ce qu'on redoute, on préfère be afraid of + V-ing.

I'm afraid of causing an uproar.
J'ai peur de déclencher un tumulte.
I'm afraid of swimming alone. ou I'm afraid to swim alone.
J'ai peur de nager seul.

ATTENTION Come, go, stay, try et wait peuvent aussi être suivis de and + **verbe**.

I'll **come and** see you tonight.
Je viendrai vous voir ce soir.

They'll **try and** help you.
Ils essayeront de vous aider.

Go and say goodbye to Granny.
Va dire au revoir à Mamie.

He **stayed and** had dinner with me.
Il est resté dîner chez moi.

Notez l'expression :

Wait and see. *Soyez patient.*
ou Vous allez voir ce que vous allez voir.

- To exprimerait davantage une idée de but ici.

I'll come **to** say goodbye.
Je viendrai ***pour*** *vous dire au revoir.*

- En anglais **familier**, and peut être omis après come et go.

Go say goodbye to Granny.

Let's go practice, shall we?
On va s'entraîner ?

Les propositions causatives et les propositions résultatives

POUR COMMENCER

Les propositions **causatives** et les propositions **résultatives** sont des constructions à deux verbes (verbe + base verbale ou verbe + to + verbe).

- Les propositions causatives expriment une **cause**.

  You make them laugh.
  Tu les fais rire.

You est le déclencheur, la **cause** de they laugh.

- Les propositions résultatives expriment un **résultat**.

  They had their car stolen.
  Ils se sont fait voler leur voiture.

They n'est pas le déclencheur de l'action *voler* mais en est la victime. C'est le **résultat** qui importe.

397 *Cause, force, result in...*

La **cause** peut être exprimée à l'aide de verbes tels que cause, force, order, entail (*impliquer*)... Le **résultat** peut être exprimé à l'aide des verbes result in, lead to...

They **forced her to** do it.
Ils l'ont forcée à le faire.

The accident **resulted in** her resigning.
L'accident a entraîné sa démission.

L'expression française *faire que...* se rend à l'aide de verbes tels que lead to, result in, the result is (was) that...

Le vol a été retardé et cela a fait que j'ai raté notre rendez-vous.
The flight was delayed and **this led to** my missing our appointment.
ou and **the result was** that I missed our appointment.

398 Les propositions causatives (faire faire qqch.) : *make, have, get*

La cause est le plus souvent exprimée à l'aide des verbes make, have ou get. Make et have sont suivis de la base verbale, get est suivi de to.

> Mr. Anwar **makes** us work hard.
> *M. Anwar nous fait travailler dur.*
>
> I **had** him wash my car.
> *Je lui ai fait laver ma voiture.*
>
> I **got** him **to** clean my car.
> *Je lui ai fait laver ma voiture.*
> *ou J'ai réussi à lui faire laver ma voiture.*

ATTENTION Au passif, to est obligatoire avec make (→ 82).

> We were made to work hard. [~~We were made work hard.~~]
> *On nous a fait travailler dur.*

Make, have et get ne sont pas équivalents :

- make est le plus **neutre** et le plus fréquent. Il exprime souvent une idée de **contrainte** exercée sur autrui ;
- have est surtout utilisé pour un **ordre** ou une **consigne** ;
- get exprime une idée de difficulté à **obtenir** quelque chose. Son sens est assez proche du verbe persuade (*persuader*).

En l'**absence de contrainte**, on emploie have et non make.

> "Mrs Craig has arrived." "Have her come in."
> *« Mme Craig est arrivée. Faites-la entrer. »*

Make her come in impliquerait qu'il faut la forcer à entrer.

Dans les consignes, have est préféré.

> Talking of dreams loosens up students. That's why I have them write a dream.
> *Parler de rêves rend les élèves moins timides. C'est pourquoi je leur fais écrire un rêve.*

Avec have, le sujet est une personne, puisqu'il y a ordre ou consigne. On ne peut donc pas dire ~~The idea had them smile~~ mais The idea made them smile (*L'idée les a fait sourire*).

399 Traduire « faire faire »

- *Faire faire* se traduit souvent par make + complément + verbe.

  *Cela te **fera changer** d'avis.*
  This will **make** you **change** your mind.

- Si *faire* est suivi d'un verbe à **sens passif**, on le traduit par have + **nom** + participe passé.

  Elle a fait réparer sa voiture. She **had her car repaired**.

  On peut ajouter un complément d'agent (par...).

  *Il est en train de **faire construire** une piscine (par l'entreprise Dupond).*
  He is **hav**ing a swimming pool **built**.

  À l'oral, on peut employer get à la place de have : She got her car repaired. He is getting a swimming pool built.

- *Se faire faire* + **complément** se traduit par have + **complément** + **participe passé**.

  Elle s'est fait voler sa voiture. She had her car **stolen**.

- *Se faire faire* (sans complément) se traduit souvent par un **passif**.

  Il s'est fait écraser par un camion. He **was run** over by a truck.

  Ils se sont fait avoir. They'**ve been had**.

- *Se faire entendre, comprendre, obéir, respecter* se dit make **oneself** heard, understood, obeyed, respected.

  Il n'a pas pu se faire entendre, encore moins respecter.
  He couldn't **make himself heard**, let alone **respected**.

- Un certain nombre de tournures françaises comportant *faire* + **verbe** ne se traduisent pas par make, have ou get.

FRANÇAIS	ANGLAIS
faire attendre qqn	keep somebody waiting
faire cuire qqch.	cook sth
faire démarrer qqch.	start sth
faire entrer/sortir qqn	let somebody in/out
faire frire qqch.	fry sth
faire pousser (des légumes)	grow (vegetables)
faire savoir qqch. à qqn	let somebody know sth
faire venir qqn	call sb in/get sb in/call for sb/send for sb

400 Tableau récapitulatif de *make, have, get*

SUJET	VERBE	COMPLÉMENT	FORME VERBALE
DÉCLENCHE L'ACTION	MAKE	FAIT L'ACTION	BASE VERBALE
Our boss *Notre patron nous fait travailler.*	**makes**	us	**work.**
ÊTRE VOLONTAIRE DÉCLENCHE L'ACTION	HAVE	FAIT L'ACTION	BASE VERBALE
Jane *Jane lui a fait faire la vaisselle.*	**had**	him	**do the dishes.**
ÊTRE VOLONTAIRE DÉCLENCHE L'ACTION	GET	FAIT L'ACTION	TO + VERBE
I *Je vous ferai aider par mon ami.*	**will get**	my friend	**to help you.**
DÉCLENCHE L'ACTION	HAVE/GET	SUBIT L'ACTION	PARTICIPE PASSÉ
She *Elle s'est fait boucler les cheveux.*	**had/got**	her hair	**curled.**
SUBIT L'ACTION	BE MADE		TO + VERBE
I *On m'a fait parler.*	**was made**		**to speak.**
NE DÉCLENCHE PAS L'ACTION	HAVE	SUBIT L'ACTION	PARTICIPE PASSÉ
He *Il s'est fait casser le nez. [résultat]*	**had**	his nose	**broken.**

- Dans toutes ces tournures, make, have ou get peuvent être conjugués à tous les temps et employés avec un modal.

I **must** get him to help me.
Il faut que j'obtienne son aide.

She **must** be having her house painted.
Elle doit être en train de faire repeindre sa maison.

- Dans les tournures **causatives**, l'ordre des mots est toujours : **verbe** + complément + **verbe**.

He made the audience laugh. *Il a fait rire le public.*

He made them laugh. *Il les a fait rire.*

Changer l'ordre des mots modifie radicalement le sens d'un énoncé.

She **had them arrested**. *Elle les a fait arrêter.*

She **had arrested them**. *Elle les avait arrêtés.*

ATTENTION Make causatif est **toujours** suivi d'un complément.

It makes **one/you** dream. [~~It makes dream.~~]
Cela fait rêver.

Remarquez qu'en français on a ici seulement **verbe** + **verbe**.

La construction have + **verbe** n'est pas toujours causative. Elle peut avoir le sens d'*expérimenter*, de *subir*.

Time after time we've **had** guests **come** and tell us: "What a wonderful dinner!"
Maintes et maintes fois, nous avons eu des clients qui sont venus nous dire : « Quel dîner merveilleux ! »

On trouve aussi have + V-ing avec ce sens.

The car wouldn't start and we **had** cars **honking** us from behind.
La voiture ne voulait pas démarrer et on avait des voitures derrière qui nous klaxonnaient.

401 Les constructions résultatives

Voici les principales constructions qui expriment un **résultat** :
- verbe + complément + adjectif (→ 402) ;
- verbe + complément + participe passé (→ 403) ;
- verbe + particule (→ 404) ;
- verbe + complément + into/out of + V-ing (→ 405).

402 Verbe + complément + adjectif

Le résultat d'une action peut être exprimé à l'aide d'un **adjectif**.

À partir de deux propositions, on peut en produire une seule.

I have painted my room. *J'ai peint ma chambre.* [action]
Now, it is **blue**. *Maintenant, elle est bleue.* [résultat]

D'où : I have painted my room **blue**.
J'ai peint ma chambre en bleu.

He shouted last night. *Il a crié hier soir.* [action]
Now, his voice is **hoarse**. *Maintenant, il est enroué.* [résultat]

D'où : He **shouted** himself **hoarse** last night.
Il s'est enroué à force de crier hier soir.

403 Verbe + complément + participe passé

On trouve cette structure avec les verbes de **volonté** et de **préférence** (want, like, love, prefer...).

I want/would like **it done** right now. (Sous-entendu : I want **it to be done**.)
Je veux/J'aimerais que ça soit fait immédiatement.

404 Verbe + particule

Le résultat peut être exprimé à l'aide d'une **particule** (surtout après des verbes de mouvement).

He ran **out**. *Il sortit en courant.*

Exotic fruit is flown **in** daily.
Des fruits exotiques arrivent par avion tous les jours.

Remarquez la traduction en « chassé-croisé » de certaines de ces constructions.

He ran **out**.
Il sortit en courant.

He read himself **blind**.
Il est devenu aveugle à force de lire.

405 Verbe + complément + *into/out of* + V-ing

Le **résultat** est ici exprimé par into/out of + V-ing. La construction en into est utilisée pour exprimer la **conviction**. Celle en out of pour exprimer la **dissuasion**. Ces tournures correspondent parfois au français *à force de...*, *si bien que...*, *en usant de...*

She threatened him **into signing**.
Elle l'a fait signer en usant de menaces.

They tricked her **into believing** that...
À force de duperies, ils l'ont persuadée que...

I managed to talk him **out of joining** the army.
J'ai réussi à le dissuader de s'engager dans l'armée.

Principaux verbes suivis de into ou de out of :

argue : *argumenter* ; blackmail : *faire chanter* ; cheat : *tricher* ; fool : *tromper* ; provoke : *provoquer* ; talk : *parler* ; threaten : *menacer*...

La coordination et la subordination

POUR COMMENCER

- Une phrase **simple** est une phrase qui ne comporte qu'**une** proposition. On l'oppose à la phrase **complexe** qui en comprend **plusieurs**.
- En général, à un verbe lexical correspond une proposition. Dans I like it, on a un **verbe**, donc une seule proposition, que l'on qualifie de proposition **indépendante**.

  De même dans I might like it, il n'y a qu'un verbe lexical, car might est un modal. Cette phrase est donc également une proposition indépendante.
- Dans He said that their plane had landed *(Il a dit que leur avion avait atterri)*, on a deux verbes (said et landed), et donc deux propositions, une proposition **principale** : he said et une proposition **subordonnée** : that their plane had landed. L'ensemble constitue une phrase complexe.
- Une proposition subordonnée est très souvent reliée à la principale par un mot subordonnant comme that, because, if...
- V-ing sert aussi à introduire une subordonnée : I like going to the country *(J'aime aller à la campagne)*. Going to the country est une subordonnée (→ 425-426).

LA COORDINATION

Coordonner signifie **relier deux éléments de même nature** :

- nom + nom : Tom **and** Jerry ;
- adjectif + adjectif : poor **but** honest ;
- adverbe + adverbe : quickly **and** efficiently ;
- verbe + verbe : live **or** die ;
- proposition + proposition : We can ask him now, **or** wait till tomorrow. *(Nous pouvons lui demander maintenant ou attendre demain.)*

406 Les coordonnants

La coordination peut s'effectuer à l'aide :
- d'une **conjonction de coordination** : and/or/but ;
- d'une **tournure composée** : neither... nor... (*ni... ni...*), either... or... (*ou... ou...*), both... and... (*à la fois... et...*), not only... but also... (*non seulement... mais encore...*) ;
- d'un **adverbe** de liaison (→ 518) :

But you don't have any money! **Besides**, you're too young to get married.
Mais tu n'as pas d'argent ! Du reste, tu es trop jeune pour te marier.

Valeurs des coordonnants

COORDONNANTS	VALEUR
and	**associe/ajoute** They wear black and white jerseys. *Ils portent des maillots noir et blanc.* He fell and broke his leg. *Il est tombé et s'est cassé la jambe.*
both... and...	**associe** étroitement **deux** éléments He's both handsome and rich. *Il est à la fois beau et riche.* → 206
neither... nor...	**associe deux** éléments de manière **négative** He can neither sing nor dance. *Il ne sait ni chanter ni danser.* → 241
or	**dissocie** You can have tea or coffee. *Tu peux avoir du thé ou du café.*
either... or...	**dissocie** absolument **deux** éléments Either you stay or you go. *Soit tu restes, soit tu pars.* They are either psychologists or sociologists. *Ils sont soit des psychologues, soit des sociologues.* → 208
but	signale un **contraste**, une rupture She wanted to speak but she did not know how to begin. *Elle voulait parler mais ne savait comment commencer.*
not only... but (also)...	marque une **accumulation** It not only rained but it was cold too. *Non seulement il pleuvait, mais il faisait froid aussi.* → 371

407 Particularités d'emploi des coordonnants

Both... and..., either... or..., neither... nor... se placent juste **avant** des éléments grammaticaux de même nature.

Comparez :

You can have either **tea** or **coffee**.
Tu peux prendre soit du thé, soit du café.

Ici, either et or associent deux noms : tea et coffee.

You can either **have** tea or **coffee**.

Ici, either et or associent le verbe have et le nom coffee.

Le premier énoncé est nettement préférable car plus cohérent.

Nor + auxiliaire + sujet peut remplacer and + structure négative.

I couldn't find her **and I didn't** know where to look for her.
Je ne pouvais pas la trouver et je ne savais pas où la chercher.

I couldn't find her, **nor did I** know where to look for her.
*Je ne pouvais pas la trouver, je ne savais pas **non plus** où la chercher.*

→ Emploi de both/neither 206, 241.

On emploie souvent and après go, come et try (→ 396).

Come and see me. *Venez me voir.*

Souvent, on ne répète pas la préposition après and ou or.

We'll spend our holidays **in** Australia **and (in)** New Zealand.
*Nous passerons nos vacances **en** Australie **et en** Nouvelle-Zélande.*

Lorsque deux subordonnées circonstancielles (en as, if...) sont coordonnées, la conjonction de subordination peut être répétée ou non.

If you go to London and (if) you see Edwin, give him my love.
Si tu vas à Londres et que tu vois Edwin, transmets-lui mes amitiés.

They wouldn't run the ad because it was too anti-Texas and (because) they found it offensive.
Ils n'ont pas voulu passer la pub parce qu'elle était trop antitexane et qu'ils l'ont trouvée trop insultante.

En français, que peut reprendre une autre conjonction de subordination. Dans *Si tu vas à Londres et **que** tu vois Edwin...*, que reprend si. On aurait pu dire *Si tu vas à Londres et **si** tu vois Edwin...*
En anglais, une conjonction ne peut pas être reprise par that : ~~If you go to London and that you see Edwin...~~

408 Emplois particuliers de *but*

- But n'est pas toujours un coordonnant. Il peut être préposition et signifier except (*sauf, ne... que*) après any, every, no et all. But et except sont les seules prépositions suivies de la base verbale.

  These children do nothing **but/except** watch TV.
  Ces enfants ne font que regarder la télévision.

  Everybody came to my party **but** my parents.
  Tout le monde est venu à ma soirée sauf mes parents.

- But for équivaut à without.

  But for my friends, I would never have succeeded.
  Sans mes amis, je n'aurais jamais réussi.

- Notez les structures **last but** + **numéral** : last **but one** (*avant-dernier*) ou second to last (US).

- Notez les expressions : **but** still/and **yet** (*et pourtant*) ; **or** else (*sinon*).

  Two days of marathon negotiations, but still no deal.
  Deux journées de négociations marathon, mais toujours pas d'accord.

  Be there on time or else (you'll be in trouble)!
  Sois à l'heure, sinon (tu auras des ennuis) !

LA SUBORDINATION

409 Deux cas de subordination

- Lorsqu'une **proposition** remplit la fonction de sujet, de complément d'objet ou de complément circonstanciel, comme l'indique ce tableau.

SUJET	VERBE	COMPLÉMENT D'OBJET	COMPLÉMENT CIRCONSTANCIEL
Helen	met	Jim	in New York.
Helen a rencontré Jim à New York.			
Helen	knows	that I play tennis	whenever I like.
Helen sait que je joue au tennis quand je veux.			

Fonction des propositions du tableau :

...that I play tennis : proposition **complément d'objet** du verbe knows.

...whenever I like : proposition **complément circonstanciel** (de temps).

Lorsqu'une **proposition** se greffe sur un nom (ou un groupe nominal).

James Buchanan is the only President who never married.
James Buchanan est le seul président qui ne se soit jamais marié.

La proposition who never married se greffe sur le groupe nominal the only president.
Dans ce cas, nous avons une proposition **relative** (→ 411-424).

Subordonné signifie **soumis** et, en l'occurrence, « dépendant d'une autre proposition » (la proposition principale). En effet, les propositions -who never married, -that I play tennis et whenever I like ne peuvent pas exister seules. Elles n'ont de sens que quand elles « s'accrochent » à une autre proposition, appelée **proposition principale**.

410 Types de subordination

Il existe **quatre types** de subordination.

- les propositions subordonnées **relatives** (→ 411-424) sont introduites par un pronom relatif : who, which, that... ;
- les propositions subordonnées **nominales en V-ing** (→ 425-428) sont introduites par V-ing ;
- les propositions subordonnées **conjonctives** (→ 429-444) sont introduites par une conjonction de subordination : that, as, because, if, since... ;
- les propositions subordonnées **infinitives** (→ 388-391) sont introduites par un verbe à l'infinitif.

Les subordonnées relatives

POUR COMMENCER

- Les **propositions subordonnées relatives** se greffent grâce à un **pronom relatif** sur un nom (ou un groupe nominal).

  The woman **who** lives next door was once married to a duke.
  La femme qui habite à côté était autrefois mariée à un duc.

  who lives next door : proposition relative greffée sur le nom the woman grâce au pronom relatif who.

  I don't usually like the films **that** he recommends.
  Généralement, je n'aime pas les films qu'il recommande.

  that he recommends : proposition relative greffée sur le nom the films grâce au pronom relatif that.

- Le nom (ou groupe nominal) sur lequel se greffe la subordonnée relative s'appelle l'**antécédent**.

  The woman who lives next door was once married to a duke.
  I don't usually like **the films** that he recommends.

- Les **pronoms relatifs** sont de trois types :
  - les pronoms en wh- (who(m), whose, which...) : ils varient selon la nature de l'antécédent (humain ou non humain) et leur fonction dans la relative (sujet ou complément) ;
  - that qui est invariable ;
  - Ø, le relatif zéro : il symbolise l'absence de pronom relatif. Il est toujours complément.

- **Prononciation des pronoms relatifs**

  Les lettres wh- se prononcent [w] sauf dans who [hu:] et whose [hu:z].
  That est presque toujours prononcé [ðət].

411 Le choix du pronom relatif

Le choix du pronom relatif repose sur trois critères :
- la nature de l'antécédent (humain ou non humain) ;
- la fonction du pronom relatif ;
- la nature de la proposition relative.

412 Nature de l'antécédent et fonction du pronom relatif

Si l'antécédent est **humain**, on emploie who ou that. S'il est **non humain**, on emploie which ou that.

→ Which ou who avec les noms collectifs 170.

Fonction du pronom relatif

– le pronom relatif est **sujet** : which, who, that ;
– le pronom relatif est **complément** : which, who, that, Ø.

• Pronom relatif **sujet**

The woman **who/that** lives next door was once married to a duke.
La femme qui habite à côté était autrefois mariée à un duc.
who/that : sujet du verbe lives

L'antécédent est **humain**.

It's a file **which/that** contains information about your computer.
C'est un fichier qui contient des renseignements sur votre ordinateur.
which/that : sujet du verbe contains

L'antécédent est **non humain**.

• Pronom relatif **complément**

I don't usually like the students who/**that**/Ø he recommends.
Généralement, je n'aime pas les étudiants qu'il recommande.
who/**that**/Ø : complément du verbe recommend

L'antécédent est **humain**.

I don't usually like the films which/**that**/Ø he recommends.
Généralement, je n'aime pas les films qu'il recommande.
which/**that**/Ø : complément du verbe recommends

L'antécédent est **non humain**.

Il existe un pronom relatif **au génitif** : whose (→ 418).

413 Nature de la proposition relative

On distingue les relatives **déterminatives** et les relatives **appositives**.

Une relative **déterminative** apporte une **information nécessaire** à l'identification de l'antécédent.

The woman **who lives next door** was once married to a duke.

La femme est identifiée grâce à la relative who lives next door.

I've found the keys **that you lost yesterday**.
J'ai retrouvé les clefs que tu as perdues hier.

La proposition relative that you lost yesterday permet de comprendre de quelles clefs il s'agit.

Ce sont des relatives **déterminatives** car elles déterminent l'antécédent.

Une relative **appositive** apporte un simple **complément d'information** sur le groupe nominal qui précède.

His father, **who is ninety**, goes swimming every day.
Son père, qui a 90 ans, nage tous les jours.

who is ninety n'est pas indispensable à l'identification de father.

On parle de relatives **appositives** car elles sont en apposition, c'est-à-dire juxtaposées au groupe nominal. Ces relatives sont essentiellement employées **à l'écrit**. Elles sont toujours placées **entre virgules**. À l'oral, on marque une pause avant et après la relative.

Il est souvent possible de paraphraser les relatives **déterminatives** par *celui qui/que* et les relatives **appositives** par *dont je précise que...*

His brother who is a chemist lives in London.
*Son frère, **celui qui** est pharmacien, vit à Londres.*

Who is a chemist permet d'identifier le frère dont il est question.

His brother, who is a chemist, lives in London.
Son frère, qui est pharmacien, vit à Londres.

La relative, **who** is a chemist, est un simple complément d'information.
Paraphrase : *Son frère, dont je précise qu'il est pharmacien...*

414 Les propositions relatives déterminatives

ANTÉCÉDENT	SUJET	COMPLÉMENT	GÉNITIF
humain	who that	who that/Ø	whose
non humain	which that	which that/Ø	whose

Antécédent humain

- Pronom relatif sujet

I know the man **who** wrote that book.
(the man : antécédent ; who : sujet)

Je connais l'homme qui a écrit ce livre.

Avec un antécédent humain, that est considéré comme familier.

I know the man that wrote that book.

- Pronom relatif complément

I know the man **who/that/Ø** you described in your letter.
antécédent complément

Je connais l'homme que tu as décrit dans ta lettre.

Le pronom relatif peut être complément d'une préposition.

I know the man **who/that/Ø** you talk **about** in your letter.
Je connais l'homme dont tu parles dans ta lettre.

who/that/Ø : complément de la préposition about.

→ Emploi de whom 418.

→ Emploi des prépositions dans les relatives 417.

- Pronom relatif génitif

I know the man **whose** car has been stolen.
antécédent génitif

Je connais l'homme dont la voiture a été volée.

→ Traduction de dont 419.

Antécédent non humain

- Pronom relatif sujet

This is the painting **which/that** costs two million pounds.
antécédent sujet

Voici le tableau qui coûte deux millions de livres.

- Pronom relatif complément

This is the painting **which/that/Ø** I bought yesterday.
antécédent complément

Voici le tableau que j'ai acheté hier.

This is the painting **which/that/Ø** I was referring to.
antécédent complément

Voici le tableau auquel je faisais allusion.

- Pronom relatif génitif

This is the painting **whose** owner is a rich Japanese patron.
antécédent génitif

Voici le tableau dont le propriétaire est un riche mécène japonais.

415 Les propositions relatives appositives

On n'emploie pas les pronoms relatifs that et Ø dans les **appositives**.

ANTÉCÉDENT	SUJET	COMPLÉMENT	GÉNITIF
humain	who	who(m)	whose
non humain	which	which	whose

Antécédent humain

- Pronom relatif sujet

  My neighbour, **who** is pessimistic, says they will come to no good.
  (My neighbour : antécédent ; who : sujet)

  Mon voisin, qui est pessimiste, dit qu'ils vont mal tourner.

- Pronom relatif complément

  Her first husband, **who(m)** she married in 2005, was a former MP.
  (husband : antécédent ; who(m) : complément)

  Son premier mari, qu'elle épousa en 2005, était un ancien député.

- Pronom relatif génitif

  Kisling met Picasso, **whose** cubist style influenced his work.
  (Picasso : antécédent ; whose : génitif)

  Kisling rencontra Picasso, dont le style cubiste influença ses œuvres.

Antécédent non humain

- Pronom relatif sujet

  This castle, **which** belongs to the Queen, is neo-gothic.
  Ce château, qui appartient à la reine, est néogothique.

- Pronom relatif complément

  This castle, **which** you can't visit, is owned by...
  Ce château, que vous ne pouvez pas visiter, appartient à...

- Pronom relatif génitif

  Portchester Castle, **whose** keep was built inside Roman walls...
  Portchester Castle, dont le donjon fut construit à l'intérieur de remparts romains...

Whose s'emploie avec des antécédents humains **ou** non humains.

On trouve aussi the... of which à la place de whose.

  Portchester Castle, **the keep of which** was built inside Roman walls...

Autre construction possible (formelle) :

  Portchester Castle, **of which the keep** was built inside Roman walls...

416 Remarques complémentaires sur les propositions relatives

Ces remarques portent sur :
- les prépositions dans les relatives (→ 417) ;
- whom et whose (→ 418) ;
- les traductions de *dont* (→ 419) ;
- that (→ 420) ;
- le pronom relatif Ø (→ 421).

417 Les prépositions dans les relatives

La **préposition** se place généralement à la fin de la proposition relative, ce qui est impossible en français.

I know the man you talk **about** in your letter.
Je connais l'homme dont tu parles dans ta lettre.

This is the painting that I was referring **to**.
Voici le tableau auquel je faisais allusion.

En anglais **très formel**, on peut placer la **préposition** au début de la relative, comme en français.

I know the man **about** whom you talk in your letter.

This is the painting **to** which I was referring.

Directement **après une préposition**, on trouve whom : I know the man **about whom** you talk...

The man **about who** you talk s'entend mais est considéré comme fautif.

→ Place de la préposition dans les questions 380.

ATTENTION Après une préposition, on ne trouve pas les relatifs Ø et that : ~~I know the man about that you talk~~ ; ~~I know the man about Ø you talk~~.

418 Remarques sur *whom* et *whose*

Whom est toujours en fonction **complément**. Il est de moins en moins employé au profit de who, de that ou de Ø.

- En anglais **classique**, on trouve la tournure :

I know the man **whom** you mentioned in your letter.
compl. du verbe mentioned
Je connais l'homme que tu mentionnes dans ta lettre.

- En anglais **contemporain**, on dit plutôt :

I know the man **who/that/Ø** you mentioned in your letter.

Après une préposition, whom est nettement préféré à who (→ 417, 419).

Whose établit une relation de parenté ou d'appartenance entre l'antécédent et le nom qui le suit. Ce nom est **sans déterminant**. Whose fonctionne comme un génitif.

John is very good at maths. **John's father/His** father is a maths teacher.
John, **whose** father is a maths teacher, is very good at maths.
John, dont le père est prof de maths, est très fort en maths.

419 Les traductions de « dont »

N'établissez pas de parallèle abusif entre dont et whose. Dont peut être traduit de différentes manières.

Le tableau suivant résume les traductions possibles de dont en anglais.

DONT	TRADUCTION
Complément de nom (dont relie deux noms) *Je connais l'homme dont la voiture a été volée.*	whose I know the man whose car has been stolen.
Complément de verbe ou d'adjectif (dont : duquel) *L'homme* ***dont*** *tu m'as parlé hier...* (parler de : dont complète le verbe parler.) *C'est une œuvre d'art* ***dont*** *je suis très fier.* (être fier de : dont complète l'adjectif *fier*.)	**pronom relatif... (préposition)** The man Ø/who/that you told me about yesterday... This is a work of art Ø/that I'm very proud of.
dont + nombre ou quantité *Nous avons plus de 2 000 clients* ***dont*** *la plupart sont allemands.* *J'ai essayé de nombreuses robes,* ***dont*** *aucune ne m'allait.*	**quantifieur** + whom (humain) **quantifieur** + which (non humain) We have over 2,000 customers, **most of whom** are German. I've tried many dresses on, **none of which** suited me.
dont beaucoup, dont deux	many of whom/which, two of whom/which We have over 2,000 customers, **many of whom** are German. I've tried many dresses on, **two of which** suited me.
La façon **dont** + proposition *Ils ont amélioré la façon dont on télécharge de la musique.*	the way (that) + **proposition** They've improved the way (that) you download music.

420 Remarques sur *that*

- That ne s'emploie pas dans les relatives appositives (→ 415).
- That s'emploie avec un antécédent humain ou non humain (→ 414).
- L'ordre préposition + that est impossible (→ 417). Comparez :

The flight **that/Ø** he wanted to travel **on** was fully booked.
The flight **on which** he wanted to travel was fully booked.
The flight **which** he wanted to travel **on** was fully booked.
~~The flight on **that** he wanted to travel was fully booked~~.
Le vol qu'il voulait emprunter était complet.

- That est souvent préféré à which/who après les ordinaux (the first...), les superlatifs (the best, the biggest...), les quantifieurs tels que all, any, few, little, much, only, some(thing), no(thing)... et après it is...

It's the **only** medicine **that** can cure you.
C'est le seul médicament qui peut vous soigner.
This is **the first** exam **that**/Ø I haven't failed.
(Ø est possible dans le cas d'un complément.)
C'est le premier examen auquel je n'ai pas échoué.
She's **the best** singer **that**/Ø I've heard in years.
C'est la meilleure chanteuse que j'aie entendue depuis des années.

- Notez l'emploi de that après les expressions de temps (the day/the year/the time...) suivies de la mention d'un événement.

Do you remember **the day that**/Ø we met?
Te souviens-tu du jour où nous nous sommes rencontrés ?
The **last time that**/Ø I saw her... *La dernière fois que je l'ai vue...*

→ The day when 423.

421 Remarques sur le pronom relatif Ø

L'élision du pronom relatif (Ø) ne se rencontre que dans les relatives déterminatives en fonction **complément**. Son emploi est très fréquent.

The man Ø I met yesterday... *L'homme que j'ai rencontré hier...*
It's the book Ø I told you about. *C'est le livre dont je te parlais.*

Avec Ø, l'ensemble **antécédent + proposition relative** apparaît quasiment soudé et se prononce d'une seule traite. C'est pourquoi Ø ne peut pas être employé dans les propositions relatives appositives (qui impliquent une pause entre l'antécédent et la proposition relative).

422 What/Which (« ce qui », « ce que »)

Là où le français utilise *ce qui* (sujet)/*ce que* (complément), l'anglais utilise which ou what.

Quand *ce qui/ce que* **reprend** une proposition, on emploie which.
Quand *ce qui/ce que* **annonce** quelque chose, on emploie what.

Which

La proposition relative en which commente l'énoncé précédent.

He said he had no money, **which** was not true.
He said he had no money, **which** I didn't believe.
Il a dit qu'il n'avait pas d'argent, ***ce qui*** *n'était pas vrai/****ce que*** *je n'ai pas cru.*

ATTENTION L'antécédent est ici constitué de toute une proposition : he said he had no money, et non d'un groupe nominal, comme c'est habituellement le cas. La virgule devant which est indispensable.

What relatif « sans antécédent »

- What correspond à the thing(s) that... On dit parfois que, dans ce cas, il « contient son propre antécédent ».

  What (the thing that) I saw astonished me.
  Ce que *j'ai vu m'a stupéfié.*

  This is **what** happened. *Voici* ***ce qui*** *s'est passé.*

  ATTENTION *Tout ce qui/Tout ce que* ne se traduit jamais par ~~all what~~, mais par all that ou everything that. En fonction complément, on trouve aussi all Ø ou everything Ø.

  All that glitters is not gold. *Tout ce qui brille n'est pas d'or.*

  Everything (that) he said was wrong. *Tout ce qu'il a dit était faux.*

  All (that) I'm worried about is the money.
  Tout ce qui m'inquiète, c'est l'argent.

- What peut être suivi d'un **nom**, avec le sens de *tout ce que/tout* + nom + *que*. What + **nom** évoque le plus souvent une quantité faible.

  They spent **what money** they had. *Ils ont dépensé tout ce qu'ils avaient comme argent/tout l'argent qu'ils avaient.*

- What est parfois employé en début de phrase pour mettre en relief tout un énoncé (→ 372).

  What I want is to be left alone.
  Ce que je veux, c'est qu'on me laisse tranquille.

On trouve *ce dont* en français à la place de *ce qui/ce que* lorsque le verbe est suivi de la préposition *de* : *se souvenir de* (***ce dont*** *je me souviens*). *Ce dont* se traduit comme *ce qui/ce que* par which ou what.

Il a dit qu'il n'avait pas d'argent, ***ce dont*** *je ne me souvenais pas.*
He said he had no money, **which** I didn't remember.

Ce dont *je me souviens, c'est qu'il n'avait pas d'argent.*
What I remember is that he had no money.

423 *Where, when, why* pronoms relatifs

Where, when et why s'emploient dans les structures suivantes.

L'ANTÉCÉDENT DÉSIGNE	RELATIF	EXEMPLE
un lieu	**where**	I recently visited the town where he was born. *J'ai récemment visité la ville où il est né.*
une époque/ un moment/un jour...	**when**	It was one of those days when everything is quiet. *C'était l'un de ces jours où tout est calme.*
une cause (the reason)	**why**	There's no reason why you should not come. *Il n'y a pas de raison que vous ne veniez pas.*

When et why sont parfois remplacés par Ø ou that, notamment à l'oral.

The reason why/that/Ø I didn't write was that...
La raison pour laquelle je n'ai pas écrit est que...

He'll call me the day when/that/Ø I win the lottery.
Il m'appellera le jour où je gagnerai à la loterie.

On peut aussi employer **préposition** + which.

I recently visited the town **in which** he was born.
It was one of those days **on which** everything is quiet.

Alors que when **conjonction de subordination** n'est jamais suivi de will (dans son emploi « futur »), when **pronom relatif** peut l'être, notamment dans l'expression the day when (*le jour où*).

We have to prepare for the day when they'll recover their sovereignty.
... the day when they recover est possible.
Il faut se préparer pour le jour où ils retrouveront leur souveraineté.

Comparez :

I look forward to **the day when** we'll all get together again.
J'ai hâte d'être au jour où nous nous reverrons tous.

I'll be happy **when we get** together again. [~~when we will get together~~] *Je serai heureux lorsque nous nous reverrons tous.*

424 Relatif + *ever*

Ever est un adverbe qui signifie *à un moment quelconque*. Il est souvent traduit par l'adverbe *jamais* (→ 498).

Les **relatifs en** -ever (whoever, whichever, whatever...) incluent l'idée de *quel que soit*.

RELATIF	VALEUR	EXEMPLE
whoever	any person who... the person who... *(quiconque, qui que ce soit qui...)*	**Whoever** said that was wrong. *Quiconque a dit cela a eu tort.*
whichever	the one which... no matter which... *(quel que soit...)*	**Take whichever** (book) you want. *Prends celui (le livre) que tu veux, peu importe.* **Whichever** (one) of us gets home first starts cooking. *Le premier (qui que ce soit) qui rentre commence à faire la cuisine.*
whatever	anything that... no matter what... *(quel que soit...)*	You can eat **whatever** you like. *Tu peux manger tout ce que tu veux, peu importe.*
wherever	in, at, to whatever place... *(où que ce soit...)*	Sit **wherever** you like. *Asseyez-vous où vous voulez, peu importe.*
whenever	no matter when.../at any time... *(quel que soit le moment...)*	It rains **whenever** I go to Scotland. *Il pleut à chaque fois que je vais en Écosse.*

ATTENTION Ne confondez pas whoever relatif et who ever interrogatif, qui exprime la surprise (→ 381).

Who ever is this person? *Mais qui donc est cette personne ?*

Les subordonnées nominales en V-ing

POUR COMMENCER

- On appelle propositions nominales en V-ing les propositions subordonnées qui peuvent être remplacées par un **nom** ou un **pronom**.

  I like reading detective stories. *J'aime lire des romans policiers.*

  I like **stories**. *J'aime les histoires.*

  Reading detective stories is my favourite pastime.
  Lire des romans policiers est mon passe-temps préféré.

  This is my favourite pastime. *C'est mon passe-temps préféré.*

- Dans cet emploi, V-ing est une forme souvent appelée **gérondif**. Elle permet la fusion de deux propositions.

  I like something.
  I read detective stories.

  Ce qui donne : I like reading detective stories.

- Une proposition nominale occupe une fonction de **sujet** ou de **complément** par rapport à un autre verbe.

  Reading detective stories is my favourite pastime.
  sujet du verbe is

  I like **reading detective stories**.
  complément du verbe like

425 Les subordonnées en V-*ing* sujets

Killing whales is not worthy of a great nation.
Tuer des baleines n'est pas digne d'une grande nation.

Notez la traduction par l'infinitif en français.

- **Le gérondif peut être accompagné**
  – d'un déterminant possessif (his) : **His** being late annoyed everyone ;
  – d'un nom simple (Mark) : **Mark** being late annoyed everyone ;

– ou d'un nom au génitif (Mark's) : **Mark's** being late annoyed everyone.

Le fait qu'il/que Mark a été en retard a contrarié tout le monde.

En anglais **familier**, on rencontre aussi le pronom personnel complément (me, you, him...).

Him being late annoyed everyone.

Dans certains cas, on peut employer une subordonnée infinitive en to comme sujet, plutôt que V-ing.

To hesitate could have been fatal.
sujet du verbe could

Hésiter aurait pu être fatal.

"Do come," he said. To refuse was impossible.
sujet du verbe was

« Venez donc », dit-il. Refuser était impossible.

En français, on emploie souvent une infinitive comme sujet de la phrase.

Refuser était impossible.

Mais l'infinitive est aussi fréquemment placée en fin de phrase, à l'aide d'un sujet impersonnel (Il/Ce).

Il/C'était impossible de refuser.

En anglais, il est assez rare d'employer une infinitive en to en début de phrase. On préfère nettement utiliser V-ing ou placer l'infinitive en fin de phrase à l'aide de it (→ 429).

Construction peu fréquente	Constructions fréquentes
To refuse was impossible.	**It** was impossible **to refuse**. **Refusing** was impossible.

Si l'on veut préciser à qui s'applique to + **V**, on emploie for + **nom**.

For John/him **to** refuse was impossible.
It was impossible **for** John/him **to** refuse.
Pour John/lui, *refuser était impossible.*

Dans It was impossible to refuse, le pronom it est appelé sujet grammatical et to refuse **sujet réel**.
Quand le sujet est placé en fin de phrase, on n'emploie pas V-ing : It was impossible to refuse et non ~~It was impossible refusing~~.
Retenez toutefois l'expression figée It was nice meeting you. (*Ravi d'avoir fait votre connaissance.*) On dit aussi It was nice to meet you.

426 Les subordonnées en V-*ing* compléments

- Un **seul sujet** dans la phrase.

  Sasha dislikes work**ing** late. *Sasha n'aime pas travailler tard.*
  compl. du verbe dislikes

Dans cet exemple, dislikes et working late ont un **sujet commun**, Sasha.

- Le gérondif peut aussi avoir un **sujet différent** du premier verbe.

  Sasha dislikes **John** working late.
  sujet de dislikes — sujet de working
  Sasha n'aime pas que John travaille tard.

- Le sujet du gérondif peut être un **pronom** (me/you/him/her...).

  Sasha dislikes **him** working late.
  Sasha n'aime pas qu'il travaille tard.

On trouve aussi la structure : **déterminant possessif** (my/your/his/her...) + V-ing.

  Sasha dislikes **his** working late.
  Sasha n'aime pas qu'il travaille tard.

On peut donc dire :

  Sasha dislikes **him** working late.
  ou Sasha dislikes **his** working late. *(sout.)*

  Do you mind **me** smoking?
  ou Do you mind **my** smoking? *(sout.)*
  Cela vous dérange si je fume ?

→ Verbes suivis de V-ing 392, 396.

- **Si le sujet du gérondif est un nom**, il est au génitif dans un niveau de langue soutenu.

  I remember **my mother** complaining about her health.
  I remember **my mother's** complaining about her health. *(sout.)*
  Je me souviens d'avoir entendu ma mère se plaindre de sa santé.

- La structure **nom au génitif + V-ing** (ou déterminant possessif + V-ing) permet parfois deux interprétations.

  Do you like **Peter's singing**?
  *Aimes-tu **le fait que** Peter chante ?* (interprétation la plus probable) ou *Aimes-tu **sa façon** de chanter ?*

- Pour le **passé**, on a recours à **having** + **verbe au participe passé**.

  He denies **having been** there. *Il nie y être allé.*

ATTENTION Après les verbes de perception, le sujet du gérondif ne peut pas être au génitif.

He heard **John/him** walking up the stairs.
Il l'a entendu monter l'escalier.

On ne pourra pas dire ~~John's walking~~, ni ~~his walking~~.

427 Les subordonnées en V-*ing* compléments prépositionnels

Le gérondif est obligatoire après toutes les prépositions.

Work **instead of** fool**ing** around!
Travaille au lieu de perdre ton temps !

After clos**ing** the door he came out with the whole truth.
Après avoir fermé la porte, il avoua toute la vérité.

Contrairement au français *après* **avoir** *fermé*, on utilise en anglais la structure after + V-ing plutôt que after having + participe passé.
On dira de même :

without say**ing** goodbye : *sans dire/sans avoir dit au revoir*
thank you **for** listen**ing** : *merci d'écouter/merci d'avoir écouté*

On + V-ing (expression d'une simultanéité) et by + V-ing (expression d'un moyen) se traduisent souvent par en + **verbe au participe présent**.

On hear**ing** the news, she jumped for joy.
En entendant la nouvelle, elle sauta de joie.

He learned his job **by** watch**ing** his father.
Il a appris son métier en regardant son père.

Préposition to suivie de V-ing

Lorsque to est une préposition, il est suivi de V-ing.

It amounts **to** tell**ing** a lie. *Cela revient à mentir.*

He prefers skiing **to** read**ing**. *Il préfère le ski à la lecture.*

I look forward **to** meet**ing** her. *J'ai hâte de la rencontrer.*

Quelques autres verbes suivis de to + V-ing.
object to : *trouver à redire à*
get round to : *trouver le temps de*
be addicted to : *s'adonner à*
come near to : *faillir faire, être à deux doigts de*
take to sth : *prendre l'habitude de qqch.*
be used to sth : *être habitué à qqch.*

ATTENTION Ne pas confondre be used to V-ing et used to + **base verbale**.

I was used to get**ting** up early. *J'avais l'habitude de me lever tôt.*

As a child, I used to **get** up early. *Enfant, je me levais tôt.*

Dans I used to get up, on a le to de l'infinitif alors que dans I was used to getting up, to est une préposition.

→ Used to + base verbale 131.

- Certains adjectifs sont suivis de to + verbe et non de to + V-ing :

able : *capable*	eager : *avide*	impatient : *impatient*
anxious : *impatient*	furious : *furieux*	surprised : *surpris*
ashamed : *honteux*	glad : *heureux*	willing : *disposé*

They were eager **to** please her.
Ils étaient désireux de lui plaire.

L'emploi de V-ing après une préposition est logique, car -ing donne pratiquement un statut de nom au verbe.

- Lorsque to est préposition, on emploie, logiquement, V-ing.

I object to **spending** any more money.
Je ne veux pas qu'on dépense davantage d'argent.

- Lorsque to est la marque de l'infinitif, on ne peut pas employer V-ing.

I want to leave. *Je veux partir.*

- Comment savoir si to est préposition ou marque de l'infinitif ? Quand to peut être suivi d'un nom (ou d'un pronom), c'est une préposition.

I object to your attitude. *Je trouve votre attitude inadmissible.*

- Cependant, on emploie l'infinitif après les verbes agree to (*accepter de*), consent to (*consentir à*), be entitled to (*être habilité à*), be inclined to (*être enclin à, avoir tendance à*), be prone to (*être sujet à*), alors qu'ils peuvent être suivis d'un nom.

I'm prone to have colds. *J'ai tendance à avoir des rhumes.*

I'm prone to headaches. *Je suis sujet aux maux de tête.*

- Deux constructions en to sont suivies indifféremment de l'infinitif ou de V-ing : be committed to et be accustomed to.

We're committed to taking part/to take part because we're accustomed to winning/to win.
Nous nous sommes engagés à participer car nous avons l'habitude de gagner.

Un **nom** ou un **pronom** peut apparaître entre la préposition et V-ing.

Do you object to **John** smoking?
ou Do you object to **John's** smoking? *(sout.)*
Est-ce que ça t'ennuie si John fume ?

Do you object to **him** smoking?
ou Do you object to **his** smoking? *(sout.)*
Est-ce que ça t'ennuie s'il fume ?

428 Les subordonnées en V-*ing* compléments de l'adjectif

On trouve la construction adjectif + **préposition** + **V-ing**.

Sanjeev is good **at** help**ing** others.
Sanjeev sait comment aider les autres.

I'm sick and tired **of** hear**ing** that. *J'en ai ras-le-bol d'entendre ça.*

Toutefois, l'adjectif **busy** est suivi directement de V-ing.

She was busy answer**ing** letters.
Elle était occupée à répondre à des lettres.

Verbe + -ing permet une progression qui va **du verbe au nom**.

painting : **verbe**

She is painting a landscape. *Elle est en train de peindre un paysage.*

Verbe paint à la forme en be + -ing.

She enjoys painting landscapes. *Elle aime peindre des paysages.*

Ici, painting est un **verbe** mais la proposition painting landscapes est remplaçable par un **nom**. Painting est donc un verbe qui présente des caractéristiques du nom. On parle dans ce cas de **gérondif**.

painting : **nom**

The painting of landscapes is a difficult art.
Peindre des paysages est un art difficile.

Ici, painting est un **nom**, comme en témoignent l'article the et la préposition of. En même temps, il est facile de voir que painting est à l'origine un **verbe** auquel -ing donne un fonctionnement de nom, comme le montre la traduction à l'aide de l'infinitif *peindre*. On parle dans ce cas de **nom verbal** (emploi assez formel).

This is one of Turner's most famous paintings.
C'est l'un des tableaux les plus célèbres de Turner.

paintings est un **nom**, comme le montrent le pluriel en -s et la traduction par le nom *tableaux*.

Les subordonnées conjonctives

POUR COMMENCER

- Les propositions subordonnées **conjonctives** sont introduites par une **conjonction** (de subordination), par exemple that *(que)*, as *(comme)*, because *(parce que)*, if *(si)*, since *(puisque, depuis que)*, until *(jusqu'à ce que)*, when *(quand)*...

- Une proposition conjonctive peut avoir les fonctions suivantes : **sujet**, **complément d'objet**, **attribut** ou **complément circonstanciel** de la proposition principale.

– **Sujet**

Something does not concern me.
Whether you like it or not does not concern me.
Que vous aimiez cela ou non ne m'intéresse pas.

– **Complément d'objet**

I believe **something**.
I believe **(that) he is right**.
Je crois qu'il a raison.

– **Attribut**

Life is **something**.
Life is **what you make it**.
La vie est ce que vous en faites.

Les subordonnées **sujet**, **complément d'objet** et **attribut** peuvent être remplacées par un nom ou un pronom. C'est pourquoi on dit que ces subordonnées sont **nominales**.
Elles sont surtout introduites par la conjonction that.

– **Complément circonstanciel** (de lieu, de temps, de cause, de but...)

He laughed **when he heard the news**. [temps]
Il a ri lorsqu'il a entendu cette nouvelle.

He will do it **since he promised**. [cause]
Il le fera puisqu'il l'a promis.

Les propositions circonstancielles sont introduites par as, because, before, if...

SUBORDONNÉES INTRODUITES PAR THAT

Les subordonnées introduites par that peuvent être sujet, complément d'objet ou attribut. That conjonction se prononce le plus souvent [ðət].

429 La subordonnée est sujet

Lorsque la subordonnée est sujet, elle commence par that et on utilise should + **verbe**.

> **That** he **should** be here is surprising. *Qu'il soit ici est surprenant.*
> (sujet : That he should be here)

Cette construction est rare, en anglais comme en français. On préfère commencer la phrase par It is + adjectif et placer la subordonnée à la fin. It is dans ce cas se traduit par C'est *(fam.)* ou Il est *(sout.)*.

> It is surprising that he should be here.
> (sujet grammatical : It ; sujet réel : that he should be here)
> *Il est surprenant qu'il soit ici./C'est surprenant que...*

Que... ou... se traduit par Whether... or...

> ***Que*** *vous aimiez cela* ***ou*** *non ne m'intéresse pas.*
> **Whether** you like it **or** not does not concern me.

→ Autres emplois de whether 441.

- D'une manière générale, quand une subordonnée est sujet, on préfère la placer en fin de phrase et commencer la phrase par It is (It was...). Cela s'applique aussi aux subordonnées en to.
It was not easy to get a taxi (*Il n'a pas été facile de trouver un taxi*) est plus courant que To get a taxi was not easy (*Trouver un taxi n'a pas été facile*).
On énonce d'abord le commentaire, ensuite le fait commenté.

commentaire	**commenté**
It was not easy	to get a taxi.
It is surprising	that they should be here.

- D'autre part, une subordonnée sujet longue doit se placer à la fin.

> It was easy for the president and her ministers to convince the inhabitants of this small village to vote for them.
> *Il a été facile pour la présidente et ses ministres de convaincre les habitants de ce petit village de voter pour eux.*

L'énoncé suivant ne serait pas naturel : For the president and her ministers to convince the inhabitants of this small village to vote for them was easy.

430 La subordonnée est complément d'objet

Lorsque la subordonnée est **complément d'objet**, il est fréquent de ne pas employer that, notamment à l'oral et après certains verbes (→ 445).

I knew (that) you would come.
Je savais que vous viendriez.

Certains verbes se construisent avec that et non avec to alors qu'ils peuvent se construire avec un infinitif en français, notamment :
admit : *admettre* ; believe : *croire* ; complain : *se plaindre* ; declare : *déclarer* ; discover : *découvrir* ; doubt : *douter* ; imagine : *imaginer* ; know : *savoir* ; say : *dire* ; suppose : *supposer* ; think : *penser, croire*...

I think I know the answer. [~~I think to know...~~]
Je pense que je connais/connaître la réponse.

He believes he's right. [~~He believes to be right~~]
Il croit qu'il a raison/avoir raison.

Trouver + **adjectif** + *que* se traduit par find ou think it + **adjectif** + that.

Je trouve bizarre qu'elle veuille toujours le voir.
I find **it**/think **it** strange that she should still want to see him.

→ Emploi de should 432.

Contrairement à leurs équivalents français, believe, consider et make clear sont également suivis de it devant un adjectif ou un groupe nominal.

I believe **it**/consider **it** an honour to be her secretary.
Je pense/considère que c'est un honneur d'être son secrétaire.

I made **it** clear that I didn't want them in my house.
J'ai clairement dit que je ne voulais pas d'eux chez moi.

431 La proposition est attribut

Lorsque la subordonnée est attribut, on emploie that.

The main thing is **that** we're all safe and sound.
L'important, c'est que nous soyons tous sains et saufs.

En anglais familier, on omet parfois that. À l'écrit, on utilise alors une virgule ou deux points à la place de that.

The main thing is, we're all safe and sound.

432 Emploi des temps

- Après les verbes dénotant un **ordre** ou une **suggestion** tels que decide, insist, suggest, on utilise should ou le subjonctif (→ 124).

  He suggested that we (should) go immediately.
  Il suggéra que nous partions tout de suite.

- Après les tournures comportant it is + adjectif qui expriment une **opinion**, un **jugement** (it is natural/vital...), on utilise should (GB) (→ 123).

  It is surprising that he should be late.
  It is surprising that he is late. (US)
  Il est surprenant qu'il soit en retard.

  Pour commenter un **fait passé** avec cette structure en it is + adjectif, on a le choix entre le **prétérit** et should have + **verbe au participe passé**.

  It's incredible that they **survived**.
  It's incredible that they **should have survived**.
  C'est incroyable qu'ils aient survécu.

- Après it's (high) time (*il est temps que...*), would rather (*préférerais...*), le verbe de la subordonnée est au prétérit du non-réel (→ 54).

  I'd rather you **didn't** say that. *Je préférerais que tu ne dises pas cela.*

SUBORDONNÉES CIRCONSTANCIELLES

Ces subordonnées occupent la place de **compléments circonstanciels**. Elles précisent les **circonstances** (condition, lieu, temps, manière...) dans lesquelles a lieu un événement. Comme elles peuvent être remplacées par des **adverbes**, on les appelle parfois subordonnées **adverbiales**.

I'll do it **tomorrow**. *Je le ferai demain.*

tomorrow : adverbe de temps complément circonstanciel

I'll do it **when I can**. *Je le ferai quand je pourrai.*

when I can : subordonnée circonstancielle de temps

I'll do it **if I can**. *Je le ferai si je peux.*

if I can : subordonnée circonstancielle de condition

433 Propositions circonstancielles de lieu

Conjonctions utilisées : where (où), wherever (partout où)

Stay where you are. Restez où vous êtes.

Ces propositions ne posent pas de problème pour les francophones.

434 Propositions circonstancielles de temps

Principales conjonctions utilisées : when : *quand* ; as : *comme* ; while (ou whilst GB) : *pendant que* ; until, till : *jusqu'à ce que* ; after : *après que* ; before : *avant que* ; as soon as : *aussitôt que* ; once : *une fois que* ; no sooner... than, hardly... when : *à peine... que* ; whenever : *chaque fois que* ; since : *depuis que...*

They seemed really surprised **when** I broke the news to them.
Ils ont eu l'air vraiment surpris lorsque je leur ai appris la nouvelle.

Notez l'emploi de it dans les constructions like/love/hate it when...

I like/love/hate **it** when you stare at me like this.
J'aime/J'adore/Je déteste quand/que tu me dévisages comme ça.

L'**emploi des temps** est le problème principal posé par ces propositions.

- **Le présent**

Après when et les autres conjonctions de subordination de temps, on emploie le **présent** là où on utilise le **futur en français**.

I will do it as soon as they **arrive**.
Je le ferai dès qu'ils ***arriveront***.

Cet emploi des temps est à rapprocher de celui des subordonnées conditionnelles en if + présent. Comparez :

I will do it **if** they **arrive**.
Je le ferai s'ils arrivent. [présent après *si*]

I will do it **when** they **arrive**.
Je le ferai quand ils arriveront. [futur après *quand*]

→ Emploi de will après when interrogatif 376.

- **Le *present perfect***

Après when et les autres conjonctions de temps, on emploie le ***present perfect*** là où on utilise le **futur antérieur** en français.

I will do it as soon as **I have finished**.
*Je le ferai dès que j'****aurai terminé***.

On trouve le même phénomène avec if.

I will do it if I have finished. *Je le ferai si j'ai terminé.*

- **Le prétérit**

Après when et les autres conjonctions de temps, on emploie le **prétérit** là où on utilise le **conditionnel** en français.

He said he would call **as soon as** he arriv**ed/when** he arriv**ed/once** he arriv**ed**.

Il a dit qu'il appellerait aussitôt que/lorsqu'il ***arriverait****/une fois qu'il* ***serait*** *arrivé.*

- **Le *past perfect***

Après when et les autres conjonctions de temps, on emploie le ***past perfect*** là où on utilise le **conditionnel passé** en français.

He said he would do it as soon as he **had finished**.

Il a dit qu'il le ferait dès qu'il aurait terminé.

ATTENTION Lorsqu'une proposition commence par no sooner ou hardly (registre écrit), le sujet et l'auxiliaire sont inversés. No sooner est suivi de than et hardly de when.

No sooner had she left than he started crying.

Hardly had she left when he started crying.

À peine était-elle partie qu'il commença à pleurer.

435 Propositions circonstancielles de conséquence

Conjonctions utilisées : so that : de sorte que ; such + nom... that : si... que ; so + adjectif... that : si... que

She's **such** a nuisance **that** nobody wants to work with her.

Elle est tellement pénible que personne ne veut travailler avec elle.

They were **so** surprised **that** they did not move.

Ils ont été tellement surpris qu'ils n'ont pas bougé.

Les propositions en so that sont souvent précédées d'une virgule.

Work now, **so that** you can rest later.

Travaille maintenant pour que tu puisses te reposer plus tard.

I got up very early, **so (that)** I have plenty of time now.

Je me suis levé tôt, si bien que j'ai beaucoup de temps maintenant.

That est parfois omis après so à l'oral.

436 Propositions circonstancielles de but

(Not) to + verbe

Le **but** est le plus souvent exprimé grâce à (not) to + **verbe**, in order (not) to + **verbe**, so as (not) to + **verbe**.

I got up early **(in order) to** be on time.
Je me suis levée de bonne heure pour être à l'heure.

He turned down the radio **so as not to** disturb the baby.
Il baissa la radio de manière à ne pas déranger le bébé.

Lorsque le sujet de la subordonnée est différent du **sujet** de la principale, il est introduit par for.

She did it **for** her parents to be proud of her.
Elle l'a fait pour que ses parents soient fiers d'elle.

For + V-ing exprime **à quoi sert quelque chose**. Comparez :

This is an album **for** keep**ing** stamps in.
C'est un album pour mettre des timbres.

I want an album **to** keep my stamps in.
Je veux un album pour y mettre des timbres.

Conjonction + verbe conjugué

Le but est parfois exprimé par une conjonction + verbe conjugué.

Conjonctions utilisées : so that : *pour que* ; in order that : *pour/afin que*

I have given him a key **so that** he **can** get home when he likes.
Je lui ai donné une clé pour qu'il puisse rentrer quand il veut.

He spoke slowly **so that** everybody **could** understand.
Il parlait lentement afin que tout le monde puisse comprendre.

I'm preparing dinner now **so that** everything **will** be ready soon.
Je prépare le dîner maintenant afin que tout soit bientôt prêt.

• Après ces conjonctions, on emploie très souvent :
– can ou will si le verbe de la principale est au présent ou au *present perfect* ;
– could ou would si le verbe de la principale est au prétérit ou au *past perfect*.

- On trouve également may, might (ou should) dans un niveau de langue soutenu.

In order that est recherché et s'emploie donc surtout avec may et might.

He spoke slowly **in order that** everybody **might** understand.
Il parlait lentement afin que tous puissent comprendre.

ATTENTION Ne pas confondre so that de but (*pour que*), et so that de conséquence (*si bien que*).

but : I got up early so that **I could have** plenty of time.
pas de virgule + emploi de could
Je me suis levée tôt pour avoir tout mon temps.

conséquence : I got up early, so that **I have** plenty of time.
virgule + emploi du présent
Je me suis levée tôt, si bien que j'ai tout mon temps.

Pour en français peut exprimer la cause ou le but.
cause : *Il a été arrêté pour avoir vendu de la drogue.*
but : *Il travaille pour gagner de l'argent.*

La **cause** s'exprime à l'aide de for + V-ing.

He was arrested **for** sell**ing** drugs.

Le **but** s'exprime à l'aide de to + **verbe**.

He works (in order) **to** earn money.

Observez les différences de structure.

(he was arrested) **for selling** (et non ~~for having sold~~)
(il a été arrêté) ***pour avoir vendu*** (avoir + participe passé)

On considère en anglais que l'information temporelle fournie dans la principale (he was arrested) est suffisante.

437 Propositions circonstancielles de cause

Conjonctions utilisées : because : *parce que* ; as : *comme* ; since : *puisque* ; for : *car* ; inasmuch as : *étant donné que* ; all the more + adjectif... as (since/because) : *d'autant plus... que* ; all the less + adjectif... as (since/because) : *d'autant moins... que* ; insofar as : *dans la mesure où* ; given that : *étant donné que*

Why don't you buy it **since** you're so rich!
Pourquoi ne l'achètes-tu pas puisque tu es si riche !

→ Conjonctions for fear that et lest (*de crainte que*) 122.

All the more... as/since/because...

Cette construction traduit *d'autant plus* + **adjectif** + *que...*

The road is **all the more** slippery **since/because/as** it has rained.
La route est d'autant plus glissante qu'il a plu.

It is **all the wetter since/because/as** it has rained.
Elle est d'autant plus humide qu'il a plu.

Wet étant un adjectif court, on dit all the wetter et non all the more wet.

D'autant plus que sans adjectif se traduit par all the more so + as/because/since... ou par especially as/since...

C'est tragique. D'autant plus que l'attentat était évitable.
It's tragic. All the more so as/All the more so because/All the more so since the attack was preventable. ou especially as/especially since the attack was preventable.

Une proposition en **V-ing** peut également exprimer une **cause**.

Thinking he was shadowed, he jumped from the bridge.
Comme il pensait être pris en filature, il a sauté du pont.

La **cause** peut aussi être exprimée par la **préposition** for suivie de V-ing.

He was congratulated **for saving** this man.
Il a été félicité pour avoir sauvé cet homme.

Comparaison entre for et *car*

La conjonction for se traduit souvent par *car*. Mais, il vaut mieux traduire *car* par because que par for, qui est très formel.

The days were longer, **for** it was now June.
Les jours étaient plus longs, ***car*** *nous étions en juin.*

I'm going nuts **because** I can't open my files.
Je deviens dingue ***car*** *je n'arrive pas à ouvrir mes fichiers.*

On n'emploie pas for pour fournir l'explication d'un acte.

« Pourquoi l'as-tu cassé ? – Car j'étais en colère. »
"Why did you break it?" "**Because** I was angry." [~~For I was angry~~]

D'autre part, for ne peut pas être précédé de and, or, but ou not.

I did that **not because** I enjoyed it **but because** I had to do it. [~~not for... but for...~~]
J'ai fait cela non parce que ça me plaisait mais car il le fallait.

438 Subordonnées circonstancielles de contraste (de concession)

Conjonctions utilisées : though, although, even though : bien que ; whereas : alors que ; even if : même si ; however + adjectif, adverbe ou quantifieur : si... que ; while (ou whilst GB) : tandis que

albeit [ɔ:l'bi:ɪt] est une variante très formelle de although.

Although she won the lottery, she stayed in her village.
Bien qu'elle ait gagné à la loterie, elle est restée dans son village.

My sister speaks Spanish **whereas** I can only speak English.
Ma sœur parle l'espagnol alors que je ne parle que l'anglais.

However hard he tried he could never succeed.
Si grands qu'aient été ses efforts, il n'a jamais pu réussir.
ou Il a eu beau essayer...

However much she eats, she never gains weight.
Malgré tout ce qu'elle mange, elle ne grossit jamais.

Dans un style littéraire, on trouve la construction : **adjectif** + as/though au sens de tout + **adjectif** + que...

Patient as/though he was, he had no intention of waiting for hours.
Tout patient qu'il fût, il n'avait pas l'intention d'attendre des heures.

Notez aussi la construction Much as...

Much as I like them I don't want to go on vacation with them.
Bien que je les apprécie, je ne veux pas partir en vacances avec eux.

ATTENTION Though conjonction de subordination introduit la subordonnée et se traduit par bien que. Though en fin de phrase est adverbe et se traduit par pourtant. Comparez :

Though rich, they don't want to squander their money.
Bien que riches, ils ne veulent pas gaspiller leur argent.

They don't want to squander their money. They're rich, **though**.
Ils ne veulent pas gaspiller leur argent. Pourtant, ils sont riches.

→ Though adverbe 519.

439 Subordonnées circonstancielles de manière

Conjonctions utilisées : as : comme ; as if, as though : comme si

Do **as** I say! *Fais comme je te le dis !*

He acts **as if** there was/were nothing wrong.
Il fait comme si tout allait bien. (Sous-entendu : ça ne va pas bien)

As if est suivi du prétérit du non-réel.

→ Différence entre was et were 53, 145.

À l'oral, as if/as though peut être suivi d'un présent.

He acts **as if** there is nothing wrong.

- Like est parfois utilisé dans un style familier au lieu de as ou de as if.

I did like (ou as) you advised me.
J'ai fait comme tu me l'as conseillé.

It's like (ou as) in Los Angeles at the turn of the century.
C'est comme à Los Angeles au tournant du siècle.

He acted like (ou as if) he hadn't seen me.
Il a fait comme s'il ne m'avait pas vu.

On entend de plus en plus **Like** I said (*Comme je l'ai dit*) à la place de As I said. Certains considèrent que Like I said est très familier.

Like conjonction de subordination (*comme*) s'impose de plus en plus avec le même sens que as.

Like et as prépositions ne sont pas synonymes (→ 489).

440 Subordonnées circonstancielles de comparaison

- **Structures utilisées :** as + adjectif ou adverbe + as : *aussi... que...* ; adjectif ou adverbe au comparatif + than... : *plus/moins... que...*

If you saw the truth **as** clearly **as** I do, you would think otherwise.
Si tu voyais la vérité aussi clairement que moi, tu penserais autrement.

You are **more** patient **than** I expected.
Tu es plus patient que je ne m'y attendais.

- On trouve également des propositions comparatives en too + **adjectif** + to + **verbe** ou en **adjectif** + enough + to + **verbe**.

I'm **too tired to do** any shopping.
Je suis trop fatigué pour faire des courses.

You're **not good enough to get** the job.
Tu n'es pas assez bon pour obtenir ce travail.

- Notez qu'on emploie l'auxiliaire do de reprise dans les tournures comparatives (→ 31 → 307).

She runs faster than I **do**. *Elle court plus vite que moi.*

441 Subordonnées circonstancielles de condition

Conjonctions utilisées : if : *si* ; unless : *à moins que* ; in case : *au cas où* ; provided, providing : *à condition que* ; as long as, so long as : *pourvu que* ; supposing : *en supposant que* ; on condition (that) : *à condition que* ; for fear that, lest (litt.) : *de peur que*

Les conjonctions suivantes font l'objet d'un traitement particulier.

- **Unless** (*sauf si.../à moins que...*) est l'équivalent de except if (*sauf si*).

  I will not go **unless**/except if you come.
  Je n'irai pas sauf si tu viens. ou Je n'irai que si tu viens.

- **Provided (that)**/providing (that)/as long as (*à condition que...*) sont proches de but only if (*si et seulement si...*).

  You can smoke **provided/as long as/but only if** you leave the window open.
  Tu peux fumer à condition que tu laisses la fenêtre ouverte.

- **As long as** peut aussi signifier *aussi longtemps que*.

  They can borrow it as long as they want.
  Ils peuvent l'emprunter aussi longtemps qu'ils veulent.

- **In case** correspond à *au cas où*, mais il est suivi d'un présent alors qu'on utilise le conditionnel après *au cas où*.

  I'll come tomorrow **in case you need me**. [~~in case you will/would need me~~]
  Je viendrai demain au cas où tu aurais besoin de moi.

  In case est suivi du **prétérit** pour parler d'un fait passé.

  I bought some more food in case he **came** with her.
  J'avais acheté un peu plus de nourriture au cas où il serait venu avec elle.

  Should après in case ajoute la nuance *on ne sait jamais* (→ 121).

  I bought some more food in case she **should** stay for dinner.
  J'ai acheté un peu plus de nourriture pour le cas où elle resterait dîner.

Dans une question, suppose/supposing/what if (*à supposer que...*) expriment une hypothèse. On emploie le présent ou le prétérit après ces conjonctions. Le prétérit est plus hypothétique que le présent.

Suppose your father **saw** you, what would he say?
Imagine que ton père te voie, que dirait-il ?

What if it rains? *Et s'il pleut ?*

What if it rained? *Et s'il pleuvait ?*

En français, on reprend souvent une question à l'aide de si. En anglais, on ne peut pas reprendre une question par if.

« Tu l'aimes ? – Si je l'aime ? Mais elle est toute ma vie ! »
"Do you love her?" "Do I love her? I live for her!"
[~~If I love her?~~]

→ Conjonctions for fear that et lest (*de crainte que*) 122.

If ou whether ?

- En anglais formel, if peut être remplacé par whether dans les **interrogatives** indirectes (→ 446).

He asked me **if/whether** I knew how to download videos.
Il m'a demandé si je savais télécharger des vidéos.

- Seul whether peut être suivi de to + verbe.

I didn't know whether to shake hands with her or kiss her.
Je ne savais pas si je devais lui serrer la main ou l'embrasser.

- Après une préposition, whether est obligatoire.

They had a debate about whether agriculture leads to deforestation.
Ils ont eu un débat sur le fait que l'agriculture mène ou non au déboisement.

- Quand whether... or... traduit Que... ou... (→ 429), whether ne peut pas être remplacé par if.

Whether you like it or not, we'll have to move out.
Que ça te plaise ou pas, nous devrons déménager.

442 La concordance des temps dans les subordonnées de condition

La concordance des temps dans les subordonnées de condition correspond à des degrés d'hypothèse allant du possible à l'impossible.

Quelque chose est **possible**, réalisable : if + **présent**

If you come early, you will meet my new girlfriend.
If + présent — will + verbe
Si tu viens de bonne heure, tu rencontreras ma nouvelle copine.

Quelque chose est **très hypothétique** : if + **prétérit**

If you came early, you would meet my new girlfriend.
If + prétérit du non-réel — would + verbe
Si tu arrivais plus tôt, tu rencontrerais ma nouvelle copine.

Quelque chose n'est **pas vrai maintenant** : if + **prétérit**

If you were here tonight you could meet my new girlfriend.
If + prétérit du non-réel **could + verbe**
Si tu étais ici ce soir, tu pourrais rencontrer ma nouvelle copine.

Quelque chose n'était **pas vrai dans le passé** : if + ***past perfect***

If you had come early, you would have met my new girlfriend.
If + had + part. passé **would have + part. passé**
Si tu étais venu tôt, tu aurais rencontré ma nouvelle copine.

443 Variations possibles dans la proposition principale

À la place de will dans la principale, on peut trouver must d'obligation, can de capacité, may ou might de probabilité.

If you want to lose weight, you **must** eat less.
Si tu veux perdre du poids, tu dois manger moins.

We **can** go for a walk if it stops raining.
Nous pouvons aller nous promener s'il s'arrête de pleuvoir.

On peut trouver le présent simple dans la principale et dans la subordonnée en if.

If you **heat** ice, it **melts**. *Si vous chauffez de la glace, elle fond.*

À la place de would dans la principale, on peut trouver might de probabilité ou could de possibilité.

If I knew his number, I **could** ring him up.
Si j'avais son numéro, je pourrais l'appeler.

Comparez avec I **would** ring him up : *je l'appellerais.*

If you had tried harder, you **might** have passed.
Si tu avais fait plus d'efforts, tu aurais pu réussir.

Comparez avec you **would** have passed : *tu aurais réussi.*

444 Variations possibles dans la subordonnée

Emploi de will/would après if

Will après if a le sens de *bien vouloir.*

If you **will** listen to me, I'll be able to explain...
Si tu veux bien m'écouter, je pourrai expliquer...

Would se trouve dans les demandes polies.

If you **would** wait for a moment...
Si vous vouliez bien attendre un instant...

Will peut aussi s'utiliser après if avec le sens de *s'il s'avère que...*

If they will come at ten, then I'll call the party off.
S'ils viennent en effet à dix heures, alors j'annule la soirée.

ATTENTION On emploie le will de renvoi à l'avenir dans les interrogatives indirectes.

We don't know if he'll survive his injuries. [~~if he survives...~~]
Nous ne savons pas s'il réchappera à ses blessures.

Emploi de should après if/in case (→ 120-121).

Should renforce l'idée de non probable.

If the house **should** go on fire... **In case** the house **should** go on fire...
Si jamais il y avait le feu...

Emploi de were après if (→ 53).

If + were peut être utilisé au lieu de if + was, pour signaler que quelque chose n'est pas vrai.

If I **were** you, I would do it now.
Si j'étais toi ou À ta place, je le ferais maintenant.

Dans un niveau de langue soutenu, if + proposition peut être remplacé par la tournure **auxiliaire + sujet + verbe** (→ 120 → 371).

If I had known... ou **Had I** known... *(sout.)* Si j'avais su...

If there should be a delay... ou **Should** there be a delay... *(sout.)*
Si par hasard il y avait du retard...

If he wasn't in power the situation would be different.
ou **Were** he not in power the situation would be different. *(sout.)*
S'il n'était pas au pouvoir, la situation serait différente.

Discours direct et discours indirect

POUR COMMENCER

En anglais, comme en français, il existe deux manières de rapporter des paroles, des pensées, des impressions : le discours direct et le discours indirect.

Au **discours direct**, on rapporte paroles, pensées, impressions dans leur forme originale. Le locuteur fait une citation.

She said: "I know all about it."
deux points + guillemets

Elle a dit : « Je sais tout. »

Dans les œuvres littéraires, on utilise une virgule à la place des deux points : She said, "I know all about it."

Cette même citation peut être rapportée au **discours indirect** dans une subordonnée introduite par un verbe de discours.

She said (that) she knew all about it.
subordonnée contenant la citation, pas de guillemets

Elle a dit qu'elle savait tout.

LES VERBES INTRODUCTIFS

Au **discours direct**, on emploie très souvent le verbe say pour rapporter des paroles : "I know all about it," she **said**.

Au **discours indirect**, le verbe varie selon ce qui est rapporté : un fait, une opinion, un ordre, une question...

445 On rapporte un fait, une opinion, une réponse

Verbes introductifs possibles

acknowledge : *reconnaître* ; add : *ajouter* ; admit : *admettre* ; answer : *répondre* ; declare : *déclarer* ; exclaim : *s'exclamer* ; explain : *expliquer* ; insist : *insister* ; mention : *mentionner* ; point out : *signaler* ; promise : *promettre* ; propose : *proposer* ; remark : *remarquer* ; reply : *répondre* ;

report : *rapporter* ; say : *dire* ; state : *affirmer* ; suggest : *suggérer* ; tell someone : *dire à quelqu'un...*

Le mot de liaison that peut être **omis**.

Structure de la subordonnée : sujet + verbe + complément(s) comme au discours direct.

"I made a mistake." [discours direct] « *J'ai fait une erreur.* »

He admitted that he had made a mistake. [discours indirect]
Il admit qu'il avait fait une erreur.

Say et **tell** signifient tous deux *dire* mais ne s'emploient pas de la même manière.

- **Tell** est obligatoirement suivi d'un complément personnel. **Say** peut être suivi d'un complément personnel. Dans ce cas, la préposition to est obligatoire.

He told **Ann** (that) he was ill./He told **her** (that) he was ill. [~~He told he was ill.~~] *Il a dit à Ann/Il lui a dit qu'il était malade.*

He said (that) he was ill. *Il a dit qu'il était malade.*

He said **to** his boss that he was ill. [~~He said his boss...~~]
Il a dit à son patron qu'il était malade.

- **Tell** peut aussi signifier *raconter*.

He loves telling fairy tales. *Il adore raconter des contes de fées.*

- Notez ces **emplois particuliers de** tell.

You're telling me! *À qui le dites-vous !*

You never can tell. *On ne sait jamais.*

I can tell. *Ça se voit.*

Time will tell. *Qui vivra verra.*

tell lies : *dire des mensonges*

That ou **Ø** (absence de that) ?

- Les verbes say, think et know se construisent le plus souvent sans that, notamment à l'oral. That est toutefois requis pour des raisons de clarté lorsque le verbe say est séparé de la proposition subordonnée.

They all **said**, thus forgetting the promise they had made on the previous night, **that** they would not join us.
Ils dirent tous, en oubliant ainsi la promesse qu'ils avaient faite la veille, qu'ils ne se joindraient pas à nous.

Say est séparé de la subordonnée par l'incise thus forgetting... night.

- Certains verbes se construisent presque toujours avec that, tels que accept : *accepter* ; answer : *répondre* ; argue : *démontrer* ; confirm : *confirmer* ; object : *objecter que, faire valoir que* ; shout : *crier*

 She confirmed **that** she would not be able to come.
 Elle a confirmé qu'elle ne pourrait pas venir.

446 On rapporte une question commençant par un auxiliaire

Verbes introductifs possibles

ask : *demander* ; inquire [variante enquire] : *demander, se renseigner* ; want to know : *vouloir savoir* ; wonder : *se demander...*

Mot de liaison : if ou **whether**

Structure de la subordonnée : sujet + verbe et compléments, comme dans une phrase affirmative.

 "Do you know him?" [discours direct]
 « Le connaissez-vous ? »

 He wants to know **if you know him**. [discours indirect]
 Il veut savoir si vous le connaissez.

If ou whether ?

If est plus fréquent que whether pour introduire la subordonnée.

Whether est plus formel que if (→ 441). Avec un verbe formel comme inquire, on emploie logiquement whether plutôt que if.

 They inquired **whether** I had a driving licence.
 Ils ont demandé si j'avais un permis de conduire.

Whether est préféré lorsqu'on a le choix entre deux propositions (whether... or...).

 He asked **whether** I wanted to go by train **or** by plane.
 Il a demandé si je voulais prendre le train ou l'avion.

Notez les deux constructions possibles avec whether or not.

 He asked **whether or not** I wanted a return ticket.
 ou He asked **whether** I wanted a return ticket **or not**.
 Il m'a demandé si je voulais un aller et retour ou non.

447 On rapporte une question en *wh-*

Verbes introductifs possibles

ask sb : *demander à qqn* ; inquire : *demander, se renseigner* ; want to know : *vouloir savoir* ; wonder : *se demander*...

Mots de liaison : what, when, where, who(m), why, how

Structure de la subordonnée : sujet + verbe et compléments, comme dans une phrase affirmative.

"When is the next train?" [discours direct]
« Quand part le prochain train ? »
He asked her when the next train was. [discours indirect]
Il lui a demandé quand partait le prochain train.

ATTENTION

- Contrairement à ce qui se produit parfois en français, l'ordre des mots dans la subordonnée est celui d'un **énoncé affirmatif** : **sujet** + verbe.

He asked her when **the next train** was.
Il lui a demandé quand partait ***le prochain train****.*

- Quand l'interrogatif est what, which ou who, avec le verbe be, on peut trouver soit sujet + be, soit be + sujet.

He wondered who **that woman was**.
ou He wondered who **was that woman**.
Il s'est demandé qui était cette femme.
We didn't know which our room was.
ou We didn't know which was our room.
Nous ne savions pas quelle était notre chambre.

Retenez qu'on ne se trompe jamais en utilisant l'ordre sujet + verbe dans ce cas.

448 On rapporte un conseil, un ordre, une suggestion

Verbes introductifs possibles

advise : *conseiller* ; ask : *demander* ; beg : *prier* ; command : *ordonner* ; encourage : *encourager* ; forbid : *interdire* ; invite : *inviter* ; order : *ordonner* ; tell somebody : *ordonner à quelqu'un* ; urge : *inciter à* ; warn : *avertir*...

Construction : nom ou **pronom complément** + **to** + **verbe**

"Open the door!" [discours direct]
He **ordered** William and Ben **to** open the door. [discours indirect]
Il ordonna à William et Ben d'ouvrir la porte.

Lorsqu'on rapporte un **conseil**, une **suggestion** ou un **ordre négatifs**, on emploie la structure : **nom/pronom** + not to + **verbe**.

I advised **him not to** shout.
Je lui ai conseillé de ne pas crier.

She told **them not to** talk.
Elle leur a dit de ne pas parler.
ou Elle leur a interdit de parler.

Suggest peut être utilisé pour rapporter une suggestion. Il est suivi soit de should + verbe (GB), soit du subjonctif (US), ou encore du présent ou du prétérit simples (→ 124, 144).

He said: "Why don't we get a video?"
He **suggested that** we (**should**) get/**that** we **got** a video.
Il a suggéré de louer/que nous louions une vidéo.

On trouve aussi V-ing après suggest.

He suggested gett**ing** a video.
Il a suggéré qu'on loue une vidéo.

449 On rapporte une excuse, une exclamation

Le verbe employé explicite le contenu de la citation.

"I'm sorry I kept you waiting," he said.
He **apologized** for keeping me waiting.
Il s'est excusé de m'avoir fait attendre.

He said: "Happy birthday!"
He **wished** her a happy birthday.
Il lui souhaita un joyeux anniversaire.

He said: "Liar!"
He **called** me a liar.
Il m'a traité de menteur.

L'EMPLOI DES TEMPS AU DISCOURS INDIRECT

450 Verbe introductif au présent

Le discours indirect peut être introduit par un verbe au présent (He **says**...). C'est le cas de la répétition instantanée de paroles lors d'une conversation, de la lecture à haute voix d'une lettre, d'un mode d'emploi...

Lecture d'une lettre :

"He says he will arrive as soon as he can."
« Il dit qu'il viendra dès que possible. »

Si le verbe introductif est au **présent** ou au ***present perfect***, il n'y a **pas de changement de temps** quand on passe du discours direct au discours indirect. Comparez avec le français, qui laisse le choix.

He **has confirmed** that he **will** arrive as soon as he can.
*Il a confirmé qu'il **viendra/viendrait** dès que possible.*

451 Verbe introductif au prétérit

Le discours indirect est le plus souvent utilisé pour rapporter des paroles prononcées dans le passé. Le **verbe introductif** est alors au **prétérit**. Le temps employé dans la subordonnée est souvent différent du temps employé dans la citation directe.

Tableau schématique des changements de temps

DISCOURS DIRECT	DISCOURS INDIRECT
PRÉSENT	PRÉTÉRIT
"I never eat meat." *« Je ne mange jamais de viande. »*	He explained that he never **ate** meat. *Il a expliqué qu'il ne mangeait jamais de viande.*
PRÉTÉRIT	HAD + PARTICIPE PASSÉ
"I woke up feeling ill." *« Je me suis senti mal au réveil. »*	He said he **had woken up** feeling ill. *Il a dit qu'il s'était senti mal au réveil.*
PRESENT PERFECT	HAD + PARTICIPE PASSÉ
"Have you seen her?" *« Est-ce que tu l'as vue ? »*	He asked me if I **had seen** her. *Il m'a demandé si je l'avais vue.*
WILL + VERBE	WOULD + VERBE
"I will not come." *« Je ne viendrai pas. »*	She insisted that she **would** not come. *Elle a maintenu qu'elle ne viendrait pas.*
IMPÉRATIF	TO + VERBE
"Don't talk!" *« Ne parle pas ! »*	She told me not **to** talk. *Elle m'a dit de ne pas parler.*

452 Le changement de temps n'est pas toujours justifié

Le **présent** n'est pas toujours transposé en **prétérit**.

"I want to go to Canada next year".
Yesterday, he told me that he wants to go to Canada next year.
Hier, il m'a dit qu'il veut aller au Canada l'année prochaine.

On aurait pu dire He told me he wanted to go to Canada, mais, en raison de la présence de next year, l'emploi du présent est plus cohérent.

"The earth revolves around the sun."

I was told that the earth revolves around the sun!

On m'a dit que la Terre tourne/tournait autour du Soleil !

En anglais, on emploie le présent dans la subordonnée, car c'est encore vrai.

Le **prétérit** n'est pas toujours transposé en **had** + **participe passé**.

Il est conservé dans certains cas au discours indirect.

- Dans les **subordonnées de temps** (**when** I lived...).

"**When I lived** in Oxford, I often played cricket."

« Lorsque je vivais à Oxford, je jouais souvent au cricket. »

He said that **when he lived** in Oxford, he often played cricket.

Il a dit que, lorsqu'il vivait à Oxford, il jouait souvent au cricket.

- Lorsque le verbe **décrit un état**.

"I didn't come because I was ill."

He said he hadn't come because he **was** ill.

Il a dit qu'il n'était pas venu car il était malade.

- Lorsqu'il s'agit d'un **prétérit du non-réel** (→ 53).

"If you **saw** my father, you'd recognize him."

He was sure that if I **saw** his father, I would recognize him.

Il était sûr que si je rencontrais son père, je le reconnaîtrais.

Must peut ou non être rendu par **had to**.

He thought to himself, "I **must** do it."

He thought to himself that he **must**/he **had to** do it.

Il pensait en lui-même qu'il devait le faire.

Must n'a pas de valeur de passé (→ 102), sauf dans les subordonnées. Remarquez qu'il se traduit ici par un imparfait.

Les **modaux** conjugués au **prétérit du non-réel** ne changent pas.

I said: "**Could** you post this letter for me?"

I asked him if he **could** post the letter for me.

*Je lui ai demandé s'il **pourrait** poster la lettre à ma place.*

Can et may au présent deviennent logiquement could et might.

"**Can** you post this letter for me?"

I asked him if he **could** post the letter for me.

*Je lui ai demandé s'il **pouvait** poster la lettre à ma place.*

453 Autres changements

Pronoms personnels et déterminants possessifs

On passe de la 1re à la 3e personne.

He said: "**I** hate **my** new mobile."
He said **he** hated **his** new mobile.
Il a dit qu'il détestait son nouveau portable.

This (these)

He said: "I'm coming **this** week."
He said he was coming **that** week. (préférable à **this** week)
Il a dit qu'il venait cette semaine-là.

On passe de this à that à condition que la semaine en question appartienne bien au passé.

Adverbes de temps et de lieu

Durée + **ago** peut devenir **durée** + **before**, et **here** peut devenir **there**.

Lyndsay said: "I moved here a year ago."
Lyndsay said she had moved **there a year before**.
Lyndsay a dit qu'elle s'était installée là une année auparavant.

Mais on dira Lyndsay said she had moved **here a year ago** (*Lyndsay a dit qu'elle s'était installée ici il y a un an*) si here désigne l'endroit où se trouve le locuteur et si les paroles sont rapportées la même année.

Exemples de changements de repères

DISCOURS DIRECT	DISCOURS INDIRECT
ago	before
now	then
today	that day
yesterday	the day before
tomorrow	the next day
last week/month/year...	the previous week.../the week before...
next week/month/year...	the following week.../the week after...

Peter said: "I was burgled yesterday but I'll only report it tomorrow."
« J'ai été cambriolé hier mais je ne le signalerai que demain. »

Peter said that he had been burgled the day before but that he would only report it the next day.
Peter a dit qu'il avait été cambriolé le jour d'avant mais qu'il ne le signalerait que le lendemain.

LE DISCOURS INDIRECT LIBRE

454 Une technique de narration

Le discours indirect libre est une **technique de narration** où les pensées, les paroles d'un personnage font corps avec le récit. Nous nous situons dans la conscience du personnage dont nous lisons les pensées.

> But this murder – was it to dog him all his life? Was he always to be burdened by his past? Was he really to confess? Never. There was only one bit of evidence left against him. The picture itself – that was evidence. He would destroy it. Why had he kept it so long? [...] He seized the thing and stabbed the picture with it.
>
> (Oscar Wilde, *The Picture of Dorian Gray*)
>
> *Mais ce meurtre – allait-il le poursuivre toute sa vie ? Subirait-il toujours le fardeau de son passé ? Allait-il vraiment avouer ? Jamais. Il ne restait plus qu'une seule preuve contre lui : le portrait. Oui, ce portrait était une preuve. Il allait le détruire. Pourquoi l'avait-il conservé si longtemps ? [...] Il s'empara de l'objet et transperça la toile.*
>
> (Oscar Wilde, *Le Portrait de Dorian Gray*)

On peut envisager la transcription de ce passage au style direct, en marquant bien la différence entre ce qui est **prétérit de discours indirect libre** (qui devient présent au discours direct) et **prétérit de narration** (qui reste prétérit : seized, stabbed).

> Dorian Gray thought, "But this murder – **is** it to... **Am** I always to be burdened...? **Am** I really to confess? Never. There **is** only... The picture itself – that **is** evidence. I **will** destroy it. Why **have I kept** it so long?" [...] He **seized** the thing and **stabbed** the picture with it.
>
> **prétérit de narration** **prétérit de narration**

455 Caractéristiques du discours indirect libre

Le discours indirect libre partage des caractéristiques avec les discours direct et indirect.

Avec le discours **direct**

- il n'y a pas de verbe introductif ;
- les structures interrogatives sont les mêmes qu'au discours direct ;
- les démonstratifs et les adverbes de temps et de lieu sont les mêmes qu'au discours direct.

Avec le discours **indirect**

- il n'y a pas de guillemets ;
- les temps employés sont ceux du discours indirect : prétérit de discours indirect, had + participe passé de discours indirect, would + verbe correspondant à will + verbe en discours direct ;
- les pronoms personnels sont ceux du discours indirect : I devient he ou she...

Passer du style direct au style indirect ou retrouver le style direct à partir de l'indirect est avant tout un **exercice scolaire**, certes utile, mais qui ne correspond pas vraiment à une réalité linguistique.

Prenons un exemple en français : *Sébastien m'a dit qu'il ne voulait pas sortir.* Quelles peuvent être les paroles prononcées par Sébastien ? En théorie, elles devraient être : *Je ne veux pas sortir*, si on applique les règles de la concordance des temps. En pratique, elles ont plus de chances d'avoir été quelque chose comme : *J'veux pas sortir ; J'y vais pas ; J'ai pas envie ; Moi, sortir avec eux ? Sûrement pas !* Sébastien a aussi pu faire un signe de tête négatif.

Il est plus prudent de parler d' « effet de discours indirect » : le discours indirect correspond rarement à la reproduction fidèle d'un discours direct, mais on fait comme si c'était le cas.

Annexes

Les numéros renvoient aux paragraphes.

Les mots invariables : les prépositions

POUR COMMENCER

- Les prépositions sont des mots invariables. On les rencontre dans les cas suivants.

  - **Après certains adjectifs** → 273-282

    It is different **from** what I imagined.
    *C'est différent **de** ce que j'imaginais.*

  - **Après certains noms** → 249

    The reason **for** this change is unclear.
    *La raison **de** ce changement n'est pas claire.*

  - **Après certains verbes dits prépositionnels** → 12-13

    They succeeded **in** escaping. *Ils ont réussi à s'enfuir.*

  - **Dans des compléments circonstanciels** (de lieu, de temps, de cause...)

    In New York, no one can hear you scream!
    À New York, personne ne peut t'entendre crier !

    He has been here **since** Monday. *Il est ici depuis lundi.*

- **Une préposition est suivie d'un** groupe nominal.

  in four weeks : *dans quatre semaines*

  after the holidays : *après les vacances*

  Ce groupe nominal peut être un pronom (personnel ou relatif).

  after you : *après vous*
  the people **with** whom I was travelling : *les gens avec lesquels je voyageais*

- Une préposition peut aussi être suivie de V-ing (→ 427).

  without thinking : *sans penser*

- Seules les prépositions but et except *(sauf)* peuvent être suivies de la base verbale (→ 408).

  There was nothing to do **but/except** wait.
  Il n'y avait rien à faire qu'à attendre.

Place des prépositions

- En général, la préposition se place **avant** le groupe nominal qu'elle introduit.

  I'll see you **in** the morning.
  Je te verrai demain matin.

- La préposition peut être placée **en fin de phrase**. Elle est alors séparée de son complément, ce qui est impossible en français.
  – Dans les questions en who(m)/which/what/whose (→ 375) :

  Who did you send it **to**?
  ***À** qui l'as-tu envoyé ?*

  – Dans les propositions relatives (→ 417) :

  I know the guy who/that/Ø you've just been talking **to**.
  *Je connais le type **à** qui tu viens de parler.*

LES VERBES À DOUBLE COMPLÉMENT

Deux constructions possibles

456 Avec la préposition *to*

Les verbes dits d'attribution acceptent deux compléments.

bring : apporter ; feed : nourrir ; give : donner ; lend : prêter ; offer : offrir ; pay : payer ; present : présenter ; promise : promettre ; read : lire ; sell : vendre ; send : envoyer ; show : montrer ; take : apporter ; teach : enseigner ; tell : raconter ; write : écrire

Si les compléments de ces verbes sont des noms, deux constructions sont possibles. (Les COD et complément d'objet indirect sont soulignés).

She sent Mary a letter yesterday.
ou She sent a letter to Mary yesterday. [moins fréquente]
Elle a envoyé une lettre à Mary hier.

Si le COD est un pronom, on emploie la construction : COD + to + COI.

She sent it **to** Mary yesterday. [~~She sent Mary it.~~]
Elle l'a envoyée hier à Mary.

Si le COI est un pronom, on emploie la construction : COI + COD.

She sent her a letter. *Elle lui a envoyé une lettre.*

She sent a letter to her est moins fréquent. Dans ce cas, her serait l'élément important de la phrase.

Quand à la fois le COD et le COI sont pronoms, on utilise la construction COD + to + COI.

She sent it to her. *Elle la lui a envoyée.*
Give it to me. *Donne-le-moi.*

On entend parfois Give me some à la place de Give some to me (*Donne-m'en*) ou Lend her one à la place de Lend one to her (*Prête-lui en un*). Le COD et le COI sont tous deux pronoms : la construction COD + to + COI est considérée plus correcte.

Si le COD est it ou them, la construction en to s'impose : Lend them to me (Lend me them est à éviter).

Cela dit, en anglais très familier, on rencontre Give me it (*Donne-le moi*), que les puristes condamnent, voire Gimme it, qui est argotique.

Mary dans She sent Mary a letter est considéré comme un complément d'objet **indirect** car la phrase s'interprète comme She sent a letter **to** Mary. Ce genre de complément s'appelait avant complément d'**attribution** (car quelque chose est attribué à Mary).

457 Avec la préposition *for*

Certains verbes à double complément sont construits avec la préposition for (et non to). Deux constructions sont possibles.

Sandy bought Fred a book.
Sandy bought a book **for** Fred. [moins fréquent]
Sandy a acheté un livre à Fred.

Avec les **pronoms**, on obtient :

Sandy bought **him** a book. (Le COI est un pronom.)
Sandy bought **it** for Fred. (Le COD est un pronom.)
Sandy bought **it** for **him**. (Le COD et le COI sont pronoms.)

Les principaux verbes à double complément construits avec for sont :

book : *réserver* ; build : *construire* ; buy : *acheter* ; choose : *choisir* ; cook : *cuisiner* ; do : *faire* ; fetch : *aller chercher* ; find : *trouver* ; get : *obtenir* ;

keep : *garder* ; leave : *laisser* ; make : *faire* ; order : *commander* ; play : *jouer* ; reserve : *réserver* ; save : *mettre de côté*

Une seule construction possible

458 Préposition obligatoire pour introduire le COI

Avec de nombreux verbes, une préposition est **obligatoire** pour introduire le COI. **Une seule construction est possible**.

I have already explained the problem **to** them.
[~~I have already explained them the problem.~~]
Je leur ai déjà expliqué le problème.

459 Avec la préposition *for*

Exemples de verbes construits avec **for** :
ask sb for sth : *demander qqch. à qqn* ; blame sb for sth : *reprocher qqch. à qqn* ; thank sb for sth : *remercier qqn pour qqch.* ; pay sb for sth : *payer qqn pour qqch.*

I can't thank you enough for your help.
Je ne saurais vous remercier assez pour votre aide.

ATTENTION

- Lorsque ask signifie *demander pour obtenir quelque chose*, on emploie la structure en for (→ 391).

  Martin asked Peter **for** some money.
  Martin a demandé de l'argent à Peter.

- Lorsqu'on attend une réponse verbale avec ask, on emploie la structure ask sb sth.

  I asked my neighbour his name.
  J'ai demandé son nom à mon voisin.

  I asked her the time/the price...
  Je lui ai demandé l'heure/le prix...

- Notez aussi la différence entre pay sth (*payer une somme*) et pay for sth (*payer pour obtenir quelque chose*).

  I paid sixty euros.
  J'ai payé soixante euros.

  How much did you pay for your apartment?
  Combien as-tu payé ton appartement ?

460 Avec la préposition *from*

Exemple de verbe construit avec **from** :

borrow sth from sb : emprunter qqch. à qqn

> I borrowed it from another library.
> *Je l'ai emprunté à une autre bibliothèque.*

461 Avec la préposition *of*

Exemples de verbes construits avec **of** :

accuse sb of sth : accuser qqn de qqch. ; remind sb of sth : rappeler qqch. à qqn...

> You remind me of my mother. *Tu me rappelles ma mère.*

462 Avec la préposition *to*

Exemples de verbes construits avec **to** :

announce sth to sb : annoncer qqch. à qqn ; describe sth to sb : décrire qqch. à qqn ; suggest sth to sb : suggérer qqch. à qqn

> Describe the painting to me. *Décris-moi le tableau.*

463 Avec la préposition *with*

Exemples de verbes construits avec **with** :

provide sb with sth : fournir qqch. à qqn ; trust sb with sth : confier qqch. à qqn

> Of course you can trust me with your computer.
> *Bien sûr que tu peux me confier ton ordinateur.*

LES TYPES DE PRÉPOSITIONS

Prépositions de lieu : sens

464 Lieu d'où vient quelqu'un ou quelque chose

(away) from de
out of de

465 Lieu où se trouve quelqu'un ou quelque chose

above	au-dessus de
along	le long de
among	(ou amongst) parmi
at	à/dans
behind	derrière
below	au-dessous de
beside	à côté de
between	entre
by	près de
close to	près de
down	en bas de
in	dans
in front of	devant
inside	à l'intérieur de
near	près de
next to	à côté de
off	au large de/séparé de
on	sur
opposite	en face de
outside	à l'extérieur de/devant
over	au-dessus de
past	devant
round	autour de
under	sous
up	en haut de

466 Lieu vers lequel se dirige quelqu'un ou quelque chose

across	à travers	through	à travers
into	dans	to	à/en
on (to)	sur	towards	vers

ATTENTION Ne confondez pas across et through.

Across : à travers un espace à deux dimensions, une surface

across a field : à travers un champ

across a street : à travers une rue

Through : à travers un espace à trois dimensions, un volume

through a forest : à travers une forêt

through the fog : à travers le brouillard

467 **Sens dérivés**

Ces prépositions peuvent avoir un **sens dérivé**.

by 10 o'clock : *avant 10 heures* ; **down** the road : *à deux pas* ; **over** the summer : *au cours de l'été*

I'm **off** tea. *Je n'aime plus le thé.*

She's **into** computers. *L'informatique, c'est son truc.*

That's **below** him. *C'est trop peu pour lui.*

Prépositions de lieu : emplois

468 **Emplois de *at***

Indication d'un lieu d'activités collectives

at the restaurant : *au restaurant* ; **at** school : *à l'école* ; **at** the office : *au bureau*

Point précis

at the bus stop : *à l'arrêt de bus* ; **at** the top of the page : *en haut de la page* ; **at** the door : *à la porte*

469 **Emplois de *in***

Indication d'un lieu géographique précis

in England : *en Angleterre* ; **in** the street (ou on the street) : *dans la rue* ; **in** New York : *à New York*

Indication d'un lieu clos ou qui comporte des limites

in my room : *dans ma chambre* ; **in** the garden : *dans le jardin*

470 ***At* ou *in* ?**

Le verbe arrive (*arriver*) se construit avec : in + nom de ville ou de pays ; at + tout autre lieu.

They arrived **in** Scotland. *Ils arrivèrent en Écosse.*

We arrived **at** the hotel. *Nous sommes arrivés à l'hôtel.*

Remarquez l'emploi de l'article zéro (Ø) dans les tournures suivantes :

at home : *chez soi, à la maison* ; at work : *au travail* ; at school : *à l'école* ; at university : *à l'université* ; in town : *en ville*

Notez la différence de sens entre **at** the end et **in** the end.

- At the end signifie *au moment où quelque chose prend fin.*

  He will come **at the end** of January.
  Il viendra à la fin du mois de janvier.

- In the end signifie *finalement.*

  He didn't want to lend us the money but **in the end** he agreed.
  Il ne voulait pas nous prêter l'argent mais, à la fin, il fut d'accord.

471 *In ou to ?*

Contrairement au français, l'anglais distingue le lieu où l'on **est** (in) du lieu où l'on **va** (to).

He lives **in** London. He often goes **to** London.
*Il vit **à** Londres. Il va souvent **à** Londres.*

Le mot home **complément de lieu** n'est précédé d'aucune préposition, sauf si **home** est employé avec un déterminant ou un génitif.

I want to go **home**.
Je veux rentrer à la maison.

Mais She returned **to her parents' home**.
Elle est retournée chez ses parents.

472 *In ou into ?*

Contrairement au français, l'anglais distingue le lieu où l'on **est** (in) du lieu où l'on **pénètre** (into).

He is **in** the kitchen.
*Il est **dans** la cuisine.*

He came **into** the kitchen.
*Il entra **dans** la cuisine.*

Notez l'emploi de into avec les verbes change et translate.

The witch will change you into a toad!
La sorcière te transformera en crapaud !

I've translated my CV into Spanish.
J'ai traduit mon C.V. en espagnol.

On dit cut in(to) pieces : *couper en morceaux,* mais cut in half, cut in three : *couper en deux, couper en trois.*

473 *On ou onto ?*

Onto signale toujours un changement de position. On peut aussi employer on avec ce sens dynamique.

Shall I put it back **on(to)** the shelf? *Je le remets sur l'étagère ?*

- Le verbe sit down est suivi de on et non de onto.

  Come sit down on my knees. *Viens t'asseoir sur mes genoux.*

- Certains verbes sont suivis indifféremment de in/on ou de into/onto : fall, jump, put...

  She fell in(to) the pond. *Elle est tombée dans la mare.*

474 *Between ou among ?*

- Between a le sens de *entre* pour des éléments que l'on peut dénombrer de manière précise.

  Sit down **between** Jack and Jill. [~~Sit down among Jack and Jill.~~]
  Assieds-toi entre Jack et Jill.

- Among (ou amongst) a le sens de *entre/parmi* pour plus de deux éléments dont on ne connaît pas le nombre exact.

  among other things : *entre autres (choses)*
  among the Australians : *chez les Australiens*

Les principales prépositions de temps

475 Emplois de *on*

- On + **jour de la semaine ou date**

  He'll arrive **on** Sunday. *Il arrivera dimanche.*

  He was born **on** December 25. *Il est né le 25 décembre.*
  on Christmas Day : *le jour de Noël*

Ne confondez pas on Monday *(lundi)* et on Monday**s** *(**le** lundi).*

See you (on) Monday! (See you Monday est plus oral.) *À lundi !*

We rehearse (on) Monday**s**. *Nous répétons le lundi.*

Le week-end se dit **on** weekends *(tous les week-ends)* ou **on** the weekend *(durant le week-end).* En anglais britannique, on dit aussi **at** weekends ou **at** the weekend.

- **On** + moment de la journée précisé par une **date** ou un **jour**

  They met **on** the morning of the sixth.
  Ils se sont rencontrés le matin du 6.

  It starts **on** Monday afternoon.
  Ça commence lundi après-midi.

- **On** + **moment où une action s'est produite**

  on my arrival : à mon arrivée ; **on** hearing this : en entendant cela

→ On + V-ing 427.

- Notez l'expression be **on** holiday (être en vacances).

476 Cas où l'on n'emploie pas *on*

On n'emploie pas on devant :

- the + nom + before ou the following + nom.

  I had met him the Monday before.
  Je l'avais rencontré le lundi précédent.

- Les périodes de temps précédées de any, some, all, every ou de (the) last, (the) next.

  I might come back **some** day.
  Il se pourrait que je revienne un jour ou l'autre.

  What did you do **last** night?
  Qu'as-tu fait hier soir ?

477 Emplois de *at*

- **At** + **heure**

  We should start **at** eight.
  Nous devrions commencer à 8 heures.

  À quelle heure ? se dit At what time? ou What time? (plus fréquent).

  What time do you close tonight?
  À quelle heure fermez-vous ce soir ?

- **At** + **nom de fête**

  at Christmas : à Noël ; **at** Easter : à Pâques

478 **Emplois de *in***

In + mois/saisons/années/siècles

in June : *en juin* ; **in** Spring : *au printemps* ; **in** 1516/**in** the sixteenth century : *en 1516/au XVIe siècle*

In + moment de la journée

in the morning : *le matin* ; **in** the afternoon : *l'après-midi* ; **in** the evening : *le soir*

Mais **at** night : *la nuit*

In + période de temps dans l'avenir

I'll be back **in** a few minutes. *Je reviens dans quelques minutes.*

In + période de temps est parfois suivi de la marque du **génitif** + time.

He's leaving **in a week's time/in two weeks' time**.
(ou He's leaving in a week/in two weeks.)
Il part dans une semaine/dans deux semaines.

Notez la différence entre **on** time (*à l'heure*) et **in** time (*à temps*).

The plane arrived **on** time. *L'avion est arrivé à l'heure.*

I arrived **in** time for the concert.
Je suis arrivée à temps pour le concert.

479 ***By***

By + **heure/date/période** a le sens de *à cette heure* (ou *légèrement avant*).

You should be at the airport **by** seven.
Il faudrait que tu sois à l'aéroport avant sept heures.

480 ***From...to, from... till/until***

From indique un **point de départ** et **to un point d'achèvement**.

I work **from** eight a.m. **to/till/until** four p.m.
Je travaille de huit heures du matin à seize heures.

481 ***Since***

Since + date/moment précis dans le temps

He has been working for this company **since** 2007.
Il travaille dans cette société depuis 2007.

Since peut aussi être conjonction de subordination (*depuis que*) → 66.

482 *For*

For + **durée déterminée** (souvent chiffrée).

Bake it **for** three hours. *Faire cuire pendant trois heures.*

He has been waiting **for** five hours.
Il attend depuis cinq heures.

→ Traduction de *depuis* par since ou for **66**.

→ Emploi des temps avec since ou for **66**.

483 *During* ou *while* ?

- **During** (*pendant*) désigne une période de temps **à l'intérieur de laquelle** on se situe.

  during the war : *pendant la guerre*

  during his childhood : *pendant son enfance*

- **While** (ou whilst) est une **conjonction de subordination** au sens de *pendant* **que**. While est donc suivi d'une proposition.

  We met **during** the holidays.
  Nous nous sommes rencontrés pendant les vacances.

  We met **while** we were on holiday.
  Nous nous sommes rencontrés pendant que nous étions en vacances.

Comparaison d'emploi de prépositions en français et en anglais

484 Avec *on*

on a bus/a boat/a plane/a train	**dans** *un bus/un bateau/un avion/un train*
on the dole (GB)	**au** *chômage*
on a farm	**dans** *une ferme*
on fire	**en** *feu*
on the first floor	**au** *premier étage*
on foot	**à** *pied*
on holiday	**en** *vacances*
on an island	**dans** *une île*
on the phone	**au** *téléphone*
on television/the radio	**à** *la télévision/***à** *la radio*
on this side	**de** *ce côté-ci*
on strike	**en** *grève*

485 ## Avec *in*

in the country	**à** *la campagne*
in my opinion/view	**à** *mon avis*
in the rain/snow/sun	**sous** *la pluie*/**sous** *la neige*/**au** *soleil*
in a loud/quiet voice	**à** *voix haute/basse*

486 ## Avec d'autres prépositions

Beside the point/**Off** the point
En dehors *de la question*/**Hors** *sujet*

By + moyen de transport

by bike/bus/boat/car/plane/train
à *vélo*/**en** *bus*/**en** *bateau*/**en** *voiture*/**en** *avion*/**en** *train*

Mais in + déterminant + moyen de transport

in my car : **dans** *ma voiture*

For example/instance
Par *exemple*

AUTRES PRÉPOSITIONS

487 ## Les prépositions de cause

because of/due to/on account of/owing to : *à cause de/en raison de*
considering/given/in view of : *étant donné/vu*
thanks to : *grâce à*

There is no service on this line owing to a power failure.
Le trafic sur cette ligne est interrompu en raison d'une panne de courant.

488 ## Les prépositions de contraste

contrary to/unlike : *contrairement à*
in spite of/despite/for all : *malgré*
instead of : *au lieu de*

For all his efforts, he came fifth.
Malgré tous ses efforts, il est arrivé cinquième.

489 Les prépositions de manière

As et like expriment la manière, mais avec un sens différent.

Like : *comme*, expression d'une **ressemblance**.

As : *en tant que*, expression d'une **identité**.

My parents behaved **like** children.
Mes parents se sont conduits comme des enfants.

As children, we know our rights and our duties.
En tant qu'enfants, nous connaissons nos droits et nos devoirs.

As children, they always behaved themselves.
Quand ils étaient enfants, ils se tenaient toujours bien.

→ As et like conjonctions (suivis d'une proposition subordonnée) 439.

490 Les prépositions d'argumentation

according to : *selon* ; as for : *quant à* ; as regards, regarding : *en ce qui concerne* ; about : *à propos de* ; besides : *en plus de, sauf*

Who besides Trish knows the answer?
Qui, à part Trish, connaît la réponse ?

Who besides you would care if Lorraine was lying beside Tom? Besides, it's none of your business.
Qui, en dehors de toi, voudrait savoir si Lorraine était allongée à côté de Tom ? Du reste, ça ne te regarde pas.

ATTENTION Ne confondez pas besides et beside (*à côté de*) → 465.

→ Besides adverbe (*d'ailleurs*) 519.

Selon **moi** se dit to me/to my mind/in my opinion et non ~~according to me~~.

Les mots invariables : les adverbes

POUR COMMENCER

- Les adverbes sont invariables. Ils servent à modifier principalement :

– un verbe

It was raining **heavily**. *Il pleuvait beaucoup.*

– un adjectif

I'm **terribly** sorry. *Je suis vraiment désolé.*

– un autre adverbe

He drives **very** well. *Il conduit très bien.*

– une phrase entière

Naturally, she wanted to know why.
Naturellement, elle voulait savoir pourquoi.

- La différence entre les adjectifs et les adverbes est que les adjectifs ne peuvent modifier qu'un nom, contrairement aux adverbes.

LA FORME DES ADVERBES

491 Adverbes formés à partir d'adjectifs

- De nombreux adverbes sont formés à partir d'adjectifs en ajoutant le suffixe -ly.

slow *(lent)* : slow**ly** *(lentement)*
eas**y** *(facile)* : eas**ily** *(facilement)* [notez le changement de -y en -i]

- Les adjectifs en -ic font leur adverbe en -ically.

economic : economically ; systematic : systematically

ATTENTION Certains adjectifs se terminant en -ly ne fonctionnent que comme adjectifs.

costly : *coûteux* ; cowardly : *lâche* ; deadly : *mortel* ; friendly : *amical* ; lively : *vivant* ; lonely : *solitaire* ; lovely : *beau* ; silly : *idiot*...

On ne peut pas former d'adverbe à partir de ces adjectifs. Il faut utiliser une périphrase.

in a friendly way/in a friendly manner... : *amicalement*

492 Adjectifs ou adverbes ?

- Un grand nombre d'adverbes ont une forme autonome et ne fonctionnent qu'en tant qu'adverbes.

perhaps : *peut-être* ; often : *souvent* ; soon : *bientôt...*

- Certains mots peuvent être adjectifs ou adverbes.

EXEMPLE	ADJECTIF	ADVERBE
early	*matinal*	*de bonne heure*
fast	*rapide*	*rapidement*
late	*tardif*	*en retard*
hard	*dur*	*durement*

a fast train : *un train rapide*

You speak too fast. *Tu parles trop vite.*

- Les mots indiquant une fréquence régulière peuvent aussi être soit adjectifs, soit adverbes.

EXEMPLE	ADJECTIF	ADVERBE
daily	*quotidien*	*quotidiennement*
weekly	*hebdomadaire*	*chaque semaine*
yearly	*annuel*	*annuellement*

weekly meetings : *des réunions hebdomadaires*

I'm paid weekly. *Je suis payé à la semaine.*

493 Deuxième forme adverbiale

Certains adjectifs qui peuvent fonctionner comme adverbes ont une deuxième forme adverbiale en -ly, dont le sens est différent de la forme simple. En voici des exemples.

- Hard

adjectif : *dur/difficile*

These are hard times. *Les temps sont durs.*

adverbe : *avec acharnement*

He studies hard. *Il étudie d'arrache-pied.*

Hardly adverbe : *à peine*

I can hardly see you. *Je ne vous vois presque pas.*

Last

adjectif : *dernier*

last week : *la semaine dernière*

adverbe : *la dernière fois*

When did you last see him? *Quand l'as-tu vu pour la dernière fois ?*

Lastly adverbe : *en dernier (énumération)*

Lastly, I must explain... *Enfin, je dois expliquer...*

Late

adjectif : *tard*

in the late afternoon : *tard dans l'après-midi/à la fin de l'après-midi*

adverbe : *de retard/en retard*

They were ten minutes late. *Ils ont eu dix minutes de retard.*

Lately adverbe : *récemment/dernièrement*

Have you seen her lately? *L'as-tu vue récemment ?*

Pretty

adjectif : *joli*

a pretty girl : *une jolie fille*

adverbe : *assez*

It's pretty cold. *Il fait plutôt froid.*

Prettily adverbe : *joliment*

a prettily dressed child : *un enfant joliment habillé*

Right

adjectif : *juste*

a right answer : *une bonne réponse*

adverbe : *directement/bien*

right in front : *juste devant*

If everything goes right... *Si tout se passe bien...*

Rightly adverbe : *à juste titre/avec raison*

He said quite rightly that... *Il a dit, tout à fait à juste titre, que...*

Wrong

adjectif : faux/mauvais

at the wrong time : au mauvais moment

adverbe : mal/incorrectement

You can't go wrong. Tu ne peux pas te tromper.

Wrongly adverbe : à tort/par erreur

wrongly informed : mal renseigné

LA PLACE DES ADVERBES

494 Règle générale

L'adverbe se place souvent **entre le sujet et le verbe**. Dans ce cas, l'adverbe se place juste avant le verbe lexical.

They often **saw** us.

They have often **seen** us. Ils nous ont souvent vus.

He is often **having** lunch with us. Il déjeune souvent avec nous.

Toutefois, avec be **conjugué + adjectif**, on trouve l'ordre : **sujet** + be + adverbe + **adjectif**.

He **is** often ill. Il est souvent malade.

Au passif, il peut y avoir deux auxiliaires avant le verbe lexical. L'adverbe se place alors entre ces deux auxiliaires.

I **will** never **be** bought! On ne m'achètera jamais !

Si l'auxiliaire apparaît seul (dans les réponses ou les reprises), on trouve l'ordre : **sujet** + adverbe + **auxiliaire**.

"Do you like opera?" "Yes, I really **do**."
« Tu aimes l'opéra ? – Oui, vraiment. »

→ Place de l'adverbe avec la négation 497, 521.

495 *All, both* et *each*

All, both et each suivent les mêmes règles.

They each **turned down** the offer. Ils ont chacun refusé l'offre.

We've all **received** the same letter.
Nous avons tous reçu la même lettre.

They **were** both invited. Ils ont été invités tous les deux.

ATTENTION En anglais, contrairement au français, l'adverbe, quel que soit son type, **ne sépare pas** le verbe de son complément.

They speak English well. *Ils parlent bien anglais.*

He often reads *the Guardian*. *Il lit souvent le « Guardian ».*

LES TYPES D'ADVERBES

Les adverbes de fréquence

496 Sens des adverbes de fréquence

always : *toujours* ; usually : *d'habitude* ; often : *souvent* ; occasionally : *de temps à autre* ; now and then/now and again : *de temps à autre* ; sometimes : *parfois* ; rarely, seldom : *rarement* ; ever, never : *jamais*...

497 Place des adverbes de fréquence

- Les adverbes de fréquence se placent entre le sujet et le verbe.

  She **often** stays up all night, he **never** does.
  Elle veille souvent toute la nuit, lui jamais.

- La **négation** apparaît avant l'adverbe.

  He's **not always** late. *Il n'est pas toujours en retard.*

  She does**n't often** play tennis. *Elle ne joue pas souvent au tennis.*

498 Remarques sur *ever*

- Ever **a un sens positif**. Il signifie *à un moment quelconque* et se traduit souvent par *jamais* ou *déjà*.

  Have you **ever** been to Canada? *Es-tu jamais/déjà allé au Canada ?*

  Avec un superlatif, ever signifie *jusqu'à présent*.

  It's the best I've **ever** read. *C'est le meilleur que j'aie jamais lu.*

- Ever peut aussi être un synonyme de always.

  I'm ever ready to oblige. *Je suis toujours prêt à rendre service.*

→ Ever avec les interrogatifs 381.

499 Remarques sur *never*

- Never signifie *ne... jamais, à aucun moment*. Il rend tout l'énoncé négatif et s'emploie donc avec un verbe à la forme affirmative. Notez que never again traduit *plus jamais/jamais plus*.

  She will **never** come again. *Elle **ne** viendra **jamais plus**.*

- Never se place généralement avant to + verbe (→ 388).

  I swear **never to** do it again. *Je jure de ne jamais refaire ça.*

Les adverbes de temps

500 Sens des adverbes de temps

afterwards : *par la suite* ; already : *déjà* ; eventually : *finalement* ; now : *maintenant* ; once : *autrefois* ; soon : *bientôt* ; then : *alors, ensuite* ; today : *aujourd'hui* ; weekly : *chaque semaine*...

501 Place des adverbes de temps

- Les adverbes de temps sont généralement placés en fin d'énoncé.

  He is working **now**. *En ce moment, il travaille.*

  I was young **then**. *J'étais jeune à l'époque.*

- Toutefois already, finally, last, soon et then peuvent se placer entre le sujet et le verbe.

  We last saw her on Sunday.
  Nous l'avons vue dimanche pour la dernière fois.

  I then realized my mistake.
  Je me suis ensuite rendu compte de mon erreur.

502 Remarques sur *yet*

- Yet se place en fin d'énoncé. Il s'emploie surtout dans des contextes **négatifs** ou **interrogatifs**.

  I do not know yet. (not yet : *pas encore*)
  Je ne sais pas encore.

  Is dinner ready yet? (yet signifie already dans les questions)
  Le dîner est-il déjà prêt ?

Après un superlatif, yet signifie *jusqu'à présent.*

She's the best player we've had yet.
C'est la meilleure joueuse que nous ayons eue jusqu'à présent.

Dans un contexte affirmatif, yet signifie *encore.*

They could come yet.
Ils pourraient encore venir.

503 Remarques sur *still*

Still signifie *encore* et se place généralement avant le verbe, sauf avec be.

I **still** want to go. *Je veux encore y aller.*

She is **still** in bed. *Elle est encore au lit.*

Ne confondez pas still not (*toujours pas*) et not yet (*pas encore*).

He **still** does**n't** understand. *Il ne comprend toujours pas.*

Le fait de ne pas comprendre continue.

He does**n't** understand **yet**. *Il ne comprend pas encore.*

Le fait de comprendre n'a pas encore eu lieu.

Quand *toujours* signifie *encore*, il se traduit par still.

Tu habites ***toujours*** *en Belgique ?*
Do you **still** live in Belgium?

Les adverbes de manière et de lieu

504 Adverbes de manière

Sens des adverbes de manière

angrily : *avec colère* ; quietly : *calmement* ; strangely : *étrangement* ; suddenly : *soudain* ; unexpectedly : *de manière inattendue* ; well : *bien...*

Place des adverbes de manière

- Les adverbes de manière se placent en général après le complément.

She sang it **beautifully**.
Elle l'a chanté superbement.

- Ils peuvent éventuellement se placer entre le sujet et le verbe.

They **slowly** walked to the school.
Ils ont marché lentement jusqu'à l'école.

• L'adverbe well ne se place avant le verbe qu'au passif.

The part was **well** played. *Le rôle a été bien interprété.*

Mais He played his part **well**. *Il a bien joué son rôle.* [~~He well played his part.~~]

505 Adverbes de lieu

Sens des adverbes de lieu

here : *ici* ; there : *là-bas* ; above : *plus haut* ; behind : *derrière* ; upstairs : *en haut, à l'étage*...

Place des adverbes de lieu

Les adverbes de lieu se placent le plus souvent en fin d'énoncé.

They left all their belongings **behind**.
Ils laissèrent toutes leurs possessions derrière eux.

Les adverbes de degré

506 Sens des adverbes de degré

totally, utterly : *totalement* ; highly : *grandement* ; extremely : *extrêmement* ; too : *trop* ; most, very : *très* ; so : *tellement* ; almost, nearly : *presque* ; fairly : *relativement* ; somewhat : *quelque peu* ; pretty, enough : *assez* ; a little, a bit, slightly : *un peu* ; little : *peu* ; hardly, scarcely : *à peine*...

Seuls quelques adverbes peuvent modifier des **adjectifs au comparatif** (→ 308) :

so much better [~~so better~~] : *tellement mieux* ; **much/far/a lot** better : *beaucoup mieux* ; **rather** better : *plutôt mieux* ; **a little/slightly/a bit/a little bit** better : *un peu mieux*

Certains adverbes de degré peuvent aussi **modifier un verbe** :

completely, utterly : *complètement* ; very much, a lot : *beaucoup* ; quite : *tout à fait* ; almost : *presque* ; barely, hardly : *à peine*...

507 Place des adverbes de degré

Ces adverbes se placent **avant l'adjectif** ou **l'adverbe** qu'ils modifient.

I know her **quite** well. *Je la connais assez bien.*

I'm **a little bit** tired. *Je suis un peu fatiguée.*

- Les adverbes de degré modifiant un verbe se placent **entre le sujet et le verbe** (→ 494).

  I **really** enjoyed it. *J'ai vraiment apprécié.*

  He has **almost** finished. *Il a presque terminé.*

  Ne confondez pas not really *(pas vraiment)* et really not *(vraiment pas).*

  I did**n't really** like it. *Je n'ai pas vraiment aimé.*

  I **really** did**n't** like it. *Je n'ai vraiment pas aimé.*

- Avec very much, il existe deux possibilités :

  I enjoyed it **very much**. ou I **very much** enjoyed it.
  J'ai beaucoup apprécié.

- Avec a lot et a little, on trouve seulement :

  I enjoyed it **a lot**. [~~I a lot enjoyed it.~~]

  I enjoyed it **a little**. [~~I a little enjoyed it.~~]

  Ça m'a plu beaucoup/un peu.

- Quand *beaucoup* modifie un verbe, on le traduit souvent par very much.

  I **very much** enjoyed it. *J'ai beaucoup apprécié.*

  On trouve parfois much adverbe (sans very) devant les verbes de préférence : I **much enjoyed**/appreciated/preferred...

  I **very much** enjoyed/appreciated/preferred... est moins formel.

- Dans les phrases **interrogatives** et **négatives**, on utilise much (very much et a lot sont également possibles).

  Did you walk around much? *Vous vous êtes beaucoup promenés ?*

  He didn't talk much. *Il n'a pas beaucoup parlé.*

- On trouve much (pas very much) devant les **comparatifs** (→ 308).

  It's much better. *C'est beaucoup mieux.*

- Devant un participe passé, on utilise much ou very much.

  They were **(very) much** slated by the critics.
  Ils ont été énormément éreintés par la critique.

- On utilise very et non much devant un adjectif, même s'il s'agit d'un participe passé adjectivé : very astonished, very interested...

  • De façon surprenante, on dit I may be **(very) much mistaken** *(Je peux me tromper complètement)* et non ~~very mistaken~~.

  • Avec l'adjectif amused, on trouve **much** amused, **very** amused ou **very much** amused !

ATTENTION Enough adverbe se place **après** l'adjectif ou l'adverbe modifié.

He is not **old enough**. *Il n'est pas assez grand.*

Enough quantifieur se place avant le nom sur lequel il porte (→ 221).

enough chairs : *assez de chaises*

508 Remarques sur *so* (« si », « tant », « tellement »)

On trouve so + **adjectif** ou **adverbe**. So much modifie un verbe.

It's **so nice** of you. *C'est si gentil de votre part.* [so + adjectif]

He did it **so rapidly**. *Il a l'a fait si rapidement.* [so + adverbe]

I love you **so much**. *Je t'aime tant.*

À l'oral, so s'emploie de plus en plus pour modifier un verbe (→ 386).

I love you so. *Je t'aime tant.*

I so didn't want to talk about it.
Je ne voulais vraiment pas en parler.

509 Remarques sur *too* (« trop »)

On trouve too + **adjectif** ou **adverbe**. Too much modifie un verbe.

It's **too** good to be true. *C'est trop beau pour être vrai.*

She drives **too** fast. *Elle conduit trop vite.*

Notez much too fast : *beaucoup trop vite.*

They work **too much**. *Ils travaillent trop.*

Notez far too much : *beaucoup trop.*

Avec a + **nom**, on a la structure too + **adjectif** + a (an) + **nom** (→ 186).

It's **too difficult a situation**. [~~It's a too difficult situation.~~]
C'est une situation trop difficile.

510 Remarques sur *quite* (« complètement », « tout à fait », « assez »)

Quite possède un sens en anglais américain (*complètement/tout à fait*) mais deux sens en anglais britannique (*complètement/tout à fait, assez*).

On trouve quite au sens de *complètement/tout à fait*, en particulier avec des adjectifs tels que :
amazing : *surprenant* ; amazed : *étonné* ; certain : *sûr* ; different : *différent* ; impossible : *impossible* ; perfect : *parfait* ; right : *juste* ; true : *vrai* ; wrong : *faux*

What she said was **quite** true. *Ce qu'elle a dit était tout à fait juste.*

I **quite** agree with you. *Je suis tout à fait d'accord avec toi.*

- On trouve quite au sens de *plutôt/assez* avec les adjectifs exprimant une gradation.

It's **quite** cold. *Il fait plutôt froid.*

En anglais américain, It's quite cold signifie *Il fait très froid.*

- Quite se place avant le groupe a (an) + **nom**.

It's **quite a long way**. *C'est assez loin.*

He's quite a character! *C'est un vrai personnage !*

Notez aussi : Quite the opposite! (*C'est tout à fait le contraire !*)

511 Remarques sur *almost/nearly* (« presque »)

- Almost et nearly peuvent porter sur une quantité.

Almost/Nearly two hundred people were invited.
Presque deux cents personnes ont été invitées.

- Dans l'expression d'une opinion ou d'une similitude, almost est nettement préféré.

I **almost wish** I hadn't won. *Je regrette presque d'avoir gagné.*

Percy **almost sounds** foreign. *Percy a presque un accent étranger.*

- Not nearly signifie *loin de.*

It's **not nearly** completed. *C'est loin d'être fini.*

512 Remarques sur *fairly/rather* (« assez », « plutôt »)

- Fairly signifie *assez, raisonnablement, plutôt.*

He is **fairly** rich. *Il est assez riche.*

Pretty est un synonyme de fairly, en plus familier : He is pretty rich.

- Rather signifie *plutôt*. Il modifie un adjectif, un adverbe ou un verbe.

She's **rather** nice. *Elle est plutôt sympa.*

He behaved **rather** stupidly.
Il s'est conduit de manière plutôt stupide.

I **rather like** this place! *Il me plaît bien, cet endroit !*

- Rather précède les déterminants.

It's **rather the** contrary. *C'est plutôt le contraire.*

Avec a + adjectif, on trouve deux constructions.

It's **a rather good** idea. ou It's **rather a good** idea.
C'est plutôt une bonne idée.

➜ Would rather 129.

513 Remarques sur *hardly/barely/scarcely* (« à peine », « guère »)

Ces trois adverbes ont un sens négatif (*à peine, guère*) et s'emploient donc avec des verbes à la forme affirmative.

- Hardly : *presque pas*

We **hardly** know each other.
Nous ne nous connaissons presque pas.

It's **hardly** believable.
C'est à peine croyable.

She **hardly** ever goes out.
Elle ne sort que très rarement.

I **hardly** know anyone here.
Je ne connais presque personne ici.

➜ Hardly... when (*À peine... que*) 522.

- Barely : *tout juste*

He can **barely** read.
Il sait tout juste lire.

- Scarcely : *pas plus que/à peine* est plus négatif que barely.

There were **scarcely** fifty people.
Il y avait à peine cinquante personnes.

514 Remarques sur *even* (« même »)

- Even se place devant le mot qu'il modifie.

Even my granddaughter knows that.
Même ma petite-fille sait cela.

They don't **even** want to know.
Ils ne veulent même pas savoir.

- Even peut modifier un comparatif. Il se traduit alors par *encore* (➜ 308).

It's **even better** than I thought.
C'est encore mieux que je ne pensais.

Les adverbes d'ajout

515 Sens des adverbes d'ajout

also, too, as well : *aussi, également* ; else : *d'autre* ; in addition : *de plus*

516 *Also, too, as well*

Also se place généralement avant le verbe lexical, too et as well en fin d'énoncé.

They **also** speak Chinese. *Ils parlent également le chinois.*

They speak Chinese **too/as well**. *Ils parlent également le chinois.*

Also peut apparaître en début d'énoncé, au sens de in addition/moreover (*en outre/de plus*).

Also I'm allergic to cats. *De plus, je suis allergique aux chats.*

On rencontre parfois too juste après le sujet (style écrit).

We, too, love our children. *Nous aussi, nous aimons nos enfants.*

Notez aussi l'expression me too (*moi aussi*) → 154.

Also, too et as well peuvent être ambigus. C'est l'intonation qui lève l'ambiguïté.

We **also** want to go out.
Nous aussi nous voulons sortir. [we accentué]
ou *Nous voulons en plus sortir.* [go out accentué]

517 *Else*

Else (*d'autre*) s'emploie avec les composés de any, some, no, avec little, not much et après les mots interrogatifs.

Do you need **anything else**?
Avez-vous besoin d'autre chose ?

There's **not much else** we can do.
Nous ne pouvons pas faire grand-chose d'autre.

Who else could do it?
Qui d'autre pouvait le faire ?

Les adverbes de liaison

518 Sens des adverbes de liaison

Adverbes de liaison exprimant un contraste

however : cependant ; nevertheless : néanmoins ; (and) yet : et pourtant ; all the same : quand même ; still : cependant ; otherwise : sinon...

Autres adverbes de liaison

actually : en fait ; anyway : de toute façon ; firstly : premièrement ; secondly : deuxièmement ; moreover : de plus ; and then : ensuite ; incidentally : à propos ; somehow : pour une raison ou pour une autre ; besides : d'ailleurs ; so : ainsi ; therefore : par conséquent ; thus : ainsi...

519 Place des adverbes de liaison

- Les adverbes de liaison sont souvent placés **en début d'énoncé**.

  I can't go. **Besides**, I don't want to.
  Je ne peux pas y aller. D'ailleurs je ne veux pas y aller.

- Ils peuvent également **précéder le verbe lexical**.

  I know I shouldn't, but I'll **still** do it.
  Je sais que je ne devrais pas, mais je le referai quand même.

- Though (pourtant) se place toujours **en fin d'énoncé**. Ne pas confondre avec though conjonction (bien que) → 438. Comparez :

  It is not easy, **though**. *Et pourtant, ce n'est pas facile.*

  I'll do it, **though** it is not easy.
  Je le ferai, bien que ce ne soit pas facile.

Les adverbes de modalité

520 Sens des adverbes de modalité

Les adverbes de modalité commentent **l'ensemble de la phrase**.
certainly : certainement ; clearly : de toute évidence ; definitely : sans aucun doute ; probably, presumably : probablement, vraisemblablement ; surely : sûrement ; maybe : peut-être ; obviously : manifestement ; naturally : naturellement ; of course : bien sûr ; surprisingly : de manière surprenante ; fortunately : heureusement ; frankly : franchement ; personally : à mon avis...

Likely peut être adverbe (probablement) ou adjectif (→ 125-126).

The results will very likely be announced tonight.

Les résultats seront très probablement annoncés ce soir.

La construction sans very est américaine : The results will likely be announced tonight. Variante britannique : The results will probably...

521 Place des adverbes de modalité

Les adverbes de modalité se placent très souvent **avant le verbe**.

They **probably missed** it. *Ils l'ont probablement raté.*

Certains adverbes de modalité peuvent se placer **en début d'énoncé**.

Certainly, you could have come. *Assurément, tu aurais pu venir.*

Perhaps she's home. *Peut-être est-elle chez elle.*

ATTENTION

Dans les phrases **négatives**, la négation apparaît **après** l'adverbe.

They **probably** wo**n't** arrive late./They will **probably not** arrive late./ They **probably** will **not** arrive late.

Ils n'arriveront probablement pas en retard.

They **probably** have**n't** decided yet./They have **probably not**...

Ils n'ont probablement pas encore décidé.

Avec un autre adverbe l'ordre serait différent.

They do**n't often** arrive late. *Ils n'arrivent pas souvent en retard.*

Certains de ces adverbes peuvent se traduire par des tournures impersonnelles en français :

admittedly : *il faut le reconnaître* ; arguably : *on pourrait dire que...* ; hopefully : *on espère que...* ; surprisingly : *il est surprenant que...*

Admittedly, this is true. *Il faut reconnaître que c'est vrai.*

Remarques complémentaires sur la place de l'adverbe

522 La place de l'adverbe et l'emphase

Les adverbes de fréquence et de degré peuvent être placés devant l'auxiliaire, parfois pour créer une emphase.

I **never** can remember. *Je n'arrive vraiment jamais à m'en souvenir.*

She **really** did not like it. *Elle n'a vraiment pas aimé.*

- Les adverbes restrictifs ou négatifs placés en tête de phrase prennent une valeur emphatique. Il s'agit d'un niveau de langue recherché : hardly... when/no sooner... than : *à peine* ; never : *jamais* ; nowhere : *nulle part* ; not only : *non seulement* ; seldom : *rarement*...

Notez la structure : **adverbe + auxiliaire + sujet + verbe** (→ 434).

Hardly had he left the house **when** the storm broke.
No sooner had he left the house **than** the storm broke.
À peine avait-il quitté la maison que l'orage éclata.

Never before has there been such a disaster.
Jamais auparavant un tel désastre ne s'est produit.

- Les adverbes maybe et perhaps ne sont ni restrictifs ni négatifs. La structure qui suit est celle de la phrase **affirmative**.

Maybe **he is** still here. *Peut-être **est-il** encore là.*

523 Adverbes multiples

Lorsque plusieurs adverbes modifient le même verbe, l'ordre est en général le suivant : **manière + lieu + moment**. Il est fréquent de mentionner le lieu avant le moment.

He played very well there yesterday. *Hier, il a très bien joué là-bas.*

524 Portée de l'adverbe

Placés devant un verbe, certains adverbes de manière (generously, kindly, stupidly...) caractérisent le sujet grammatical. Comparez :

I **stupidly** answered. *Bêtement, j'ai répondu.*

I answered **stupidly**. *J'ai répondu de manière stupide.*

525 Place de l'adverbe avec *to* + verbe

Il est souvent dit qu'un adverbe ne doit pas séparer to du verbe. Mais la tournure to + **adverbe** + **verbe** est de plus en plus fréquente (→ 388).

He promised to be the first man **to really unite** the country.
Il a promis d'être le premier homme qui unifierait réellement le pays.

La formation des mots
La ponctuation

LES MOTS DÉRIVÉS

Les mots dérivés sont formés à partir d'un mot répertorié dans le lexique auquel s'ajoute un élément qui, lui, ne peut pas fonctionner seul et qui se place à gauche (**préfixe**) ou à droite (**suffixe**).

kind *(gentil)*
unkind *(désagréable)*
préfixe
kind**ness** *(la gentillesse)*
suffixe

Les préfixes

526 Généralités

Les préfixes s'ajoutent à gauche de certains noms, adjectifs, verbes ou adverbes.
Un grand nombre de préfixes sont communs au français et à l'anglais. Par exemple :
anti- dans antimilitarist *(antimilitariste)*
auto- dans autobiography *(autobiographie)*

527 Tableau des préfixes courants

PRÉFIXE	VALEUR PRINCIPALE	EXEMPLE
counter-	opposition	counterattack : *contre-attaque*
de-	idée de changement négatif	dehumanize : *déshumaniser*
dis-	négatif	disobedient : *désobéissant*
fore-	vers l'avant	foreground : *premier plan*
mis-	de mauvaise manière	misinterpret : *mal interpréter*
out-	à l'extérieur ou dépassement	outpatient : *malade externe* ; outlive sb : *survivre à qqn*

over-	excès ou au-dessus	overstatement : *exagération*
re-	répétition	rewrite : *réécrire*
un-	négatif	unfair : *injuste*
up-	mouvement vers le haut	uproot : *déraciner*
il-/im-/in-/ir-	négatif	illogical : *illogique* ; impolite : *impoli* ; incredible : *incroyable* ; irresponsible : *irresponsable*
under-	au-dessous ou insuffisance	underground : *en sous-sol* ; underestimate : *sous-estimer*

Les suffixes

Les suffixes s'ajoutent à droite de certains noms, adjectifs, verbes ou adverbes.

528 Formation de noms de personnes

MOT + SUFFIXE	SENS	EXEMPLE
verbe + -ee	personne qui est...	employee : *employé*
verbe + -er	agent	employer : *employeur*
nom + -ess	féminin	stewardess : *hôtesse de l'air*

Les noms en -ee sont toujours accentués sur la dernière syllabe. Comparez : employ'ee et em'ployer.

529 Formation de noms abstraits ou de noms collectifs

MOT + SUFFIXE	SENS	EXEMPLE
verbe + -al	action de	arrival : *arrivée*
nom ou adjectif + -dom	condition domaine	freedom : *liberté* kingdom : *royaume*
nom + -ful	« plein de »	mouthful : *bouchée*
nom de personne + -hood	statut	childhood : *enfance*
nom ou adjectif + -ism	comportement système	patriotism : *patriotisme* socialism : *socialisme*
adjectif + -ness	état/condition	happiness : *bonheur*
nom + -ship	fait d'être...	friendship : *amitié*

530 Formation d'adjectifs

MOT + SUFFIXE	SENS	EXEMPLE
verbe + -able	susceptible d'être	breakable : *cassable*
nom de matériau + -en	fabriqué en	wooden : *en bois*
nom + -y	qui a la qualité de	rainy : *pluvieux*
nom + -ful	qui a les qualités de	careful : *soigneux*
nom/adjectif + -ish	qui a les qualités négatives de	childish : *enfantin* ; brownish : *brunâtre*
nom + -less	qui n'a pas les qualités de	careless : *imprudent*
nom + -like	« comme »	ladylike : *distinguée, raffinée*

Les suffixes -ic et -ical forment des adjectifs, souvent à partir de noms.

– adjectifs en -ic : artist**ic**, athlet**ic**, publ**ic**...

– adjectifs en -ical : grammat**ical**, mus**ical**, phys**ical**, polit**ical**...

On trouve parfois les deux suffixes avec un sens identique :

cynic(al), symbolic(al), symmetric(al), strategic(al), fanatic(al)...

Les adjectifs en -ic(al) sont accentués sur l'avant-dernière syllabe.

eco'nomic(al) ; gram'matical mais 'Arabic, 'catholic

Dans quelques cas, les adjectifs en -ic et en -ical ont un **sens différent**.

- economic/economical (tous deux formés à partir de economy)

  economic : *qui appartient au domaine de l'économie*
  economical : *qui fait faire des économies/bon marché*
  economic growth : *la croissance économique*
  an economical vehicle : *un véhicule économique*

- comic *(comique, humoristique)*/comical *(qui fait rire, cocasse)*
- electric *(qui fonctionne à l'électricité)* ; electrical dans les autres cas :

  an electrical engineer : *un électrotechnicien*

Notez an electrical appliance : *un appareil électrique*

531 Formation de verbes

Le suffixe -en permet souvent de former un verbe à partir d'un adjectif.

black : blacken *(noircir)* ; hard : harden *(durcir)*

Ce procédé n'est pas systématique : free *(libre)*, mais free *(libérer)*.

532 Formation d'adverbes

Le suffixe le plus employé pour former des adverbes est -ly. Il s'ajoute aux adjectifs.

quick *(rapide)* : quickly *(rapidement)*

→ Détails sur le suffixe -ly 491.

Autres procédés de formation de mots

533 Conversion de verbes en noms

- Certains mots peuvent directement passer d'une catégorie à une autre.

I **go** to school every day. [go verbe] *Je vais à l'école tous les jours.*

He is always on **the go**. [go nom] *Il est toujours en mouvement.*

I'd like **to walk**. *J'aimerais marcher.*

Let's take **a walk**. Promenons-nous.

- **Accentuation**

En règle générale, pour les mots de deux syllabes, le nom est accentué sur la première syllabe, le verbe sur la seconde.

in'sult *(insulter)*, **mais** an 'insult *(une insulte)*
re'cord *(enregistrer)*, **mais** a 'record *(un disque)*

534 Composition de certains verbes

Un certain nombre de verbes se composent d'une **particule + verbe**. Dans ce cas, la particule et le verbe forment un seul mot.

PARTICULE	SENS	EXEMPLE
down-	mouvement vers le bas	download : *télécharger*
out-	dépassement	outlive sb : *survivre à qqn*
over-	excès	overwork sb : *surmener qqn*
under-	sous	underestimate : *sous-estimer*
up-	mouvement vers le haut	update : *mettre à jour*

→ Structure verbe + particule 14-16.

→ Noms composés 258-260.

→ Adjectifs composés 286.

LA PONCTUATION

Les signes de ponctuation anglais sont les mêmes que ceux de la ponctuation française. Il existe toutefois des différences d'usage.

535 Le point

Le point (full stop [GB] ou period [US]) s'emploie comme en français à la fin d'une phrase.

On le trouve aussi :

– après des abréviations : Mrs. Smith *(Mme Smith)* ;

– devant les décimales : 6.57 (qui se lit six **point** five seven) → 245 ;

– dans les adresses électroniques : bbc.co.uk, qui se lit bbc dot co dot uk.

536 La virgule

La virgule (comma) s'emploie comme en français. On l'utilise moins qu'en français pour séparer deux propositions.

> I didn't want to go but he insisted.
> *Je ne voulais pas y aller, mais il a insisté.*

La virgule (I didn't want to go, but he insisted) signalerait une pause.

À noter que, dans les dialogues, la virgule se place avant les guillemets, contrairement au français.

> "I have to go," he said. *« Je dois y aller », dit-il.*

→ Emploi avec les adjectifs 266 → avec les relatives 422.

537 Les deux points et le point-virgule

Les deux points (colon) servent à introduire une liste ou une citation, comme en français.

> The main relative pronouns are: who, which, what, that...
> *Les principaux pronoms relatifs sont :* who, which, what, that...
>
> She said: "Never again!" *Elle a dit : « Plus jamais ça ! »*

Le point-virgule (semi-colon) sert à séparer deux parties d'une phrase, notamment quand il n'y a pas de conjonction.

> She refused; he hesitated. *Elle a refusé ; lui a hésité.*

À noter que, contrairement au français, on ne met pas d'espace entre les deux-points (ou le point-virgule) et le mot qui précède en anglais.

538 Le tiret long

- Le tiret long (dash) est comparable à une parenthèse.

  My sister — the one you haven't met — only wears jeans.
  Ma sœur (celle que tu ne connais pas) ne porte que des jeans.

- L'usage du tiret long est plus fréquent en anglais qu'en français, où l'on préfère les parenthèses. Il tend de plus en plus à remplacer le point ou la virgule dans les courriels ou les SMS.

  Saw H — she looked gr8 [great] — CU [see you] 2morrow [tomorrow].
  G vu H — L AV l'air en forme. À 2 main.

539 Les guillemets

Les guillemets (quotation marks ou inverted commas [GB]) s'emploient comme en français, mais ils n'ont pas la même forme en anglais et en français.

She said: "Never again!"	She said: 'Never again!'	*Elle a dit : « Plus jamais ça ! »*
anglais américain : guillemets doubles (double quotation marks)	anglais britannique : guillemets simples (single quotation marks)	guillemets à la française ; espace avant et après les guillemets

540 Points d'interrogation et d'exclamation

- Le point d'interrogation (question mark) s'emploie comme en français.
- Le point d'exclamation (exclamation mark) s'emploie comme en français, mais on l'utilise moins en anglais qu'en français.
- Contrairement au français, ces deux signes de ponctuation ne comportent pas d'espace avec le mot qui précède.

  Never again! *Plus jamais ça !*

541 L'apostrophe

- L'apostrophe (apostrophe) signale
  - l'omission de lettres :

    it's pour it is ou it has ; doesn't pour does not ;
    Jo'burg pour Johannesburg
  - l'omission de chiffres :

    I met him in '99. *Je l'ai rencontré en 1999.*
- Elle s'emploie aussi dans la formation du génitif (→ 250).

Les verbes irréguliers

Sont mentionnés en **caractères gras** les verbes les plus courants.
La lettre **(r)** signale que le verbe est également **régulier**.
bet **(r)** signifie donc que les deux formes bet et betted sont possibles.

Tableau des verbes irréguliers

INFINITIF	PRÉTÉRIT	PARTICIPE PASSÉ	TRADUCTION
abide	abode **(r)**	abode **(r)**	se conformer à
arise	arose	arisen	survenir
awake	awoke **(r)**	awoken **(r)**	s'éveiller
be	**was, were**	**been**	être
bear [eə]	bore	borne	porter
beat	**beat**	**beaten/beat** (US)	battre
become	**became**	**become**	devenir
befall	befell	befallen	advenir
beget	begot	begotten/begot	engendrer
begin [ɪ]	**began**	**begun**	commencer
behold	beheld	beheld	contempler
bend	bent	bent	courber
bereave	bereft **(r)**	bereft **(r)**	priver
beseech	besought **(r)**	besought **(r)**	implorer
beset	beset	beset	assaillir
bestride	bestrode	bestridden	enfourcher
bet	bet **(r)**	bet **(r)**	parier
bid	bade/bid	bid/bidden	offrir [prix], ordonner
bind	bound	bound	lier
bite	bit	bitten	mordre
bleed	bled	bled	saigner
blow	blew	blown	souffler
break	**broke**	**broken**	casser
breed	bred	bred	élever
bring	**brought**	**brought**	apporter
broadcast	broadcast **(r)**	broadcast **(r)**	diffuser
build [ɪ]	**built**	**built**	construire
burn	**burnt (r)**	**burnt (r)**	brûler
burst	burst	burst	éclater

INFINITIF	PRÉTÉRIT	PARTICIPE PASSÉ	TRADUCTION
buy	**bought**	**bought**	*acheter*
cast	cast	cast	*jeter*
catch	**caught**	**caught**	*attraper*
chide	chid **(r)**	chidden **(r)**	*réprimander*
choose	**chose**	**chosen**	*choisir*
cleave	clove/cleft **(r)**	cloven/cleft **(r)**	*fendre*
cling	clung	clung	*s'accrocher*
come	**came**	**come**	*venir*
cost	**cost**	**cost**	*coûter*
creep	crept	crept	*ramper*
cut	**cut**	**cut**	*couper*
deal [iː]	dealt [e]	dealt	*distribuer*
dig	dug	dug	*creuser*
dive	dived/dove (US)	dived	*plonger*
do	**did**	**done**	*faire*
draw	**drew**	**drawn**	*dessiner/tirer*
dream [iː]	**dreamt** [e] **(r)**	**dreamt (r)**	*rêver*
drink	**drank**	**drunk**	*boire*
drive	**drove**	**driven**	*conduire*
dwell	dwelt **(r)**	dwelt **(r)**	*résider*
eat	**ate** [et] ou [eɪt]	**eaten**	*manger*
fall	**fell**	**fallen**	*tomber*
feed	fed	fed	*nourrir*
feel	**felt**	**felt**	*ressentir*
fight	**fought**	**fought**	*combattre*
find	**found**	**found**	*trouver*
flee	fled	fled	*fuir*
fling	flung	flung	*lancer*
fly	**flew**	**flown**	*voler [avec des ailes]*
forbear	forbore	forborne	*s'abstenir*
forbid	forbade	forbidden	*interdire*
forecast	forecast **(r)**	forecast **(r)**	*prévoir*
forget	**forgot**	**forgotten**	*oublier*
forgive	**forgave**	**forgiven**	*pardonner*
forsake	forsook	forsaken	*abandonner*
freeze	froze	frozen	*geler*
get	**got**	**got/gotten** (US)	*obtenir*
gild	gilded	gilt **(r)**	*dorer*
give	**gave**	**given**	*donner*

INFINITIF	PRÉTÉRIT	PARTICIPE PASSÉ	TRADUCTION
go	**went**	**gone**	aller
grind	ground	ground	moudre
grow	**grew**	**grown**	pousser
hang	hung	hung	pendre[1]
have	**had**	**had**	avoir
hear	**heard**	**heard**	entendre
hew	hewed	hewn **(r)**	tailler
hide	**hid**	**hidden**	cacher
hit	**hit**	**hit**	frapper
hold	**held**	**held**	tenir
hurt	**hurt**	**hurt**	faire mal
keep	**kept**	**kept**	garder
kneel	knelt **(r)**	knelt **(r)**	s'agenouiller
knit	knit **(r)**	knit **(r)**	tricoter
know	**knew**	**known**	savoir/connaître
lade	laded	laden **(r)**	charger
lay	**laid**	**laid**	étendre/poser
lead [iː]	**led**	**led**	mener
lean [iː]	leant [e] **(r)**	leant **(r)**	appuyer
leap [iː]	leapt [e] **(r)**	leapt **(r)**	sauter
learn	**learnt (r)**	**learnt (r)**	apprendre
leave	**left**	**left**	quitter
lend	lent	lent	prêter
let	**let**	**let**	laisser/louer
lie	**lay**	**lain**	être allongé
light	lit **(r)**	lit **(r)**	allumer
lose	**lost**	**lost**	perdre
make	**made**	**made**	faire
mean [iː]	**meant** [e]	**meant** [e]	vouloir dire
meet	**met**	**met**	rencontrer
mislead	misled	misled	induire en erreur
mistake	mistook	mistaken	se méprendre
mow	mowed	mown **(r)**	tondre
overhang	overhung	overhung	surplomber
pay	**paid**	**paid**	payer
prove	proved	proven **(r)**	prouver
put	**put**	**put**	poser

1 Hang est régulier (hanged) quand il signifie *pendre quelqu'un*.

INFINITIF	PRÉTÉRIT	PARTICIPE PASSÉ	TRADUCTION
quit	quit **(r)**	quit **(r)**	*abandonner*
read [iː]	**read** [e]	**read** [e]	*lire*
rend	rent	rent	*déchirer*
rid	rid	rid	*débarrasser*
ride	rode	ridden	*aller à cheval/vélo*
ring	**rang**	**rung**	*sonner*
rise	**rose**	**risen**	*se lever*
run	**ran**	**run**	*courir*
saw [ɔː]	sawed	sawn **(r)**	*scier*
say [eɪ]	**said** [e]	**said** [e]	*dire*
see	**saw**	**seen**	*voir*
seek	sought	sought	*chercher*
sell	**sold**	**sold**	*vendre*
send	**sent**	**sent**	*envoyer*
set	**set**	**set**	*placer/fixer*
sew	sewed	sewn **(r)**	*coudre*
shake	shook	shaken	*secouer*
shave	shaved	shaved/shaven	*raser*
shear [ɪə]	sheared	shorn **(r)**	*cisailler/tondre*
shed	shed	shed	*verser/perdre [feuilles]*
shine	shone	shone	*briller*[1]
shoe	shod	shod	*chausser*
shoot	shot	shot	*tirer/abattre/filmer*
show	**showed**	**shown**	*montrer*
shrink	shrank	shrunk	*rétrécir*
shut	**shut**	**shut**	*fermer*
sing	**sang**	**sung**	*chanter*
sink	sank	sunk	*sombrer*
sit	**sat**	**sat**	*être assis*
slay	slew **(r)**	slain	*massacrer*
sleep	**slept**	**slept**	*dormir*
slide	slid	slid	*glisser*
sling	slung	slung	*lancer*
slink	slunk	slunk	*partir furtivement*
slit	slit	slit	*fendre*
smell	**smelt (r)**	**smelt (r)**	*sentir*
smite	smote	smitten	*frapper*

1 Shine (shined) est régulier quand il signifie *faire briller, cirer.*

INFINITIF	PRÉTÉRIT	PARTICIPE PASSÉ	TRADUCTION
sneak	**(r)** snuck (US)	**(r)** snuck (US)	*se faufiler*
sow	sowed	sown **(r)**	*semer*
speak	**spoke**	**spoken**	*parler*
speed	sped **(r)**	sped **(r)**	*aller très vite*
spell	spelt **(r)**	spelt **(r)**	*épeler*
spend	**spent**	**spent**	*passer/dépenser*
spill	spilt **(r)**	spilt **(r)**	*renverser*
spin	spun	spun	*filer/tournoyer*
spit	spat	spat	*cracher*
split	split	split	*fendre/séparer*
spoil	spoilt **(r)**	spoilt **(r)**	*gâcher*
spread [e]	**spread**	**spread**	*étaler*
spring	sprang	sprung	*bondir*
stand	**stood**	**stood**	*être debout*
steal	**stole**	**stolen**	*dérober*
stick	stuck	stuck	*coller*
sting	stung	stung	*piquer*
stink	stank	stunk	*sentir mauvais*
strew [u:]	strewed	strewn **(r)**	*éparpiller*
stride	strode	stridden	*marcher à grands pas*
strike	**struck**	**struck/stricken** (US)	*frapper*
string	strung	strung	*enfiler*
strive	strove **(r)**	striven **(r)**	*s'efforcer*
swear	swore	sworn	*jurer*
sweep	swept	swept	*balayer*
swell	swelled	swollen **(r)**	*enfler*
swim	**swam**	**swum**	*nager*
swing	swung	swung	*balancer*
take	**took**	**taken**	*prendre*
teach	**taught**	**taught**	*enseigner*
tear	tore	torn	*déchirer*
tell	**told**	**told**	*dire (ra)conter*
think	**thought**	**thought**	*penser*
thrive	thrived/throve (US)	thrived/thriven (US)	*prospérer*
throw	**threw**	**thrown**	*lancer*
thrust	thrust	thrust	*pousser*
tread	trod	trodden	*fouler aux pieds*
typecast	typecast	typecast	*enfermer dans un rôle*
undergo	underwent	undergone	*subir*

INFINITIF	PRÉTÉRIT	PARTICIPE PASSÉ	TRADUCTION
understand	**understood**	**understood**	comprendre
undertake	undertook	undertaken	entreprendre
unwind [aɪ]	unwound [aʊ]	unwound [aʊ]	dérouler
uphold	upheld	upheld	soutenir
upset	upset	upset	bouleverser
wake	**woke (r)**	**woken (r)**	réveiller
wear [eə]	**wore**	**worn**	porter [un vêtement]
weave	wove	woven	tisser
wed	wed **(r)**	wed **(r)**	épouser
weep	**wept**	**wept**	pleurer
wet	wet **(r)**	wet **(r)**	mouiller
win	**won** [ʌ]	**won**	gagner
wind [aɪ]	wound [aʊ]	wound	enrouler
withdraw	withdrew	withdrawn	retirer
withstand	withstood	withstood	résister à
wring	wrung	wrung	tordre
write [aɪ]	**wrote**	**written** [ɪ]	écrire

Index

Bescherelle
ANGLAIS

Les numéros renvoient aux paragraphes.

Abréviations ou signes utilisés

adj. : adjectif	conj. : conjonction	prép. : préposition	sub. : subordonnée
adv. : adverbe	fr. : français	prop. : proposition	trad. : traduction
angl. : anglais	ind. : indirect	S : sujet	V ou v. : verbe
aux. : auxiliaire	part. : participe	sb : somebody	≠ bien différencier
brit. : britannique	pl. : pluriel	sth : something	= dans le sens de

Les numéros en gras correspondent aux traitements les plus importants.

A

B

C

D

E

F

G

H

I

J

K

L

M

S

T

U

V

W

Achevé d' imprimer par Rotolito Lombarda à Seggiano di Pioltello - Italie
Dépôt légal : 92619-8/07 - Septembre 2012